アメリカ文学者

大橋吉之輔エッセイ集

episode

エピソード

大橋吉之輔 著

尾崎俊介 編

エピソード

アメリカ文学者　大橋吉之輔エッセイ集

一般的に病院の内科では、既往症のことをエピソードとも言う。そのエピソードがいくつか重なってメイジャーなものになると、ヒストリーとも言う。

二人だけの言葉を囁いてから、久しぶりに妻と交わった。快感も昂奮もあった。だが、ことが終って体を離し、胯間に手を延ばしてみたが、交わったあとは微塵もない。おや、と思って上半身を起し、左に横たわっているはずの妻のほうに腕を差し延べて、カズコと妻の名を呼んだが、返事はない。スタンドの灯りをともし、ベッドから起き出て、書斎を横切り、窓を開けてベランダに出た。そして、真夜中の闇に向って、カズコ、カズコと声にならない声で呼びながら、とうとう自分は狂ったのかと思った。カズコがそこにいるはずはないのだ……。

だが、私の狂気がはじまったのは、五十年以上も前のことだった。敗戦前の社会を蔽っていた狂気には、正当化できないものが多かったが、ちょうど多感な青年時代にさしかかっていた私は、そういう狂気に楯突くつもりで、自分なりのささやかな抵抗を試みたりした。しかし、敗戦後の数年のあいだは、解放こそが、生きることのすべての局面において、もっとも人間らしいことであり、真っ当なことであると思い込むようになった。それは、新しい意味の狂気であり、溺れてみる価値のある狂気のように思われた。

「エピソード」

序

「エピソード」という本書のタイトルは、卓越したアメリカ文学者であった慶應義塾大学名誉教授・大橋吉之輔先生が、その六十八年の生涯の最後に書かれたエッセイの標題から借りたものである。

このエッセイ――それは「エッセイ」と言うより、むしろ最愛の奥様との出会いと死別を描いた「私小説」と言うべきものなのだが――には、冒頭に「一般的に病院の内科では、既往症のことをエピソードとも言う。そのエピソードがいくつか重なってメイジャーなものになると、ヒストリーとも言う」という印象的な一文が置かれている。この一文になぞらえて言うならば、大橋先生がその人生の「ヒストリー」の中で書き綴られた種々様々な文章は、その一つ一つが「エピソード」ということになろう。だとすれば、そうした文章を集めた本書のタイトルとして、これ以上のものはないのではないか――。少なくとも私には、そう思えたのだ。

私の大学時代のもう一人の恩師であるアメリカ文学者・須山静夫先生の壮絶な半生を描いた『S先生のこと』（新宿書房、第六一回日本エッセイスト・クラブ賞受賞）を二〇一三年に上梓し、翌二〇一四年、今度は自分自身のアメリカ文学研究の成果を世に問うべく『ホールデンの肖像』（新宿書房）という本を出版した後、さて、次に何をしようかと考えた時、私の中にごく自然に湧き起こってきたのは、「早く大橋先生のことを書かなければ」という思いであった。須山静夫先生と同じく――否、ゼミ生として直接ご指導を受けたという意味ではそれ以上にお世話になったもう一人の恩師、大橋吉之輔先生が亡くなられたのは一九九三年のこと。先生が亡くなられた時、まだ若かった私には、先生のことを書き記すだけの力がなかった。しかし須山先生の思い出を本の形にまとめた後、同様に大きな学恩を受けた大橋先生のことを書かないのは、何かとんでもなく恩知らずなことのように感じられたからである。

もっとも須山先生が亡くなられた直後から書き始めた『S先生のこと』の時とは異なり、大橋先生の思い出を時系列順に綴っていくには、二十年の隔たりは大きすぎた。ではどうするか――。あれこれ悩み、とつおいつ考えた末に思いついたのは、いっそ大橋先生ご本人にご自身の生涯を語っていただけばいいのではないか、ということだった。学術的なものであれ、あるいはエッセイ風のものであれ、先生が一生の間に公にされた文章は数多い。それらをすべて収集・編纂すれば、優に一冊の本になるはず、そしてそれは立派に大橋先生の生涯を語る本になるはず、と、私は考えたのである。

が、実際に先生が様々な媒体に書き散らされた文章を集め出してみると、その分量の多さは驚くべきものだった。「優に一冊」どころか、現在私が確認しているものだけでも、これらをすべて収録しようとすれば、それは電話帳のように分厚い本となり、読者をいたずらに威圧するようなものとなってしまうだろう。

　そこで私は、先生が残された膨大な量の文章を私自身の判断で取捨選択し、厳選したものだけをまとめて本書を編纂することとした。ただし、取捨選択の基準は必ずしも内容の善し悪しではない。そうではなくて、まず何よりも一般の読書人にとって読み易いもの、そしてその上で「大橋吉之輔」なる傑出した、そして極めてユニークな文学者の個性が浮かび上がるようなものを選んだつもりである。その結果、大橋先生の肉声が聞えて来るような文集になったという自負はあるものの、反面、英文を縦横に引用し、厳密な批判精神に裏打ちされた作品論など、一般の読者にはやや荷の重そうな文章を脇に除けることにもなってしまった。もしそのためにアメリカ文学研究者としての大橋先生の姿がいささかでもぼやけてしまったとしたら、非はすべて編者である私にある。どのようなご批判も甘んじて受けるしかない。

　だが、それはそれとして、大橋先生が若い頃から書かれてきた文章を集めたり、選んだり、ワープロに打ち込んだりしていくうちに、一つ、面白いことが起こってきた。大橋先生は私より四十歳近くも年上であられたが、五十代となった私が書き写しているのは、先生が三十代か四十代の頃の文章であることが多い。つまり生前は仰ぎ見る一方の存在だった先生を、今は逆に自分より年下の、まだ青臭いところもある若手研究者として見守っているような、そんな新鮮な感覚に襲われたのだ。

　アメリカ文学の素晴らしさを世の人々に伝えようと、原稿用紙のマス目と格闘している若き大橋先生の熱き思いを、それこそ一字一句、後を追うように追体験することによって、懐かしい恩師にまた一歩、近づくことができたのではないかという思いを、私は今、存分に味わっているのである。

尾崎俊介

CONTENTS

第三章　仕事・クルマ・映画・古本

第四章　晩年の先生

第五章　最後のエッセイ

小伝　大橋吉之輔先生

大橋吉之輔先生は、大正十三年（一九二四年）十一月二十七日、広島の裕福な素封家の家にお生まれになった。だから先生の満年齢は、その年の誕生日が来るまでは昭和の年号と同じ、ということになる。

荒神町尋常小学校を経て、昭和十二年に広島高等師範学校附属中学校に入学された先生は、いわゆる「四修」で昭和十六年に旧制広島高校に進学、そして昭和十八年に東京帝国大学文学部英文科に入学される。一見すると絵に描いたようなエリート・コースであるが、当時の日本は満州事変（昭和六年）、盧溝橋事件（昭和十二年）、真珠湾攻撃（昭和十六年）と、国を挙げての大戦争に突入していく過程にあり、鬼畜米英が叫ばれる社会情勢の中で敢えて英文科に進学するということは、それなりの覚悟を要することであったという。

昭和二十年、先生は召集を受けて朝鮮に派兵されるが、間もなく終戦となり、戦後八か月ほど同地に滞在した後、昭和二十一年に帰国。先生を迎えたのは、放射能の焦土と化した郷里・広島の惨状と、ご母堂様逝去（行方不明）の知らせであった。

復学された先生は、昭和二十三年三月に東京大学を卒業する。卒業後は東京都立第九新制高等学校（現都立北園高等学校）に職を得るも、わずか三か月で教頭と大喧嘩の末退職。学生時代から私淑していた早稲田大学教授・龍口直太郎氏が編集者を務めていた東西出版社に籍を置き、『新英米文学』の編集に携わりながら、翻訳家でもあった龍口氏の下訳なども引き受けるようになるが、同社も翌年（昭和二十四年）に倒産。波乱万丈の社会人生活の幕開けであったが、幸いこの年、新制大学となった玉川大学文学部英米文学科に専任講師として招かれたため、前々年に結婚した奥様・和子さんを路頭に迷わすことなく、大学人としての歩みを始められることとなった。

またこの年、先生は、当時横浜市立経済専門学校の教壇に立たれていた大橋健三郎氏（後の東京大学教授）と出会い、同じ大橋姓を持つ若いお二人の先生はすぐに意気投合、アメリカ学会から派生した「アメリカ学会文学部会学生アメリカ研究会」のリーダーとして、日本女子大・立教大・中央大・戸板女子短大・東大・玉川大・東京教育大・東京外語大など都内の諸大学でアメリカ文学を学んでいた学生たちに呼びかけ、その勉強会の指揮を執るようになる。この辺りの経緯については『大橋吉之輔先生・大橋健三郎先生に聞く―日本アメリカ文学会の歴史―』（東京大学アメリカ研究資料センター、一九八八年）に詳しいが、この勉強会が昭和二十八年六月に正式に「アメリカ学会文学部会」となり、それが昭和三十一年三月に「アメリカ文学会」と名称を変えて母体のアメリカ学会から独立、更に昭和三十八年四月には日本各地にあった同様の組織がフェデレーション形式で結集することとなって、今日まで続く「日本アメリカ文学会」が発足したのだから、日本アメリカ文学会はお二人の大橋先生のご尽力によってその基礎が作られたと言っても過言ではない。もっとも健三郎氏が山屋三郎氏、杉木喬氏、刈田元司氏、山内邦臣氏に続いて第五代日本アメリカ文学会会長に就任されたのとは対照的に、吉之輔先生の方は常に裏方に徹し、学会の運営が軌道に乗ったと見るや、学会関係の役職からは意図的に身を退かれた。

さて、玉川大学で三年間教鞭を執られた後、昭和二十七年（一九五二年）の四月、大橋先生は慶應義塾大学文学部英米文学科に移られ、昭和三十四年に助教授、三十八年には教授と、順調に昇任されていく。もっとも教授への昇任はもっと早くになされる予定だったようだが、「一年ほど、それに抵抗して」助教授に留まることに固執されたということを大橋先生ご本人から伺ったことがある。先生曰く、「だって『助教授』の方が恰好いいだろ？　『教授』なんて言ったら、いかにも功成り名遂げました、みたいでイヤミじゃないか」。日本アメリカ文学会の創立に中心的な役割を果たしながら会長職には就かれなかったこともそうだが、およそ「権威」と名の付くものをことごとく嫌悪された大橋先生の面目躍如と言うところであろう。

その後、昭和四十一年（一九六六年）から二年間、先生はＡＣＬＳ（American Council of Learned Societies）のリサーチ・フェローとしてシカゴ大学に留学され、ホイットマンやメルヴィル、Ｔ・Ｓ・エリオットの研究で名高いジェームズ・Ｅ・ミラー教授の指導の下――否、友誼の下――研究生活に没頭される。と同時にこの期間、先生はアメリカでの生活を心ゆくまで楽しまれた。アラスカ・ハワイを除くアメリカ四十八州すべてを見てやろうという思いから、自らハンドルを握ってクルマによるアメリカ全州踏破を試みられたのもこの時期のことであり、このような形でアメリカという国を隈なく見て回った経験は、その後の先生のアメリカ観の形成に大きく貢献することになる。

ちなみに先生はニューヨーク・マンハッタンを初めて訪れた際も、その地理にまったく迷うことがなかったという。その時までに何百何千と読まれたアメリカ小説から断片的に拾い上げた情報により、何丁目と何番街の角を曲がれば何という本屋があり、その数軒先には何というタバコ屋があるといったことまで完全に頭の中に入っていたからである。

そのこととも関連するが、大橋先生のアメリカ文学研究を支えたものは、その驚くべき読書量であった。後の世代の研究者の一般的な研究方法が、まず専門に研究する作家を決め、その作品を読み、その作家についての研究書を読み、余裕があれば周辺の作家にも少しだけ目配りする、というようなものであるとすると、大橋先生の場合は、専門がどうのという前に、アメリカの小説が面白くて仕方がないから何はともあれ手あたり次第に片端から読む、ということが基本にある。

だから現代小説に限ったとしても、フォークナー、ヘミングウェイ、フィッツジェラルド、スタインベックといった「大物」はもとより、ジャック・ケルーアックをはじめとする「ビート・ジェネレーション」の作家たち、ウィリアム・スタイロンやトルーマン・カポーティ、フラナリー・オコナーやロバート・ペン・ウォレンなどの「サザン・ルネッサンス」の作家たち、更にはノーマン・メイラー、ジョン・アップダイク、バーナード・マラマッド、それにJ・D・サリンジャーなどのユダヤ系作家たち、リチャード・ライトやラルフ・エリソンやジェイムズ・ボールドウィンなどの黒人作家たち、そしてジョン・バース、カート・ヴォネガット・ジュニア、ドナルド・バーセルミー、ジョン・ホークスといった「ニュー・ライターズ」と呼ばれる作家たちの作品など、同時代を生きる作家の作品は新作が出ればすべて読む。それどころか、ライト・モリスやケイ・ボイルのように今一つメジャーになり切れない「知る人ぞ知る」タイプの作家の作品や、イエージー・コジンスキのような「下手物」タイプの作家も読めば、アメリカ文学史には絶対に名前が出ないような二流、三流、四流の作家の作品まで全部読むのである。先生と一緒に洋書の古書店に行くと、私なぞ名前すら聞いたこともないような作家の作品を次々と指差して、その粗筋や読みどころをさらりと説明しながら「ちょっと面白いから買っておけ」などと仰るのだが、そんな時、先生はこれまでに一体何冊のアメリカ小説を読まれたのか、果たして先生が一作も読まれたことのないアメリカ作家というのは存在するのか、などと思わず愚問を発したくなるほどであった。先生の文学論というのは、そういう膨大な読書量を土台にしたものなのである。

そしてその先生の文学論は、一九五〇年代から七〇年代前半あたりまで、論文の体裁で発表されるというよりも、むしろその時々の新聞や雑誌に「書評」や「文芸時評」の形で発表されることが多かった。あるいはまたストウ夫人の『アンクル・トムの小屋』やウィリアム・フォークナーの『アブサロム、アブサロム!』、ウィリアム・スタイロンの『ナット・ターナーの告白』やアーウィン・ショーの『富めるもの貧しきもの』の邦訳をはじめとして、「翻訳」の形で発表されることも多かった。当時、日本の読書人の外国文学に対する興味・関心は高く、特にアメリカ文学は、日本ではまだイギリス文学ほど広く親しまれていなかった分、一層清新な魅力があり、その紹介が待たれていたのである。そしてそうした紹介の労を担うのに、大橋先生ほどの適任者は居なかったのだ。

だが新聞・雑誌への執筆や翻訳に忙殺されたことの代償として、大橋先生は一冊の本の形で研究の成果を世に問うことが少なかった。そのことはもう一人の大橋先生、すなわち大橋健三郎氏のご著書の多さと比べた時に一層顕著になるのであって、吉之輔先生の文学論をまとめて読みたいと思う向きには若干の不満として残ったわけだが、そのような不満を一掃し、研究者としての大橋先生の凄さを見せつけるような本が、一九八四年についに出版されることになる。『アンダスンと三人の日本人――昭和初年の「アメリカ文学」』(研究社出版)がそれである。これは『英語青年』という専門誌に一九七五年七月から翌年三月まで掲載された「Sherwood Andersonと三人の日本人」という連載、及び一九七八年十月から一九八〇年八月まで続いた「『アメリカプロレタリヤ詩集』とSherwood Anderson」という連載を合わせた二部構成の研究書で、本書の主題である「シャーウッド・アンダスン」とは、大橋先生が東大の学生時代に卒論で扱って以来、一貫して研究を続けてこられた宿命の作家を指す。

本書前半の「Sherwood Andersonと三人の日本人」は、アンダスンの原稿や書簡を数多く所蔵しているシカゴのニューベリー図書館に、日本のダダイスト詩人・高橋新吉と、作家で翻訳家の吉田甲子太郎（きねたろう）、それに日本におけるアメリカ文学研究の先達たる立教大学教授・高垣松雄という三人の日本人からアンダスンに宛てたファン・レターが何通も残されていることを発見した大橋先生が、そのファン・レターを手掛かりとして、彼らとアンダスンとの心温まる交流を丁寧にたどりながら、昭和のはじめという時代に、いかにしてアメリカ文学が日本人に受け容れられていったのか、その過程を明らかにしたもの。また後半の「『アメリカプロレタリヤ詩集』とSherwood Anderson」は、小野十三郎、萩原恭次郎、草野心平の三人の共訳として昭和六年に出版された『アメリカプロレタリヤ詩集』という訳詩集の中に、アンダスンの「シカゴ」という詩が訳出（訳者は小野十三郎）されていた事実を出発点に、果たして小野十三郎氏がどのような経緯でアンダスンの詩業に行き当たり、それを訳そうと思い立ったのか、そのあたりの事情を明らかにすることを縦糸にしつつ、その一方で『アメリカプロレタリヤ詩集』という詩集そのものを、昭和初年の我が国における多様な文学状況の中に位置づけていくという試みである。このように本書は前半・後半ともに「アンダスンの作品と人となりに惚れた我が国の先人たちの思いをたどる」という点で終始一貫しているわけだが、それはつまり、同じくアンダスンの作品と人となりに惚れ抜いた大橋先生ご自身の思いを、それら先人たちの思いに託して綴っていることに他ならない。本書の中に温かく、血の通ったものが感じられるのは、アンダスンに対してはもちろんのこと、そのアンダスンに惚れた先人たちへの大橋先生の深い共感の念が、隠しようもなく溢れているからであろう。

だがそれと同時に驚くべきは、本書において大橋先生が示された研究者としての執念である。半世紀ほども前の事柄を調べるに当たって、多様な文献資料の博捜は当たり前、関係者や関係機関への直接の問い合わせを隈なく行ない、果ては事実関係を知る者が住んでいるのではないかと推測されるアメリカの諸都市の電話帳まで虱潰しに当たるといった調子で、まさに真実を知るためにありとあらゆる手段を尽くされるその追究ぶりはまさに圧巻。それでいて、表面的にはそんな苦労のほどを露ほども感じさせず、調査の進展と共に一歩また一歩と事の真相に近づいていく展開は、まるで探偵小説でも読んでいるかのようなスリルがあるのだから、本書が一九八五年度の「日米友好基金アメリカ研究図書賞特別賞」を受賞したのも当然と言えよう。

そしてこの本の出版も含め、一九八〇年代は、大橋先生にとって実り多き時代となった。その実りの一つは、シャーウッド・アンダスン全集（『The Complete Works of Sherwood Anderson』、一九八二年）の刊行である。京都・臨川書店から刊行された全二十一巻のそれは、未収録作品を含むアンダスンの全作品を網羅しているだけでなく、全巻がオリジナルの初版本を再現したものであるという点でも他に類を見ない。これは長い時間をかけてアンダスン作品の初版本の完璧なコレクションを完成させた大橋先生だからこそ出来た企画であり、本国アメリカのアンダスン・ファンを唸らせたのみならず、世界中のアンダスン研究者の研究に益したという点で、極めて学術的価値の高い全集となった。

またこの時期の先生はこれ以外にも各種全集ものの編纂に積極的に取り組まれ、一九二〇年代から三〇年代にかけて出版されたアメリカ文学の主要作品の初版本を再現した『American Fiction between the Wars』(第一集・全八巻/第二集・全十巻)を一九八九年から一九九一年にかけて、また筑波大学教授・岩元巌氏との共編で『戦後アメリカ文学全集』(『Postwar American Fiction, 1945-1965』)(第一集・全三十巻/第二集・全十五巻)を一九八六年から一九九〇年にかけて、それぞれ刊行している。本書巻末の「大橋吉之輔　著作目録」に掲げた二つの全集の中身を見ていただければ分かるが、ここに収められた作品群はすべてアメリカ文学の傑作であると共に、その取捨選択に大橋先生の価値判断が強く反映しているという点で、この全集全体がそのまま先生流の「アメリカ文学史」にもなっている。いわば大橋先生は、全集の編纂にかこつけて独自のアメリカ文学史を編まれたのであり、そうすることで、若い時から愛読し、自らの血肉と化したアメリカ小説の数々に、先生ならではの流儀でお礼をされたのである。

だが、実りの秋の後には冬が来る。上に述べてきた大仕事の数々が間もなく片付くという段になって、大橋先生の身辺に冷たい風が吹き始める。

まず三百を超えるほどの高血圧体質から腎臓に甚大なダメージを負われた先生は、一九八七年から人工透析を受ける身となられた。週三回、しかも一回に数時間を要する人工透析を受ける必要が生じたことは、あれほど活動的だった先生から移動の自由を奪い、また度重なる体調不良と、それに伴う頻繁な入院生活は先生を疲弊させた。重ねて一九八八年には、長年連れ添われた奥様・和子さんがくも膜下出血の発作により急逝されるという悲劇にも見舞われることになる。

ご自身の体調の悪化といい、最愛の奥様を失われたことといい、この時期の先生は非常に過酷な運命に晒（さら）されていたわけだが、しかし、それにもかかわらず、先生は傍から見れば以前と変わらぬご様子で、この逆境に淡々と耐えておられた。否、耐えているという印象すら与えず、と言って諦めの境地に入られたという風でもなく、ただこうした状況を当たり前のことのように受け容れておられた。その頃、親しく身近に接していた私にも、愚痴らしい愚痴、弱音らしい弱音を吐かれたことは一度たりともない。むしろ一九九〇年代の「冬の時代」に入ってからの大橋先生は、初めて明確な意思をもってご自身の過去を振り返られ、その波乱万丈の生涯の意味を反芻（はんすう）しつつ、それを文章の形に書き残して置きたいという強い衝動を持たれたようであった。

だが、それは通常の意味での「昔語り」をするということではまったくない。当時先生の傍に居て、先生の口から発せられる言葉の端々から私が受け取った印象から言うと、むしろ先生は、追いやろうとしても追いやることの出来ない「記憶」という化け物と格闘しておられるようなところがあった。その化け物をひっ捕えて白日の下に引きずり出すこと、仮にその化け物が先生の過去の罪状を告発しようというのなら、なおさらそれを強いること――そういう嗜虐的な、あるいは自己破壊的な欲望に燃え立っておられるようなところが見受けられた。そしてその成果は、先生がその最晩年に急ぎ足で綴られた幾つもの珠玉のエッセイの中に明らかに顕れている、と、私は思う。

しかし、その志半ばにして、一九九三年の六月二十日、先生は激しい発作に斃れられた。そしてそのまま意識を回復することなく、約半年後の十一月二日、午後五時二十三分、肺炎のため慶應大学病院にて逝去された。享年六十八。戒名は「窓月院嘉山文英居士」である。

世のあらゆる権威に抗い、アメリカ文学を愛し尽くし、生涯「アンダスン馬鹿」を貫かれた先生は、今、郷里・広島の不動院に眠られている。

〈本書の編集方針について〉

本書に掲載した大橋吉之輔先生の文章は、基本的には掲載当時のままであるが、明らかな誤字・脱字については修正を施したほか、促音の表記についても小文字に改めた（「あつた」→「あった」等）。また横書きの媒体に掲載された文章を縦書きに直すに当たり、一部人名や書名の英語表記を適宜日本語表記に変えたところがある。

また今日では差別表現と見なされる語が使われている文章もあるが、これについては時代性を考慮し、敢えて修正を施さなかった。この点に関しては、読者のご海容を乞う次第である。

第一章

「大橋吉之輔」の形成

ヒロシマ・ひろしま・広島

　自分のふるさとはヒロシマなのか、ひろしまなのか、それとも広島なのかと、よく考えることがある。ことばの遊びをしているのではない。それら三つの表記は、それぞれおたがいに重なり合う部分をもちながら、他方、三つの明らかに異なったイメージを喚起しているように思われて仕方がないからである。

　まず、ヒロシマ。いうまでもなく、これはいま世界中に通用する語である。たとえわが国における ヒロシマの地理的な位置は知らぬ人でも、ヒロシマという語を耳にすれば、ほとんどの場合、一瞬厳粛な面持ちを示す。〈自分は日本のヒロシマで生まれ育った〉と、たんなる自己紹介のつもりでこちらは言ったのに、それにたいして、〈申し訳なかった〉と、一見とんちんかんな反応をアメリカ人から示された経験は二度や三度ではない。かれらも、私たちと同様に、ヒロシマが、敗戦直前の広島市民の多数の生命の代償のうえに成立した、おそらく二十世紀でもっとも意味ぶかい新語の一つであることを知っているからである。しかもこの新語は、たとえ片仮名で表記されていても、少なくとも現在までのところ、まだ乾いてはいない。かろうじて戦前戦後を生き残ってきた広島市民たちの、失ったものにたいする情念（おん念ではない）がまだ風化してはいないからである。

その情念を鎮める場所として平和公園はあるのだと思うが、同時にその情念は世界中の人に共感されるものであるが故に、たんに広島市民ばかりでなく、世界中の人の聖域にもなっている。その聖域を、まるで土足で踏みにじるように、そそくさとやってきては核に関する免罪符を手に入れようとするこざかしい政治屋や策士たちも少なくないが、年々増えている公園のハトたちは、そういった連中には目もくれないにちがいない。

それよりも、ちかごろ、少し気にかかることがある。幾何学的な美しい線をもった新しい相生橋が架かり、護岸工事の石の紋様はまぶしいほど白く、原爆ドームの周辺には、しゃれたプロムナードふうのカラータイルが歩道に敷きつめられている。世界中から、平和なやすらぎを確認するために人々が訪れてくるのだから、という設計者の心づかいは痛いほどわかるのだが、それだけにそのような心づかいは、もしかしたら、乾いたヒロシマ、情念の風化、存在証明を喪失したヒロシマ、の方向に向かうのではないかという危ぐが感じられてならない。そこから数百メートルも離れていないところでは、存在証明を放棄した高層建築物が簇生(ぞくせい)している。それが悪いというのではない。それは現代都市の不幸な宿命なのであろう。だがそこには、人間が人間らしく生きるための美学はない。あるのは、結果的には人間排除を志向する、たとえていえば峠三吉の激しい情念を風化させようとする、メカニカルな論理だけではないのだろうか。

つぎに、ひろしま。なんというたおやかなやすらぎを視覚にあたえる表記だろう。平仮名の表記が、すべてそのような効果をもっているわけではない。たとえば、松江や萩や津和野をもし平仮名で表記したら、すべてが失われてしまうような錯覚を人にあたえるにちがいない。ひろしまという表記が、その反対に、なにか新しいさわやかさを感じさせるとしたら、それは、あのときに古い広島のすべてが失われた（ように見える）ことのなによりの証拠でもあるが、それはそれでいいではないか。ただ、いま私の手もとに観光都市ひろしまを宣伝するパンフレットがあるが、見出しの「ひろしま」とパンフレットの作成者「広島市」とのあいだには、なにか奇妙な断絶が感じられて仕方がない。同じような断絶を、市内の至るところで意識させられる。

失ったものの亡霊が、私の心の片隅のどこかにとり憑いているのかもしれないが、そそり立つ高層ビルの壁面にへばりつきながら、あるいはビルの谷間の小さな場所でひそやかに息づきながら、「広島」が「ひろしま」への参入を黙って待っている――そんな個所がまだ多く残っているような気がしてならない。

しかし、「広島」と「ひろしま」がみごとな結節を成就している場所が、すでに確実に一つは存在している。それは、ひろしま美術館である。厳島神社の回廊をあざやかに形象化したと思われるたたずまいのなかに、バルビゾン派からエコール・ド・パリに至る逸品中の逸品が多数展示されている。ここを訪れて、さわやかな感動と衝撃をおぼえないものがいるだろうか。

ひろしま美術館と平和公園を結ぶ線の中間に、広島市民球場がある。その三つの点と線――

「ひろしま」と「広島」と「ヒロシマ」と、をじっと夢想していると、その周辺にひしめきあっている建物は、すべてうたかたの幻のように消えうせていき、世界都市であると同時に個性的な地方都市でもある広島の、昇華された栄光がおぼろげながら見えてくる。妄言多謝。

（『中国新聞』一九八四年六月十八日）

菊池寛のトランク

四十年ほど前、旧制高校の文芸部が、菊池寛と横光利一の両氏を招いて、文芸講演会をやったことがある。その折、両氏の送り迎えや宿での接待の役を、私が受けもった。もっとも、戦時中の、すべてが不自由な時代であったから、送り迎えや接待といっても、いまから見れば簡素きわまりないものであった。

横光利一は、旅支度の小さなカバン一つでやってきて、目の前におかれたコップを眺めながら、このコップは何故ここにあるのだろう？　といったことから話をはじめ、コップの存在と自分の存在とのかかわりについて、諧謔をまじえた考察を吐露した。しんねりむっつり型の話でないのがよかった。

菊池寛は、大きな革のトランクを一つもってやってきた。駅に出迎えたとき、短軀には不釣り合いの、いかにも重そうな大きなトランクだったので、お持ちしましょうと申し出ると、重いぞとおどかしながら渡してくれた。菊池氏に劣らず短軀で、しかも非力な私は、そのトランクを受けとったとき、ほんとうに驚いた。重いなんてものではない。まるで鉄のかたまりかなにかが入っているかのように、私の手には負えそうになかったのである。宿までそれを運んでいくのは、それこそまさに必死の思いだった。

その私の苦しみに同情したのか、宿につくと、菊池氏はさっそくトランクをあけて、なかを見せてくれた。重かったわけである。わずかな衣類をのぞくと、あとは全部本だったのである。数えたわけではないが、文庫本や普通の本が、少なくとも数十冊はあった。主として東西の文学作品、それも古典と呼ばれる有名な作品が多かったが、哲学書や美学の書物も相当数あった。まさか講演のためにこれだけの書物をもってきたわけでもあるまいと、不思議な思いで眺めていると、問わず語りに菊池氏は次のようなことを述べた。

自分にはまだ、死ぬまでに読んでおかなければならない、あるいは読みかえしてみなくてはならない、書物がたくさんある。そういった書物のことを考えると、夜眠るのも惜しいくらいだ。家にいるときも旅に出るときも、たいてい本を読むことばかり考えている。こんどの旅行は、一週間の予定だから、とりあえずこれだけのものをトランクに入れてもってきた。ここにある書物のほとんどは、大学や公共の図書館から借り出してきたものだ。借り出したものは、返す期限があるから、それだけ怠けないで読める。ただし、自分の読書はけっして組織だったものではなく、折々の思いつきとか興味といったようなところがある。しかし、ともかく、自分にとっては、読書こそが生きているあかしなのだ……。

講演会で菊池氏は、読書の魅力について語った。もちろん、重いトランクのことなどは一言もいわなかった。講演会での彼の読書論は、のちに改めて見なおされることになった彼独特の所論の一部であった。

菊池氏はタバコを喫うとき、マッチをすって点火するとすぐにタバコの先にもってくるために、火が消えてしまい、一本のタバコに火をつけるのに五、六本のマッチを無駄にするという奇癖があったが、それも心なしか、彼の読書への情熱の裏打ちのように思われた。

ともあれ、ちょうどそのころ、時局重大の秋（とき）からか、大学や旧制高校のある町の古本屋には、先生方が手放したと思われる立派な書物が、和書洋書を問わず、山と積みあげられ、私などでも買えるほどの安い値段がつけられていた。

（『英語青年』一九八三年四月）

書物とのつきあい

読書遍歴を語れとのことだが、ふりかえってみて、私には遍歴といえるほどの書物とのつきあいはない。なるほど、書物は好きで、いろいろ集めたりはしているが、それは遍歴とかしこまって言えるほど求道的なものではなかった。もし私に読書遍歴というものがあるとすれば、それはこれから先のことで、そのためにある系統の書物をせっせと買い集めてはいるが、それらの書物は私にとってはまだ読んではならぬものばかりである。老後の楽しみというのではない。ある年齢、というよりはあるふんぎり、に達するまでは脇道にそれないために警戒しているのである。もっとも、正直なところ、それとても脇道ではないと確信してはいるが、ともかく、まだそちらの方面へ飛びこんでいくだけの勇気がない。飛びこんだら最後、それこそ遍歴をはじめるだろうからである。これを裏返せば、私のこれまでの書物とのつきあいかたがおのずとわかるだろう。

幼いころに読んだ少年講談や冒険空想小説や漫画本などを除いて、私が書物にある種の畏敬をもって接するようになったのは、旧制中学の二年生のころだった。そのころ、私は当節ブームになっているSLの魅力に取り憑かれた。放課後、鉄道の駅や踏切りの近くに立ちつくして、SLの勇姿にうつつを抜かしているだけではすまなくなり、やがてSL関係の書物を集めはじめた。もちろん当時はＳＬに魅了されるようなものは変り者で、今日のように写真集や種類別カタログなどありはしなかった。したがって、集めたのはむつかしい機関車工学に関する専門書ばかりで、とても理解できるようなしろものではなかったが、それでもいろいろと買い集めてきては、図表や数式をうっとり眺めていたものだった。おかげで、今でもＳＬの写真や実物を見ると、Ｃの何型とか、Ｄの何型とか、大体の察しはつくし、当節のＳＬブームをいささか片腹痛い思いで見ているのである。

　同じころ、家の土蔵の二階にあがって、片隅の埃だらけの箱の中から、樋口一葉の「にごりえ」などの初版本を見つけたときの感激も忘れられない。もちろん和綴の本で、これまた当時の私にとっては容易に理解できる文章ではなかったが、それだけに不思議な魅力にあふれているように思われ、生意気にもあの冒頭の廓（くるわ）の客引きの場面の一節など、ひそかに暗誦できるまでになった。そもそも土蔵の二階にあがったのは、婦人雑誌や医学書の性に関する記事を親の目をのがれて読むためだったが、そういう実際的な楽しみに廓への幻想などが加わって、土蔵通いはしばらく続いたのだった。

　父の部屋の本棚に、五、六十巻の国訳漢文大系という豪華な書物がずらりと並んでいたが、それをときどき手にとってみるようになったのもそのころだった。とくに、詩経とか老荘の書物は何度も開き、詩経冒頭の「関関雎鳩　在河之洲　窈窕淑女　君子好逑」などを暗誦しては悦にひたり、暗い土蔵での幻想を明るい母家に解放していた。他方、訳もわからぬままに般若心経を暗記し、その講釈書を読み、「色即是空　空即是色」などとやっていたのだから、今からみればまことに他愛ないものだった。

一方、現在飯の種にしている英語に目ざめたのもそのころだった。その目ざめはもっぱら中学校で行われたが、戦争直前でまだアメリカ人教師がおり、その女教師が発する英語の発音がまことに奇異に感じられたのがそもそものはじまりだった。なんとか彼女に近い発音をしようと思って、家に帰ると部屋に閉じこもり、手鏡で口のあたりを写しながら、発音の練習をくりかえした。そのうちに、教室でも教師に認めてもらえるような発音が多少できるようになったが、おかしなもので、そうなると言葉そのものにも妙に敏感になり、辞書をひくことがはじまった。それまでも漢和辞典や国語辞典はたびたび用いていたが、英和辞典のほうは持ってはいてもほとんどひくことがなかった。教師の命令でコンサイス型の小さな辞典はもつことを許されず、研究社版の大きなのだけを持っていたのだが、それを机の上でバタバタ音をたてながら、あっちをひきこっちをひくのが面白くなってきたのである。

中学三年の夏休みに入るとき、なにを思ったのか英語担当の先生のひとりが、私にだけ特別の宿題を課した。エドガー・アラン・ポーの「黄金虫」の原書を示し、これを夏休み中に和訳してこいと命じたのである。ぜったいに誰にも相談してはならぬ、判らぬところは辞書をひけ、Aの辞典で判らなかったらBの辞典、BがだめならC、といったぐあいに、あくまで辞書だけをたよりにやれ、と言う。私はそれを挑戦と感じた。親にたのんで当時あった大阪の英和辞典をできるだけ多く買ってもらい、挑戦を受けて立とうとした。正直いって、はじめはまったく歯がたたなかった。最初の五行くらいをやるのに一週間もかかり、辞書を相手の悪戦苦闘の連続だった。ほとんど外出もしなかった。そして、夏休みいっぱいかかって、ノートにどうにか和訳できたのはやっと全体の三分の一くらいで、秋の学期がはじまったとき、私は挑戦に負けたみじめな思いでそのノートを先生に提出したのだった。だが、先生はそのノートを一読して、「よくやった。英語が少しはわかってきただろう。辞書の使い方も多少わかるようになったにちがいない。これからも辞書をひくことだけは忘れるな。これからは少しあちらの辞典をひくようにしたらいいだろう」と言って、教示して下さったのがCODとAOD（PODのアメリカ版で、現在はないようである）だった。私が非常にうれしく感じ、辞書があればなんとかなるという自信めいたものが持てるようになったのはもちろんである。先生はまた、「辞書の背の束が破れて全体がボロボロになるのに一年以上かかるようではだめだ。一年以内に新しいのを買わなければならないくらい勉強しろ」とも言われた。それからしばらくのあいだは、英語の辞書が私の最大の愛読書であった。英和辞典は三冊、CODは二冊、買い換えたのを記憶している。AODを買い換えた記憶はない。そのころは、ひくのではなく読んでいた。おぼえようとしてひくのではないから、同じ単語を何度読んだかわからない。

だが、そういったことで、将来英語を飯の種にしようと決めたわけではない。私をそちらの方に向けたのは、戦争であった。中国で戦火がひろがり、次第に大戦の危機をも予想させるような方向に状勢が展開するに及んで、私はＳＬ工学への夢をきっぱりと棄て、文弱の徒になろうと決意した。とにもかくにも旧制広島高校の文科に進んだのである。高校入学の年に太平洋戦争がはじまったが、文弱の徒への決意は、そのために更にこうじて、一時、映画監督への夢ももつようになり、その方面の書物をしきりに集め、連夜映画館の席をあたためたりもした。だが、中学最後の四年生のとき、たまたま買って読んだ岩波文庫のゴールズワージーの短篇集「我等がために踊れ」（現在は絶版で入手できない）は、私の心にひそかに芽ばえていた英文科志望を決定的なものにしていた。これまた他愛ないといえばまことに他愛ないことだが、当時は大まじめだったのである。しかも、親や教師や、その他周囲のものに、文弱の徒不退転の決意を示して居直る必要もあったのだ。

ともかく、高校入学の年に英文科志望を決意し、斉藤勇（たけし）先生の「英文学史」を手引きとして、原書の収集をはじめた。もちろんすでに戦争がはじまっていて、あちらに注文することはできない。だが、戦争のおかげで、洋書を扱っている古書店にいけば、とくに文学書は安価に入手できるようになっていた。文学史に出てくるような書物はできるかぎり集めてやろうと考えて、折あれば旅行にも出て古書店めぐりをやった。おかげで、広島を中心に関西、中国、九州の有名大学の所在地の古書店はほとんどまわった。安価であった上に、書籍代だけは家財を質においても出してやると言ってくれていた父のおかげで、金の心配はあまりしなくてすんだ（もっとも、私が英文学関係の原書を集めているのを見て、父は淋しそうな顔だった）。こうして、一年ぐらいのあいだに、六百冊ばかりの原書を集めた。それも「英文学史」にのっとってやったのだから、いちおう系統だっていて、チョーサーあたりからヴァージニア・ウルフ、ゴールズワージーの辺まで、ひととおり揃ったのである。その中には、いま思えば、稀覯本のたぐいも相当あった。

私は自分の勉強部屋の机の周囲を本棚で二重、三重に取りかこみ、集めた原書に新潮社版の世界文学全集や研究社の英文学叢書などを加えて、書籍の砦を構築し、そこの主におさまったのである。もちろん、集めた書物が当時すらすら読めていたら、いまこんなに苦労しているはずはない。ただ、読めもしないのに読もうとしたことはたしかで、砦の中にいるときが当時の私にとっては最高の幸せだった。ふり返ってみると、最初にゴールズワージー、それからジョン・ダン、次にウィリアム・ブレイクへと興味の中心を移していきながら、砦の中にこもっていた。もちろん、だからといって当時、将来は英文学関係で生計までたてようと思っていたわけではない。英文学関係で生計をたてることなど、思いもよらなかったご時勢だったし、だいいち、生来ののんきもので、将来のことなど考えてはいなかった。ただ英文学関係の勉強をよろこびとし、一方、そうすることによってご時勢にたてつく快感を味わっていたのである。私のこれまでの人生で、いちばん脇目もふらずに勉強ばかりしていた時期は、その一、二年である。大学に進学して上京してからは、生活の苦労に少し時間を取られるようになったからである。

昭和十八年、大学の英文科に入って、まず感じたのは生意気にも絶望だった。まだ勉強が足りなかったせいもあるだろうが、大学への期待が大きすぎたこともあった。どの講義に出ても演習に出ても、どうもピンとこないのである。ほとんどの学生が兵隊にとられて、学生数は極度に少かったのだから、考えてみればぜいたくというものだった。ともかく、広島から東京へと、私のそれまでの書物はぜんぶ運ばれていた。東京でふたたびそれらに取りかこまれた生活がはじまった。だが、いったんきざした英文科への絶望は、次第に英文学への不信にまで発展し、何を専攻し、何を卒業論文のテーマに選ぼうかと迷うことが多くなった。そのころからしばらくは、英語の本を読むことは必要最小限にとどめ、もっぱら日本文学や英国以外のヨーロッパ文学の翻訳などを読みふけっていた。そのうち、昭和十九年の秋に徴兵検査があって召集を受けたが、それをうまく逃れたと思ったのも束の間、昭和二十年の春に再度つかまり、朝鮮に連れていかれた。だが、心臓が悪いということを理由に（いまの医学なら、それがインチキだということはすぐに見抜かれていただろう）、軍務につくことを拒否し、野戦病院に「お前には飲む薬もつける薬もない」（軍医の言）ままに入院して、ゴロゴロしていた。その間、近所の民家にひそかに出入りして、手あたりしだいに小説本などを借り出してきては、ずいぶん読んだものだった。

やがて終戦。それから一年ばかりのあいだ、ゆえあって現地に進駐してきた米軍の部隊内で生活することとなり、兵隊版のアメリカ小説を読みあさっているうちに、アメリカ文学への関心が次第に強くなってきた。それまで読んでいたアメリカ文学といえば、ホーソーンやポーやエマソンなど十九世紀の作家のものばかりであったから、しかもそれらをたんに英文学の延長としか考えていなかったから、そこで読んだいろいろなアメリカ作家の作品が、非常に鮮烈な印象をあたえたのである。大げさに言えば、そこで私は一種の回心を経験した。時に二十一歳であった。

帰国し、復学して、あるアメリカ作家を卒業論文のテーマに選んだ。そして、その作家の作品集めをはじめた。だが、当時の東大の図書館や研究室には、その作家の作品はたったの二冊、それも短篇集ばかりしかなかった。人づてに、Tというある大学の先生がその作家の作品を持っているのではないかという噂を聞き、面識もないのにとつぜんその先生宅を訪問して貸してくれと頼んだり、日比谷に当時あった進駐軍の図書館に通ってその作家の小説をかたっぱしからノートに書き写したり、神田の古書店がよいをしたりした。他方、幸い戦火をまぬかれていた英文学関係の蔵書は、英文学とは絶縁するのだと自分に言い聞かせて、ぜんぶ売り払ってしまった——実は、それが闇米になったり、やがて生れた長男のおむつに化けたりしたのだが。

（『三色旗』一九七三年十一月）

シェイクスピアのこと

私には、シェイクスピアのことを語る資格はまったくない。教師らしく、なにかうまいことのひとつでも書けないかと思うのだが、それもできない。できるわけがないのだ。私がシェイクスピアを最後に読んでから、すでに十五年以上の年月がながれているのだから。

それでも、正直いって、シェイクスピアにたいする郷愁のようなものには、たえずつきまとわれてきた。最近では、そのような志向がますますはげしくなっているようである。年かな、とも思う。そうであるかも知れない。しかし、それはなにも、シェイクスピアを読むのは、年をとってから、という意味ではない。早い話が、私はいつも、ふだん接している学生諸君に、シェイクスピアを読んだか？　まだ読んでいなかったら、ぜひ読んでおきなさい、ということにしている。私が接する学生諸君は、私の専攻上、アメリカ文学をやりたいという学生諸君がほとんどである。だから、私のような発言をきくと、みな一様にけげんそうな顔をし、わかったようなわからないような様子で、ひきさがっていく。私はそんなとき、けっして理由を説明しない。だいいち、説明できるような筋道のとおった理由はないのだ。ただ、あまりに不思議そうな顔をされると、ときどき、けっして損はしないから、となぐさめるように小さな声でつけくわえる。損はしない、とは奇妙ないいかただが、それは一面において、私自身の正直な気持でもあるのだ。今日の私自身を形成しているものの一部に、シェイクスピアへの私自身のたどたどしいあやしげな理解があることはたしかであり、それを私はよろこびと感じているからである。

シェイクスピアと私とのことを書くとなると、話はどうしても二十年以上も昔のことになる。

昭和十二年、支那事変がはじまった年に中学入学、昭和十六年、太平洋戦争がはじまった年に旧制高校入学、とまるで戦争の申し子のような学校のあがりかたをした私は、元来が怯懦なひねくれものであるところから、英語英文学をやるようなものは非国民であるとする当時の世相に反撥を感じ、旧制高校に入学したときから、将来、大学は英文科、とかたく決めていた。そして早速、英文学史をたよりに英文学関係の原書などを買いあつめはじめたが、右のような世相を反映してか、古本屋まわりをやれば、安い値段でおもしろいように続々と買いあつめることができた。このようにして、一年とたたぬうちに、シェイクスピアあたりからゴールズワージーくらいまでの、英文学史上の主要な作家や詩人の著作のめぼしいものは、だいたい手に入れることができた。その数は相当なものであったが、それらの書籍で勉強部屋の周囲をぐるりととりかこみ、その真中に机をすえて坐りこみ、禁制のタバコをひそかにくゆらしていたあのころの自分は、いま思い出してもなつかしいかぎりである。

それから、買いあつめた原書の濫読をはじめた。もちろん、当時の幼稚な語学力では、ろくすっぽ理解できるわけがない。それでも、ともかく、辞書や註釈書と首っぴきで、文字どおり濫読をやった。そして、リチャードソンの『パメラ』をうれしがったり、ゴールズワージーの『フォーサイト・サーガ』に感激したり、『テス』がどうのキイツがどうのと、もうまったくてんやわんやで、無我夢中の二年間であった。

シェイクスピアの有名な作品に、ひととおり眼をとおしたのもそのころであった。だが、註釈書をたよりに、だいたいの筋を追っていくのがやっとのことで、評判どおりずいぶん偉い文学者らしいと漠然と感じはしたものの、どうしても読んでおかねばならぬ、という一種の義務感めいたものがなかったら、投げだしてしまいたいのが本音であった。それではせめて、坪内訳でも参考にして、といまなら思うだろうが、そこはそれ、若気のいたりというやつで、翻訳書を参考にするなどということを、不本意至極に考えていたのであった。

それでも、『ヴェニスの商人』、『ハムレット』、『オセロー』、『あらし』の四作品には、それぞれなんらかの意味で感銘をおぼえ、また、シェイクスピアのソネットに興趣をそそられたことは、いまでもよくおぼえている。しかし、全般的にいって、どうもよくわからない、というのが正直な気持であった。

昭和十八年の秋、大学の英文科に入ってからは、翌年の暮、アメリカ文学に心を決めるまで、生意気にもジョン・ダンのことを研究してみようと考えていた。ジョン・ダンからアメリカ文学へと、これはもうまったくべらぼうな転向ぶりだが、それでも当時は大まじめであった。そして、転向と同時に、心ひそかにイギリス文学に絶縁を宣言した。これも大まじめであった。当時の東大の英文科には、アメリカ文学関係の講義はほとんどなく、そのためにますますふるいたったりした。

ところが、いくら心をアメリカ文学に決めたからといって、イギリス文学関係の必修単位だけはどうしてもとらなければならない。そして、そのような必修単位のうちの三つが、シェイクスピアに関することであったが、その三つによって、私はシェイクスピアの偉大さ、おもしろさ、底知れぬ広さ、などを徹底的に思い知らされた。それは私にとって、まったく幸福なことであった。アメリカ文学に心を決めたのを、少し早まったかな、と冗談に思ったほどである。

その三つとは、順序はちがっているかも知れないが、沢村寅二郎先生の『真夏の夜の夢』講読、中野好夫先生の『シェイクスピア序説』、斎藤勇先生の『リア王』演習、であった。沢村先生は先生独特の軽妙な講義ぶりで、『真夏の夜の夢』の楽しさを教えてくださった。そして、中野先生の『シェイクスピア序説』によって、私は急激にシェイクスピアへの傾斜を感じた。エリザベス朝演劇の特質や舞台構成からはじまって、シェイクスピア劇の位置、シェイクスピア批評史、シェイクスピアというひとりの人物をめぐるいろいろな学説、等々、シェイクスピアとその周辺が先生の明快な論旨によって次々とあばきだされ、失礼千万ないいかたであるが、これほどおもしろい講義はあとにもさきにもなかった。それと同時に、学問のやりかたということについても、多大の示唆をうけた。そのとき参考書として使用した『オセロー』が、一年かかってもほとんど最初のあたりばかりをうろうろしていたことも、大きな刺激であった。

斎藤先生の『リア王』演習は、足かけ二年にわたった演習であった。それこそ、一字一句もおろそかにせず、いろいろな版や幾多の註釈家の説などをもちだされて、まったく徹底的な読み方であった。私はいまでは、『リア王』をシェイクスピアの最高の作品であると考えているが、先生のこの演習を聴講したことが、そのような考えの基底のひとつになっていると思う。

ともかく、シェイクスピアに関する以上の三つの講義ないし演習によって、私は完全に蒙をひらかれたように感じ、あらためてシェイクスピアの作品を読みなおし、シェイクスピアの人間わざとは思えぬほどの才能の幅と深さとを思い知ったのであった。そして同時に、シェイクスピアに傾倒することは、なんらアメリカ文学をやることと抵触（ていしょく）しないと悟った。なぜなら、シェイクスピアこそは、すべての近代文学の源泉なのだから。

しかし、そうはいっても、しょせんが怯懦の性、いったんアメリカ文学をやろうと決めたからには、イギリスの文学に眼をむけてはならぬ、というのが表むきの理由で、実は、終戦前後の生活苦に追いまくられて、手もとにあった相当数のイギリス文学関係の原書を、ぽつりぽつりと売りはじめた。それでもシェイクスピアは最後までのこしておいたが、しだいに売りぐいも底をつき、ついにシェイクスピアも米か衣服かの代りとなった。昭和二十三年の春に卒業したときには、私の周囲にはイギリス文学関係の本は一冊もなくなっていた。

以来、今日まで、蔵書の数はずいぶん増えたが、原書は全部アメリカ文学関係のもので、イギリス文学関係のものはまだ一冊も買いかえしていない。われながら依怙地だと思うくらいだが、浅学の身で、まだアメリカ文学もろくにやっていないくせに、と自分を叱りつけながら、その実はシェイクスピアまで売らなければならなかった当時のことを、うらめしく、なつかしく、思いかえしているのである。しかし、いつか時がくれば、シェイクスピアだけはもういちど買って、ゆっくり読みなおしてみたいと考えているのは事実である。

話はちがうが、先日、ある大学の演劇科の学生が私のところに雑談にきて、しきりにテネシー・ウィリアムズのことを話題にした。そのとき、私がシェイクスピアなんかどう考えているのか、と訊ねたら、シェイクスピアが偉大な人だということはわかる気がするのだが、どうもなにか鼻につくものがあって、すなおに入っていけないのだという返答であった。そこでさらにいろいろ訊ねてみると、その学生たちは坪内訳のシェイクスピアを読んでいるのであった。そして、鼻についてすなおに入っていけないのは、シェイクスピアではなく、坪内訳の文体なのであった。

坪内訳が、わが国にとって非常に画期的な意味をもっていたことは、私も充分に知っているつもりだが、だからといって、それがそのまま当節にまで通用するとはいえない。そういったことからも、私はけっしてちょうちんもちをするのではないが、福田氏訳のシェイクスピアがつつがなく進捗することを心より祈っている。正確な解釈のうえにたち、現代文としてりっぱに読めて、しかもそのまま上演できる台詞にもなっているような訳業は、わが国の文学界にとっても、たいへんな事件であることはたしかなのであるから。

(『新潮社　シェイクスピア全集月報11』一九六二年十二月)

Episode

東大時代の先生

大橋先生は広島高師附属中学校を四年で卒業し、旧制広島高校を経て東京帝国大学に入学・卒業されたので、その学生時代は慶應義塾とは一切関わりがない。そうしたこともあってか、その後長く慶應義塾大学で教鞭を執るようになっても、慶應独自の価値観の中で育ってこられた生え抜きの先生方の中で、若干浮いているようなところが見受けられた。もっともそれは出身校の違いと言うより、大橋先生生来の反骨精神に由来する天邪鬼的な性格によるものであったかも知れない。いずれにせよ先生としては、浮いていようがいまいが、そんなことはそもそも眼中にない、というのが実際のところだったろう。

ところで、東大時代の先生は一体どんな学生だったのか。そのことについて正面切ってお尋ねしたことはなかったが、雑談の折に少しずつ聞きかじったところを総合すると、存外真面目な学生であったようだ。

先生は折に触れて西川正身（まさみ）先生の学識と誠実なお人柄について語られたので、ある時期まで私は、先生の指導教官は西川先生だったのだろうと思っていたが、実はそうではなく、先生が学生時代に師事されたのは中野好夫氏である。中野好夫氏と言うと、先輩同僚にして言語学の権威である市河三喜教授と大喧嘩したり、「大学教授では食っていけない」などと放言し、東大教授職を投げ棄てて雑誌の編集者に転じてしまったり、なかなかカラフルで無頼な人生を送られた方だが、一方では名訳で知られた翻訳の大家でもある。そのようなことを考え合わせると、なるほど大橋先生は中野先生の弟子なのだなあと腑に落ちるところもある。

ちなみに大橋先生によると、中野先生の授業は大変厳しいものだったそうで、講読の授業でも小型の辞書を使うことなど許さず、辞書と言えばＯＥＤ（英国で最も権威のあるオックスフォード英語辞書で、一九三三年の改訂版は全十二巻・補遺一巻）しか認めなかった。そして授業中に当てられた学生が英文の解釈に詰まった時など、「キミ、それはＯＥＤで調べたのか？」と尋ねられ、学生が首を横に振ろうものなら、即座に東大英文科の共同研究室に置いてあるＯＥＤを使って調べてくるよう命じるのが常であったという。何せ教室のある棟と共同研究室のある棟は異なっていて、しかもそれぞれ建物の上階にあるのだから、その不運な学生は、まず教室棟の階段を駆け下り、別棟まで走って行って階段を駆け上がり、ＯＥＤを調べるとまたもと来た道を急いで引き返して、ジリジリしながら待っておられる中野先生の前で調査結果を報告するという苦行を強いられることになるのだった。

出来ることなら、私も自分の授業で学生に対し、こういう厳しい態度で臨みたいものだが、今こんなことをしようものなら、たちまち「パワー・ハラスメント」で学生から訴えられてしまうだろう。いい時代になったものである。

それはともかく、では大橋先生は指導教官たる中野好夫氏に心底傾倒されていたかと言うと、それはよく分からない。私の方から強いて聞かなければ、中野氏の話を先生の口から聞いたことがないからである。そもそも中野好夫氏と言えばイギリス文学畑の人なのであって、その意味でアメリカ文学研究を志していた大橋先生からすれば、そこはやはり「違う道を歩いている人」という認識があったのであろう。

ところで先生が在籍中の東大英文科と言えば、英文学の権威・斎藤勇教授がおられたはず。何の話の流れであったか、先生に「斎藤勇先生という方は、どんな方でしたか?」と尋ねたことがあった。何にせよ権威的なものがお嫌いだった大橋先生の目に、いかにも権威的な感じのする斎藤勇教授はどのように映ったのか、興味があったからである。

すると案の定、「(斎藤先生の授業は)つまらなかったねえ」というお答えがあったのだが、それに続けてやや意外なことに、「ただし、『文学として読む聖書』という授業だけは、実に面白かった」と仰ったのである。英文学の泰斗にしてクリスチャンでもあった斎藤勇教授が、「聖書」という権威的なものについて語ったら、それこそ権威の二乗になってしまって、おそろしくつまらないものになりそうなものなのに、それがそうではなかったというのだ。「クリスチャンとしての斎藤勇」ではなく「文学者としての斎藤勇」が聖書を見事に読み解いたという、先生から伺ったこの一事により、斎藤勇という大英文学者に対する私の印象は大いに変った。

とは言え、戦前の東大の英文科と言えば、それは基本的にイギリス文学を勉強するところであり、アメリカ文学などというものはイギリス文学の亜流も亜流、英文学史の片隅の、更に端っこの方でちょっと扱えばいい程度の認識しかなく、アメリカ文学の研究を目指していた大橋先生からすれば、必ずしも満足のいく環境ではなかった。事実、卒業論文でシャーウッド・アンダスン論を書こうとしていた大橋先生にとって、そのための資料が東大の図書館にはほとんど置いておらず、実際問題として非常に困った状況に陥ることになる。

そんな状況下、どこでどう調べたものか、先生は早稲田大学の龍口直太郎教授がアンダスンの作品を幾つも所蔵していることを聞きつけ、いきなりご自宅を襲って龍口先生に直談判し、見事それらを借り出すという離れ業をやってのける。これはいかにも大橋先生らしいエピソードであるが、借りに行った先生も先生なら、別の大学の一面識もない学生に貴重なアンダスン作品を貸した龍口先生の懐の深さも大したもので、この一件を契機として大橋先生は龍口先生の人柄に惚れ込み、いわばその押しかけ弟子となってしまう。東大卒業後、一旦は都立高校に就職したものの、わずか三か月で教頭と大喧嘩して辞職し、たちまち生活に困窮してしまった時にも、龍口先生の口利きで某出版社に就職することになったのだから、当時の大橋先生は色々な局面で龍口先生に急場を救われたと言っていい。

ちなみに、大橋先生が西川正身先生と親しくなるのは、先生が出版社に勤務していた時代のことで、就職先の高校を飛び出したと聞いて大橋先生の身を案じられた西川先生が、わざわざ出版社まで出向き、とある論文集にアメリカ文学に関する論文を寄稿するよう、大橋先生に促したことがきっかけである。だから大橋先生と西川先生の淡い師弟関係は、先生の東大在学時代からのものではない。

そしてその後、アンダスン研究を深めていく中で、大橋先生は、アメリカ文学研究の偉大な先達として立教大学の故・高垣松雄教授の存在を知り、その学風に惚れ込むことになる。惚れ込んだところで、その時には高垣氏は既に鬼籍に入っていたのだから、直接謦咳（けいがい）に接することは出来なかったわけだが、それでも大橋先生の高垣松雄氏に対する敬愛の念は深かった。

つまり大橋先生の先生と言えば、まずは龍口直太郎先生、西川正身先生、高垣松雄先生ということになるわけで、いずれも東大を離れたところでのお付き合いである。

組織ではなく、人を見る。大橋先生の人付き合いの在り様が、この辺りからも見えてくるような気が、私にはするのである。

厨川先生のこと（厨川文夫氏への追悼文）

今やっと、一月ばかり夢中になっていた仕事の区切りがついたところである。これから、ある雑誌ではじめた連載ものの第三回目を書かねばならない。自分の研究分野でのことを、折にふれどこかの機関で発表することは、私たちのようなもののいわば義務であるが、そのような作業に従事しているとき、私はいつも何人かの恩師や先輩の眼を意識している。それは何も、自分がいい恰好をしたいからではもちろんなく、その方々に見られて恥しくないものをと考えているからに他ならない。私にとってそのような方々の一人に、厨川先生がおられた。

言うまでもなく、厨川先生がご専攻なさっていたことと、私のとはまったく違う。また、そのような言い方が不遜なほど、厨川先生のその方面の学識は深かったし、私のは学識の深浅などを言う以前のものである。にもかかわらず、私が何かを公けにするたびに、先生はほとんどいつも親切な言葉をかけて下さった。ときにはそれが長い手紙であったり、ときには学校でお会いしたときの短かい会話の中であったりしたが、そのお言葉は常にやさしい激励にあふれていた。それが私にとってどれほどの支えになっていたか、とても言葉では言いあらわせない。

正直言って、先生が亡くなられてからも、私にとって先生の眼だけは生きている。先生の眼を私が意識しなくなるときがきたら、それは私が人間として駄目になる日である。

私が先生にはじめてお会いしたのは、二十七、八年前、私が慶應に勤めるようになってから一年近くたった入試の採点のときだった。それまで、先生のことについて、いろいろな人からいろいろなことを聞かされていたが、先生にお会いしたとたん、そのいろいろなことの大半が為にするたぐいのものであることを直観した。以来、私は先生にずっと可愛がっていただいた。奥様にもずっと可愛がっていただいた。そのような表現は適切ではないかもしれないが、厨川先生と奥様が私と私の家族に寄せて下さったご厚情にたいして、私は他の言い方を知らないのである。と言っても、家族同士の直接的な交際があったわけではけっしてない。私の家内が先生ご夫妻に直接お会いしたのは、たしかどこかの音楽会での一度きりであった。だが、先生が私に下さる手紙には、常に私ばかりでなく私の家族にもあたたかい言葉が寄せられており、そのお言葉のそばにはいつも奥様が付き添われていた。

他方、先生は学問においても生活においても、自己を律することに非常にきびしく、そのために人を憎むことを知らない方であったような気がしてならない。先生は自分の教え子たちをよく叱られてはいたが、そこには憎しみの情のひとかけらも感じられなかった。その意味では、下世話に言えば生涯を通じて淋しい方であったように思われてならない。高貴の孤高など と大仰な言葉は使いたくない。先生のあたたかさを考えるとき、たとえ下世話でも淋しいという言葉がもっとも適切だと思われるのである。先生がご危篤と聞いて浦和の病院に駆けつけたときは、すでに亡くなられて二時間ほどたっていたが、先生のご遺体はそのまま病室に放置されていた。それは解剖待ちという故あっての放置ではあったが、二人部屋のその病室で永眠されている先生のお姿を見たとき、私はやはり先生の淋しさということを感じないではいられなかった。解剖がすんでご自宅に帰られるまで、私は病院を離れたくなかった。また、それよりも何年か前、ある高名な文芸批評家が学位請求論文を提出して、先生がその審査にあたられたことがあった。そのころ、その文芸批評家はあちこちで先生のことを誉めそやす文章を書いた。そこに別に他意があったとは思いたくないが、先生の自己を律することのきびしさを考えるとき、そのような文章が先生の目にふれなければいいがと案じていた。だが、だれかが知らせたのかご自分でお読みになったのか、論文の審査が終ってしばらくして、たまたま先生と二人でお茶を飲んでいたとき、先生のほうからそのことに言及されて、「穴があったら入りたいぐらいです」と言われたあと、ぽつりと、「まるで早く死ねと言われているような気がします」と非常に淋しそうな笑いを浮かべられた。私はそこに憎むことを知らない底知れぬ淋しさのようなものを感じて、先生に代わってその文芸批評家を憎んだ。

（『回想の厨川文夫』一九七九年一月）

“Three Lives”（龍口直太郎氏への追悼文）

今年の元旦に龍口先生からいただいた年賀状は、次のようなものだった。「昨秋、敬老の日に町からお赤飯の接待にあずかることになったとき、「オヤ、オヤ、ヤッパリね」とがっかりしたのですが、結局失礼いたしました。今年からは「独り住居の老人」という周囲からの扱いにいささかなりとも抵抗し、デクラレーション・オヴ・インデペンデンスを宣言いたそうかと思い立ちました。……葉山で開講した三種類の読書会も動き出したりしたので、三度目の人生にスタートを切ることになりました」そして、「三度目の人生」のスタートを切られて半年のちに病を得て入院され、入院生活一月半で逝去された。先生を知るほどの人はだれもが先生のことを「万年青年」と羨しく思っていたが、事実、入院生活中もしきりに病院脱出計画を練っておられ、私などその仔細を打ち明けられて、先生のいつまでも若々しい気丈さに圧倒された。気丈といえば、いよいよご臨終のとき、身体の他のすべての器官の機能が完全に停止してしまってからも、心臓だけはなお数時間も鼓動をつづけ、「さすがに明治の心臓」と医師たちが驚嘆していたことが忘れられない。

ところで、今年が先生にとって「三度目の人生」のはじまりであったのなら、それ以前の「一度目の人生」と「二度目の人生」とはどのようなものであったのか。おそらく、この一度目、二度目という区分は、今となっては憶測するしかないし、人それぞれそのけじめのつけようも異なるだろう。だから、ここでは私なりの思いを許していただくしかないが、私と先生のかかわりは少くとも二度あり、最初のが先生の「一度目の人生」のとき、次のが先生の「二度目の人生」がはじまったころではなかったかと思う。

最初のとき、それはかかわりというほど大仰なものではないが、昭和十年代の半ば、私が田舎の中学生であったころ、私にもっとも甘美で鮮烈な感動を与えた本の翻訳者が先生であった。それは、岩波文庫版のゴールズワージーの短篇集『吾等がために踊れ』という小さな本で、多感な年ごろと暗い時代の影響もたぶんにあっただろうが、そのときの感動がそれからの私の人生を決める大きな要因となったことは確かである。だが、ふりかえってみると、その短篇集は先生の「一度目の人生」のときの、ほんの小さな一つの成果にすぎず、先生はそれよりもずっと大きな仕事を着々とつづけておられた。気鋭の文学青年であった先生は、府立四中、法政大学、高等商船学校などで教鞭をとるかたわら、MEL（Modern English Literature）グループ、「新英米文学」、『新英米文学講座』などの中心的人物として同志を糾合し、新しい英米文学の紹介と研究に情熱を燃やしておられたようである。『ユリシーズ』の翻訳を手がけられたのもそのころであった。当時の先生たちの活動の先達として、西脇順三郎、高垣松雄教授らの名前が見えるが、なかでも高垣教授への先生の心酔は大きく、そのためにアメリカ文学のほうに急激な傾斜を示されるようになった。当時の先生たちの活動を綿密に批判し克服することが現在必要であると私は考えているが、先生ご自身も生前それを強く願望されていた。

戦争が終り、英米文学が晴れて日の目を見るようになったころ、先生の「二度目の人生」がはじまった。その時期に私も思いがけず先生の知遇を得るようになったが、その「二度目の人生」はもちろん「一度目の人生」の上に築きあげられたもので、同じ「青年」でも当時駆け出しの青年や転向者たちとは同日の論ではなかった。先ず出版人として「新英米文学」などの復刊に心をくだかれ、ついで母校の東京外語大や早稲田大学で教鞭をとるかたわら、アメリカ文学会結成の道を開いてくださり、その見通しが立つと早々に会長職を退かれて、悠々自適、あいかわらず文学青年としての情熱を、ご自分の好きな英米作家の研究と翻訳に傾注されていた。モームの移入をはじめとして、多くのアメリカ作家の翻訳紹介については、すでにだれもが知っていることである。先生の葬儀を司った私と同年輩の僧侶が、火葬場に向う途中で、自分も先生の翻訳を読んで英米の文学を多少なりとも知ることができたと語ったが、先生が果されたことの大きさをそこでも思い知らされたのだった。

1903年9月14日 - 1979年8月1日、これが先生の現世での足跡であったが、彼岸では先生の「三度目の人生」が、あの独特の哄笑をともなって、すでにみごとに展開しているにちがいない。

(『英語青年』一九七九年十二月)

思い出すこと（西脇順三郎氏への追悼文）

昭和7年、高垣松雄氏などを中心に「新英米文学」という雑誌が創刊され、月刊で2年ばかりつづいたが、昭和23年9月には、同名の季刊誌の第1号が出た。西脇先生は、前の「新英米文学」にもしばしば登場されているが、戦後の「新英米文学」では、土居光知氏とともに編集顧問として活躍されている。もっとも、戦後の「新英米文学」のほうは、版元の出版社がそれからまもなくつぶれたために、たしか第2号までしか出なかったように記憶している。

私が西脇先生にはじめてお目にかかったのは、その戦後の「新英米文学」のときであった。学校を出たばかりの私が、たまたまその版元の出版社に勤めることになり、同誌の編集を担当するようになったからである。たしか天現寺の近くだったように思うが、当時の先生のお宅に、原稿をいただきに伺ったことがある。当時すでに高名な詩人であり学者であった先生は、学校を出たての青二才をやさしく引見してくださった。

「新英米文学」第1号の特集はヒューマニズムというのであったが、先生にはその号に「主知主義とイギリス文学」と題する論文と、「エディトーリアル・ノウツ」欄への一文を寄せていただいた。その後者のほうの文章のなかに、

「……次にヒューマニズムの問題に関して。初めからこの問題を特集しているという意味は、

文学はヒューマニズムから出発しているからであるのでなく、多様のヒューマニズムに落ち込んだからである。人間は洋々たる海のようだとか、しんしんと湧き出ずる泉と考えるのはロマン主義的だとT・E・ヒュームはいうが、しかし人間は単にバケツの中の水だともいえない。このバケツの水がヒューマニズムであろう。バケツの中にはいらない水としての人間が、真の文学であろう。また文学の進歩はバケツをこわすことかも知れない」

という一節があり、そのバケツの水のたとえに、強烈な印象をうけたことを、今でもはっきりとおぼえている。

それから数年後、縁あって慶応に勤めるようになり（そのときも間接的ながら先生のお世話になった）、先生に接する機会も多くなったが、二度ほど私の部屋までわざわざ足を運んで、J・D・サリンジャーとジョン・ホークスのことを訊ねられ、両者の作品を貸してさしあげたことが、いつまでも忘れられない。

慶応に勤めるようになってからは、先生のお宅に伺ったことはないが、毎年、直筆の年賀状だけは頂戴していた。それが、今年の正月にはいただけなかった。そのときの不吉な予感が、それから数カ月後には、ついに現実となってしまった。だが、そのとき、先生はいくつめのバケツをこわされたのだろうか。

（『英語青年』一九八二年十月）

師恩（西川正身氏への追悼文）

西川先生にはじめてお会いしたときのことは、生涯忘れられない思い出になっている。学校を出て半年ばかりたった昭和23年の初秋の日だった。当時、私は某出版社に勤めていたが、そこへわざわざ足を運んで下さったのである。私の指導教官であった中野好夫先生に話を聞いたと言われ、ある作家について30枚ばかりの論文を書いてみないかと誘って下さったのである。感激してお引き受けしたことはいうまでもない。幸か不幸か、その論文はやがて企画そのものがご破算になり、まもなく先生から返していただいた。今からみると幼稚きわまりないその論文も、西川先生との最初の出会いを記念して、その後もずっとひそかに保存していたが、先日、先生の訃報を聞いたときに処分した。

あのときから40年、先生に直接お会いする機会は、指折り数えるほどしかなかったが、そのいずれもが、私にとってはたいへんに重要な記憶になっている。なかでも10年ほど前、先生のお宅にお邪魔して、3時間か4時間お話をうかがったときのこと、先生も私もタバコを喫うので、タバコの煙がたちこめて、なんども先生は窓をあけて換気をされた。最後に、「こんなに長い時間話しこんだのは、ほんとうに久しぶりだよ」と、あの慈顔に笑みをうかべられた。

そのとき、先生は、所蔵されているある種の資料を、そのままそっくり私にやろうと言って下さったが、そんな貴重な資料を私することはできないとおことわりすると、ではどうしたらいいだろうかと困惑された。日本近代文学館あたりは如何でしょうかと、思いついたことを申し上げたら、「ああそうか、それがいいだろうね」と安堵された。

先生にお目にかかった回数は少なかったが、先生が下さったおたよりやお手紙は、その何十倍にものぼる。そのいずれにも、先生のきびしくあたたかいお心づかいがあふれていた。ことに近年は、私が体調をくずしていたこともあって、体調を案じて下さるお言葉や、気分のいい折には訪ねてくるようにというお誘いが、いつも添えられていた。現に今年の正月にいただいた賀状にも、そのことが書いてあった。賀状といえば、先生のはいつも手書きであったが、印刷で間に合わせようとする私など恥じ入るばかりであった。

追悼文というのは、つい心にもないことまで書かねばならぬので、できるだけことわるようにしている、と先生はいつか洩らされたことがある。先生の面目躍如たるその態度は、私の中のさまざまな分野で、たえず戒めとなって働いてきたし、これからも働きつづけるにちがいない。最高の師恩である。

先生が逝かれて4日後に、今度は妻に先立たれてしまった。妻の遺影を眺めながら、先生に励まされてお約束したことを、少しでも果すようにしようと誓っていると、いつまでも茫然としてはいられない気持になる。

（『英語青年』一九八八年六月）

Episode　大橋二等兵

大橋先生はニンニクがお嫌いだった。嫌いというより、食べることが出来なかった。だから、どんなにおいしそうな御馳走であっても、それを口元まで運んでおいて、ふとニンニクの風味に気づかれると、「ん？　これにはニンニクが入っているか？」と誰に問うわけでもなくつぶやかれ、途端に食欲を無くされるのか、そのまま皿に戻して後は一切手を付けようとはなさらない。まさに生理的に受け付けないといった感じであった。

＊

先生がニンニクをお嫌いだったのは、それが戦争時代の嫌な記憶を呼び覚ますからである。

先生は日本が太平洋戦争へと突き進んでいくまさにその時に、敢えて敵性語である英語を学び、大学では鬼畜米英の文学を専攻された。今では考えられない話であるが、当時は東大の英文科に学んでいるというだけで、先生の行く先々に特高の刑事が後を付けてきたという。先生が終生、「官憲」なるもの全般、とりわけ警官を忌み嫌ったことには、このような学生時代からの長く深い怨恨があったのだろうが、それにしても私がゼミ生だった頃、小柄で温厚な老紳士である先生の口から底知れぬ嫌悪と軽蔑を込めた「おまわり」という呼び捨ての言い方を聴いた時には、その意外さに少なからず驚いたことを覚えている。

もっとも、当時の先生にとって特高の刑事などよりも更に差し迫った問題は、いつ召集令状が来て戦争に駆り出されるか、ということであった。無論、国家の手先になって人を殺しに行くなどということは先生の最も忌避するところであり、例えば毛糸のセーターの毛玉を呑みこむなどして肺に影が映るようにし、結核を偽装するなど、先生ご自身の言葉を借りれば「（召集令状から）逃げ回った」そうであるが、無論、この時代に健康な男子が兵役から逃れられるはずもなく、結局先生も兵隊として朝鮮半島に派遣されることになる。そして敵性語に堪能な文学者の卵であった新入りの二等兵は、古参兵が天皇陛下の名の下に行なう鉄拳制裁の恰好の餌食となったのだった。

*

ただ一つ幸運だったのは、先生が戦争に駆り出されて間もなく、日本の敗戦が決まったことである。そして日本の敗戦が決まった時、大橋先生が取った行動は、いかにも先生らしい、破天荒なものであった。先生は、召集される前から公言していたように、すぐに単身米軍基地に乗り込み、文字通りの意味でアメリカ合衆国と「単独講和」をして、米軍の通訳になってしまったのである。そしてそのまま朝鮮半島に駐留し、米軍の一員として働くことになったのだった。当時日本軍の二等兵は、敗戦と共に一律に一等兵に格上げされて復員したのだが、大橋先生はその格上げを受ける前に米軍に入ってしまったので、日本で唯一、二等兵のまま戦争を終えた兵隊となった。

だが、敗戦と共に米軍に入ってしまった大橋先生の行動は、他の日本人の目から見れば裏切りと映った。また米軍が発する命令を（日本語で）韓国の人々に伝える役目を果たされたため、韓国の人々からも目の敵にされた。それで米軍と共に朝鮮半島に駐留している間、路傍の電信柱に貼られた貼り紙には、何度も「大橋を殺せ」の文字が躍ったという。何しろ戦後の混乱期である。日本人にせよ韓国人にせよ、いまだピストルなどの武器を密かに隠し持っている者も多かったので、暗殺の可能性は決して現実味のないものではなかった。

先生がニンニクを生理的に受け付けなくなったのは、ニンニクの香りと共に、この時代の苦しい思い、恐怖、そうしたものすべてが先生の胸中に蘇るためだったのだ。

＊

しかし、この時期の思い出の中には、良いものもあった。それはロバート・ティリー氏との交友である。先にも述べた通り、大橋先生は敗戦直後、単身米軍に乗り込み、押し掛け通訳になってしまったのだが、直前まで敵だった日本兵を米軍が正式に雇うことには、当然、米軍側にも反対があった。その反対を押し切り、自分が上司として責任を持つから、ということで先生を米軍に引き入れてくれたのがこの人で、その後も事ある毎に先生のことを庇(かば)ってくれたのだった。もっとも、こうしたことのために、ティリーさんは軍における階級を落とすことにもなったという。

ティリーさんはもともとエンジニアで、戦前はニューディール政策の一環として設立されたテネシー川流域開発公社、いわゆる「TVA」に係わったこともあり、戦後はテネシー大学教授として土木工学の教鞭を執られたが、大橋先生はこのティリーさんとその奥様のアイリスさんに対し、終生変わらぬ友誼を結んでおられた。先生のご息女の伸子さんが高校時代、テネシー州の高校に一年間留学されたのも、ティリーさんご夫妻の招きによる。

かく言う私も、先生最後の渡米となった一九九一年の夏、滞在していたシカゴからテネシー州ノックスヴィルに飛び、ティリーさんのご自宅を先生と共に訪問したことがあって、物静かなティリーさんと、気丈で働き者で、心優しいのにどこか女王のように昂然としたところのあるアイリスさん（先生はアイリスさんのことを「マグノリア・クイーン」と呼んでいらした）の歓待を受けたことがある。乾燥した中西部シカゴとはまったく趣が異なる鬱蒼（うっそう）としたアメリカ南部の森の中、まるで日本の夏のように湿気を含んだ夜風を受け、さざめく虫の音を聞きながら、蚊よけの網戸に囲まれた広いベランダの安楽椅子に坐って、ティリーさん、アイリスさん、大橋先生の間でポツリポツリと語られる思い出話に耳を傾けていた時のことを、私は昨日のことのように思い出す。

＊

戦争は先生から色々なものを奪ったけれど、それでも先生は、その中から自分にとって良いものを奪い返すだけの強靭さを持っておられたのである。

第二章

先生の文学論

アメリカ文学へのアプローチ

アメリカ文学、イギリスの文学、あるいは日本の国の文学と言いましても、文学というのをそもそも何処の国の文学とか、そういう風に文学を分ける事自体、おかしいと言えば、おかしい訳で文学には共通の部分、普遍的部分というのが勿論ありうる訳です。

ところが、それを敢えて又、学校には英文科とかその英文科の中にもイギリス文学を専攻したり、アメリカ文学を専攻したりでね、或は、独文科とか仏文科とか、そういう風な色んな学部、学科があるという事は、一方に於いては、普遍的なものを文学は持っているのだから分け隔てをするのは、おかしいという事があるわけです。しかし、その一方では、その国その国のそれぞれの独特の事情、あるいは経過というものがあって、より普遍的な部分、より深くあるいは、より良く理解する為にも、やはり、その文学の持っている特別の事情とか、経過というものを知らなければならない。これは当然と言えば当然の事だと思います。それで、きょう、お話しようと思っているのは、アメリカ文学を見ようとする時に、色々どういう方面に注意したらいいかという様な事を二、三お話したいと思う訳です。

実は、極く最近も、つい数日前ですけれども、私のかつての教え子の人で、昨年ニューヨークへ留学した人が、行く前に色々話しておいたんですけれども、手紙くれまして、その手紙にこういう事が書いてありました。アメリカに来て、ニューヨークのある大学に通っている訳ですけれども、そして家族ぐるみで奥さんと子供を連れて行っている訳ですけれども、アメリカに来て一年近くになるけれども、未だにアメリカ人という者に出会ったことがない。そのアメリカ人は何処に居るんだろうという様な事を述懐するように、つくづく述懐するように手紙の中に書いておりました。これは、特にニューヨークあたりに住んでいれば、そういう手紙が来るのは当然だと思います。彼自身もそれを頭では知っていたのでしょうけれども一年近く住んでみて、つくづく考えさせられた。毎日外へ出ていろんな人に会っている。しかし、会っている人は、付き合っている人は確かにアメリカの国籍というものを持っているかもしれないけれども、アメリカ人ではない訳です。考えてみますと、アメリカ人というのは非常に抽象的な名前なんです。私達もよくアメリカ、アメリカということを言いますけれども、よくよく考えてみますとアメリカ人とは誰か、アメリカ人とは何か、そもそもアメリカというのは何かという問題がまず大きく起こってきます。これは実は私達日本人あるいは、たぶんヨーロッパ諸国の人達もフランス人とか、ドイツ人とか、イギリス人とか、そういうことを言う時にはもう自明のこととして町を歩いていて日本人は何処にいたとか言います。たとえば鶴見の駅を降りてここに来る間に出逢うのは、日本人ばかりであるかもしれない、そこに全然疑問はない。しかし、アメリカでは特に都会というのは、ある意味で社会のいろんな状況の集約的な状況を象徴している場所とも言える訳ですけれども、そういう所においてはアメリカ人というものが実はまだ存在していない。これは、やはりアメリカの文学とか、文化とか、そういういろんなものを見る時にも一番基本的な問題として私は非常に重要なことだと思います。これはアメリカという社会が成立した過程・経過というものを見るとはっきりすることですけれども。ともかく建国して一昨年でやっと二百年祭を迎えた。しかもそのアメリカという広大な大陸の中に実は誰もいなかった。と言っても、もちろん厳密に言えばアメリカ・インディアンがいたし、スペイン系の人、フランス系の人とか、そういう探険家達はもう行ってだいぶ開拓をしていた訳ですけれども、私達が知っているアメリカというような国家を作るためにヨーロッパあるいは東洋そういった世界中からいろんな人が渡っていった。渡って行く過程、渡って行く理由の中にはもちろん、いろんな理由があったでしょう。しかし、これも突き詰めて簡単に言えば結局は、はるばる大西洋なり太平洋なりを渡ってあの大陸に行くということは、なんらかの意味で自分が生まれ育った祖国と言いますか、あるいは自分の親達がいた土地といいますか、そういうものに背を向けた人々であった。そして、それがその新しい器、荒涼たる、荒漠たる大陸へ移ってきた。その流れというのがだいたい二・三百年前から始まってちょっと大げさに言えば今日までまだ続いている。

話が逸れる様ですけれども、アメリカのことを考える時に、アメリカが連邦政府・連邦国家を作る時に犯した1つの大きな誤りがもしあるとすれば何かということを考える場合に、アメリカ人らしい名前というのはその当時あったかどうか知りませんけれども、アメリカに渡ってきた時にどうして名前を全部代えなかったのか。そのヨーロッパあるいは東洋で持っていた名前をそっくりそのまま持ってアメリカに入ってきたというのは、私はどうも、もし名前を代えてアメリカへ移民して来たら、そこで新しい名前というものをもし獲得していたら、もし彼らが作っていたら、もうちょっとアメリカの姿というものは、すっきりしていたんじゃないかというような気が時々するんです。そのアメリカ人の名前というのは、新聞とか何かを御覧になるとすぐにおわかりになりますように彼らの元の場所を実は非常にはっきり示している訳です。ですから、意識的に一方ではこの自分の祖国とか自分の土地に背を向けて渡ってきたはずなのに、名前とかそういう所でまだ彼らは自分の故郷における血みたいなものを払しょくしきれないでいる。これが先ほど申し上げたアメリカ人はいったいどこにいるのか、スペイン系アメリカ人、日系アメリカ人、イタリア系アメリカ人とか、そういうアメリカ人はいますけれども何もつかないアメリカ人というのはたぶんいない。WASPといわれているアングロサクソン系の人達は、自分達は正当なアメリカ人だと思っているかもしれませんけれども、しかし現在のアメリカの、二十世紀に入ってからのアメリカの社会の中では、彼らとて少なくともアメリカ人の中心、アメリカ人像の一つのアメリカ人としての典型的なイメージの中心にはなりえない状況になってきている。これが、その文学とか文化に非常に微妙な影響を与えている。たとえば、十九世紀のアメリカ文学史にでてくる人達、もちろん皆さんが御存知の名前ですけれども、ホーソン、アーヴィングあるいはエマソンあるいはソローとかホイットマンとかメルヴィルという名前を見ますと、これは明らかにイギリスから来た人達らしいということがわかるんですけれども二十世紀に入ってアンダソンとかヘミングウェイとかフォークナーとかそういうのはまだしも、たとえばドス・パソスという人がいる。これはどう考えてもイギリス系の人の名前じゃないです。ドス・パソスというのは、ポルトガル系の名前でしょう。サンタヤーナというのは、イタリア系の名前です。それから特に現代作家では、ソール・ベローと言えば、誰が見てもユダヤ人の名前。サリンジャーといえばユダヤ人の名前。そうするとアメリカ人の名前をずらっと書き並べてみた場合に先ほど申し上げた様に彼らが何処から来たか、そしてしかもアメリカに入って来てから互いに非常に大きな混血をしながら今日に至っている訳ですけれども、まだまだその意識的にはその血が本来持っていた本質的なものに背を向けたはずではあっても、彼らの中にそういう一方では、まだ自分達の血を裏切ることができない。そういう状態がアメリカにある。これはそのアメリカ文学、一番わかりやすい話をしますと日本では非常に有名なアーサー・ミラーという戯曲家がいますね。マリリン・モンローと結婚して非常に有名になりました。アーサー・ミラーの非常に有名になった戯曲に『セールスマンの死』というのがある。これは日本でも年に一回か二回かは必ず上演されて、もう一種の、あるいは文学座でしたか何処かのレパートリーの一つになっているぐらい有名な戯曲です。アメリカでも現在では、アメリカの現代演劇の一つの古典的存在として高い評価を受けています。しかし、この作品をミラーが書いてブロードウェーに最初にかかった時に、非常に驚くべきことなんですが一週間ともたなかった。それは演技が悪かったとか演出が悪かったとかいうのではなく、実はあの芝居がわからないからお客が来ない。ところが日本に翻訳されて来た時は、ちょっと妙な経過がありましてフランスを通って日本に来たようですけれども、劇団がこれを上演したら日本人にはよくわかって、日本ではたちまち大きな評判になった。本国の向こうでは、そういうふうに最初は、はやらなかった。それは一重に考えてみますと、アーサー・ミラーのこの戯曲は、アーサー・ミラーという人自体が名前からだいたい推測できるようにユダヤ人ですが、彼が描く、特に芝居の中で描いたウィリー・ローマンという主人公一家の物語というのは、ユダヤ人のセールスマンの一家の物語で、家庭の状況というものを克明に描くことによって一つのセールスマンというものに象徴される現代状況みたいなものの崩壊過程を描いた作品だと言っていいでしょう。ところが、その崩壊過程ということは読む人、見る人はわかっても家庭の中の雰囲気というものは理解できない。夫婦関係であるとか、あるいは親子関係であるとか、そういうものを非常に濃密にこの芝居の中で描きあげていく。ミラーはアメリカ演劇としてもちろん書いている訳ですけれども彼が本質的にはユダヤ人であるので、ウィリー・ローマンという主人公をユダヤ人に仕立てている訳です。ですから当然彼が一番よく知っているユダヤ人の生活・アメリカにおけるユダヤ人の家庭を描いた訳です。そうすると、こういう家庭生活というものは他の系統のアメリカ人には理解できない。むしろ一番よく理解しているのは、一番よくわかるのは日本人です。よく日本人とユダヤ人というのは、ベストセラーかなにかがでたようですけれども、この質的には違っていても濃密な家庭生活の状況とかそういったことに関しては、日本人はユダヤ人の生活というものを非常によく理解できる国民です。そういった意味では今のミラーの『セールスマンの死』なんかは、最初は向こうではやらなくて、むしろ日本ではやったということは当然です。今アーサー・ミラーの演劇の例を一つあげただけですけれども非常にわかる部分とわからない部分というものがある。実はアメリカであるからわからないのではなくて、もうちょっと私達がその作家が無意識的に血の中にもっている、たとえばユダヤ系・フランス系・ポルトガル系・イギリス系・ドイツ系あるいはスカンジナビア系とか、そういうふうなものを今度は多少準備してかからなければ、わからない部分というのがアメリカの文学の中にはいろいろある。だから、そういう面から見ますとアメリカの文学というのは非常に面倒臭い文学でして、極端な言い方をすれば世界中の文学を相手にしているようなそういう感じがしないこともない。少なくとも現在までのところは。

しかし、一つだけはっきりしていることはそういうふうないろんな血が寄り集まってできている国で、よくアメリカは人種のるつぼという言い方をされますけれどもこれは、すでに十数年前でしたかアメリカのある社会学者が『人種のるつぼを越えて』という有名な本を書きましてこの本の中でアメリカが人種のるつぼであるというのは大変な間違いだということを証明している訳です。これはどういうことかと言いますと、このるつぼというのは私よくわかりませんけれども、あるるつぼがあって、そこにいろんなものをほうりこんで何か触媒を使って化学反応を起こさせ、そこから新しい一つのもの、物質を作り出す。そういう作用をするものをるつぼというのであれば、アメリカというのは確かにたくさんの人種が入ってきて、そこで一つのアメリカという名前で統一される物質を作ろうという意図があったし、現在あるとしても少なくとも今までのところ新しい人種、新しいアメリカ人というものはできていない訳ですから、そういう意味ではアメリカは人種のるつぼだという言い方は間違っているということを社会学者が指摘した通りです。少なくともまだ現在ではアメリカというものはない。アメリカ人というものはない。したがって今度はこれを逆に考えると、アメリカ人・アメリカ文学というのは、社会性が濃いとか社会的だというような言い方をされますけれどもこれは当然のことなので、結局いろんな血がそれぞれ自分の血を通してアメリカというのは何か、アメリカ人というのは何かとか、そういうのが言うなればアメリカ文学の最大の主題であるし、その主題はまだ当分変わらない。ですからアメリカ人というのは、一方ではそういうふうにバラエティーがあっていいじゃないかということを言って、その血の多いことを一面では誇りにしているところがある。ところが、困ったことは特にニューヨークとかシカゴとかサンフランシスコとかロサンゼルスとか大都会という所へお行きになるとすぐにわかりますけれども、たとえばニューヨークのマンハッタンのブロードウェーという斜めに走っている道がある。あそこを一番南の方からずっと北の方へゆっくりと歩いて行きますと50番街、60番街を過ぎた辺りから、今まで自分の周囲に聞えていたのが英語であったはずなのが急に90番街あたりに行くと聞えてくる言語が全部スペイン語になったりする。おやっと思って見ると店の看板、それから映画館でやっている映画、それからそこで売っている新聞全部がスペイン語のものである。96・97番街に行くと極くわずかですけれども看板に急に日本語がでてきたりなんかしている。同じことをくどくど言うようですけれども、そういう状況があってしかも、たとえばシカゴのホルステッドが中心となって南北に走っている通りがある。その北半分のところ辺を通りますと、もう辺りは全部ギリシア語しか見えない。食堂というのはギリシア料理でギリシアのものしか食べさせないし、それから食物がギリシア、映画もギリシア、新聞もギリシアというふうな地域がある。そこにいる地域の人が、今度は隣りの地域の人の間の所へやって来てコミュニケートするときに用いている言語がたまたま英語であるということになると、実は先ほど彼らがヨーロッパあるいは東洋から移民した時に名前を変えなかったのが皮肉な意味では間違いではなかったかということと同時に言語を変えなかったというのも間違っていたと思う。アメリカ語という新しい言葉を作ればよかった。ですから非常に極端な言い方をすれば、アメリカ文学の中に用いられている英語という言語ですら実はまだアメリカの都会、少なくとも都会においては、お互いの違う血がコミュニケートするための契約語に過ぎないようなそういう状況が非常に大多数を占める中産階級から下の部分の人達の間にはある。ですからアメリカというのは、日本の感覚で言うと腹が立つぐらい、どんな地方に行っても、どんな所へ行っても小学校・中学校を尋ねますと毎朝まず第一にやることが国旗掲揚・星条旗を立てることです。今日本で日の丸の旗を立てるかどうか知りませんけれども、向こうでそれをやるのは、実は日本でやるのは個人的には大反対なんですけれども、アメリカでやるのは訳がわかるような気がするんです。とにかくアメリカは、いろんな人が集まっているのでアメリカだということをなんとか毎日皆が意識しなければならない。これは私達が住んでいるこの日本、あるいはヨーロッパとかアメリカ以外の国ではちょっと考えられないことだと思います。だから、そういうことをまず皆さんがアメリカの小説・文学というのを御覧になる時にこっちがそういう準備をしてかからないとなかなか理解できない部分があると思う。

それから、一方でそういうことがありながら今度はこの土地の問題というのがアメリカには大きくあると思うんです。これもわかりきった話ですけれども、私はよく学生にアメリカ文学史の授業をする時に、まず最初にアラスカとハワイはわかりきっているからいい、しかし本土の48州の名前を全部覚えてこいと、それから48州の位置関係を全部調べてこいと、それをいつも覚えておけと言うんです。家で勉強する時もアメリカのなるべく大きな地図を目の前に置いて、どの州がどうとかいつも考えろというようなことを言うんですけれども、これには理由があるんです。アメリカ合衆国のことを私達はUnited States、こういうふうに言いますけれどもUnited Statesということが、もうすでにアメリカという国が実は連邦政府であって、一種の共和国、Republicであって、連邦共和国なんです。そして言うなれば、Statesというのは日本では州と訳しますけれども、しかしStatesというのはあくまで国家という意味なんです。その各州が現実の状況の中では、それぞれ独立している訳です。独立の政治をやっていると言ってもいい。そういうものの集まり、したがってUnited States。だからアメリカのことをたとえば、アメリカ合衆国連邦政府の大統領がいろんな炉辺談話とかを報告しますけれども、報告の一つにState of Unionと言います。ですから、彼らはアメリカのことをUnionと言っている訳です。これは、たとえば東京都と神奈川県をそれぞれ自治体と言いますけれども、しかし私が東京の方からやって来る時に州境、東京と神奈川の境の橋を渡る時に別にチェックはなかった。しかし、向こうでは州によりますけれども、たとえばアリゾナ州からカリフォルニア州辺りに入ろうとしたり、ネバダ州からユタ州の方へ入ろうとする時に特に車で運転して入ろうとすると州境で〝ちょっと待て〟と言われて積んでいるものを調べられる。特に植物とか食物とかそういうものの検疫を受ける訳です。別の州へこっちのものをもって行ってはいけないとやられる訳です。それから、たとえば具体的な例を申しますと交通法規、アメリカは自動車の国だと言われていますけれども、その交通法規がその州によってみんな違う訳です。ですから、ある州でライセンスを取りまして、よその州へドライブする時に一番注意しなければならないことは、自分の州の交通法規というものでやっていると隣りの州に行った時にやられることがある訳です。向こうはハンドルが左側で日本は右側ですから、左折するのが非常に楽です。たとえば、ある州は信号が赤だったら交差点に来た場合に絶対止まって青になるまで、いくら左折するのでも待っていなければいけないという州があるかと思えば、隣りの州に行ったら自動車の姿が見えなかったらどんどん左折しなければいけない、そういう州があったりする。むしろ、そういう州の方が多いです。それから今度は道路標識一つにしても、ある州に行きますと、走っていまして前方に動物がでてくるかもわからないから注意しろ、たとえばワイオミングなんていう州に行きますと、あそこは家畜牛を飼っていて牛がわりに多いところですから、牛や馬が、羊が前にいるかもしれないぞとCattleという道路標識がでてくる訳です。ところが、それが南に下ってコロラド州という州に入ってくると途端に今度はCattleというのではなくGameという道路標識がでてくる。これもだいたい同じ意味だと言えばそれまでですけれども、それほど各州が交通標識一つ、交通法規一つにしてもそれぞれ違う法律でやっている。

それから、税金・物品税とかその他の税率がそれぞれ違う。たとえば、私達が普通すっている20本入のたばこ一箱の値段が、日本は専売ですから全国何処へ行っても同じ値段ですけれども向こうでは、その税率が各州あるいは極端に言えば、各町によっても違う場合があるんです。ですから、20本入の一箱がたばこは生産地の方へ行けば安くなるんです。ケンタッキーとかノースキャロライナーとかバージニアとかそういう州に行けば、現在でも20本入りのたばこが28セントぐらいです。ところが、それがシカゴへ行きますと途端に60セントぐらいになる。ニューヨークでは80セントぐらい。ここにそれぞれ違いがありますけれども西海岸の方にきてもたばこはやっぱり現在では7、80セントからひどい場合には90セントぐらい取っている。同じたばこでも州によって物に対する税率が違うのでそういうことがある。そして、ある州で本を買うにしてもその州税local taxがそれにかかる訳です。だから5ドルの本を買おうとしたら15%のtaxがかかれば5ドル75セント支払わなければ本屋からその本をもらえない訳です。だからアメリカで一番いい方法は、こういうことは教えてはいけないかもしれませんけれども実はよその州の本屋に注文することなんです。たとえば、ニューヨークで出版されている本をたくさん買おうと思ったら、イリノイ州、シカゴでもオハイオ州でもそちらに行った時にそこに一週間・十日住んでいるとすれば、そこから小切手をきってニューヨークの本屋へこの本がほしいから送ってくれとたのめば、自分はその州に住んでいないわけですから税金がかからない訳です。だから、なるべく物を買う時には離れて、その州の人間でないかっこうをして買えば、郵税（postage）の方がむしろずっと安いですから、本をちょっと大量に買う時は離れた方がいい。これなんかも考えてみますと、アメリカ、アメリカと私たちはよく言いますけれども実は48州の国がそこにある。アラスカ、ハワイは別としてです。極端に言えばそう考えなければならない場合がある訳です。そうすると〝アメリカの文学〟なんて私達簡単に言ってますけれども、実はその文学というのが何処を素材にした文学であるか、あるいは作家が何処の人であるかということが大きな意味を、あるいは私達に対して大きな準備を要求する場合がある。そういうことがあるから申し上げているので、そういう意味でも又アメリカの文学というのはめんどうって言えばめんどうなんです。

もう一つおかしな例をあげると、アメリカというのは、非常に東西に長いので、4つの時間帯がある。ニューヨークあたりのE.S.T.(Eastern Standard Time)という東部標準時、それから五大湖あたりのC.S.T.(Central Standard Time)、ロッキー山脈、ネブラスカとかコロラドとか、あのあたりのM.S.T.(Mountain Standard Time)、そして、西海岸のあたりのP.S.T.(Pacific Standard Time)。もちろんハワイとか又、別の時間帯がありますけれども、本土だけでは、この4つの時間帯がある訳です。ですから、当然、ニューヨークとロサンジェルスで同じテレビの放送をするにしても、一方で、6時に放送している時、もう一方では、まだ3時であるとかという事になる訳です。ところが加えて連邦政府(Washington, D.C.)というその48州以外に、アメリカにもう一つ土地がある訳で、これが、私達がワシントンと言っているWashington D.C.(District of Columbia)という特別な地域で、あそこだけは、どこの州でもない訳です。ですからあそこをF.B.I.いいえ、Federal government 連邦政府の所在地と言っている訳です。ここでF.B.I.について少しふれましたので、そのお話をしますと、先程ものべましたように、州によって色々違いますので、犯罪事件、人殺し等をしても非常に便利が良い訳です。アメリカでは、ある州で、殺人事件をおこしても一目散に隣の州へ逃げれば、もうこちらの州の人は、捕えることができないのです。警察権が隣の州に及ばない。そういう映画を、ご覧になったことがあると思いますが、『俺たちに明日はない』(“Bonnie and Clyde”)という、数年前にその年のベストワンかなにかになった映画でも、テキサスで銀行強盗をして、一生懸命オクラホマへ逃げる。警察は、一生懸命追ってくる訳ですけれど、州境をこえたとたん、もうこちらの警官は、いけない訳です。そして又、今度こちらで悪いことをして、又、こちらへ逃げればいい、ということですから、アメリカでは、このような州境の町には、相当いかがわしいものが沢山ある。悪いことをしても、道路一つ逃げれば警察権が及ばないのなら、各州でおこった犯罪が、いくつかの州にまたがった場合にどうするか、ということで、アメリカがつくり出したのが、F.B.I.連邦警察局で、ここの職員だけが、各州を通して力を持っている訳です。日本でも警察権というのは、なかなかうるさくて、神奈川県とかそれぞれ縄張りがある様ですけれども、アメリカの場合は、それがもう少しハッキリしている訳です。

それからこれも又、話のタネとして覚えておかれるといいと思いますが、アメリカで一番長い土地の名前を、ご存じですか。これも今のアメリカの州とか何かよりも、自治体というものが、いかに強いかというのを示す一つの例ですが。その一番長いのは、"Truth or Consequences"という町の名前なのですが、ここは、人口5、6万以上あると思われる大きな町で、もとの名前が"Hot Springs"。地図でみると、ニュー・メキシコ州のサンタフェの少し南の首都から、南メキシコ国境に向って下って行くと、テキサスの一番西の町、エルパソがありますが、この町と先程の首都を結ぶ線の、丁度真ん中あたりに、この一番長い名前の町があります。このものすごい字数のために、この地域の人々は、大変困っています。というのも、私がこの町で聞いた話ですが、ニュー・メキシコ州の州の法律、それから連邦政府の法律にも地名の長さに関する法律というのが、あるのだそうです。何故なら、アメリカは、自動車の国ですから、道路をつくる。すると、どこかの土地へ近づくという目印に、道路標識をつくらなければならない。それには、非常に沢山の金がかかる訳ですが、あまり名前が長いと、標識の面積を広げなければならなく、余計に出費がかさむ。そこである字数以内に短くする、というきまりがあるのです。けれども、これは、それを完全に越している名前です。10数年前まで"Hot Springs"だったのが、現在の様な長い名前にどうしてなったかと申しますと、実は、"Truth or Consequences"というのは、アメリカ人ですとすぐ解るのですが、これは、少し前まで、毎晩ニューヨークあたりの時間で、夕方6時から6時半頃放送されていた、ラジオのクイズ番組の名前なのです。非常に難しいクイズで、毎日勝ち抜いて、一週間もし、一人の人が勝ち抜くことができると、50万ないし100万ドルの賞金を獲得することができる番組なのですが、どうも、この番組に、この町の人が登場してみごと、その賞金を獲得したらしいのです。すると、町議会が召集されて、町の栄誉をたたえるために、町名の変更が、行われる。これに対して、州や市が何と言おうと、一切聞かず、現に、この町に近づきますと、普通の二倍も面積のある道路標識が、あるわけです。又、新聞も困っていまして、アメリカのは、コラムになっていますから、この長い名前が一行に入らない訳です。略すにしても、必ず最初に一度は、"Truth or Consequences"を入れなければならない。そして、一行におさまらないということを、平気でやっている。これなどを考えますと、やはりアメリカというのは、その地方地方、極端に言えば、48州が、それぞれみな、独立したことを、勝手にやっている、ということになる訳です。

ここで、アメリカの地図を書いてみます。地理的に、このアメリカ全部をコンパスで、カバーしようとしたら、その中心をどこにおいたら良いか、ということがよく言われますが、それは現在、キャンザス州、あるいは、ネブラスカ州のあたりということになっています。そこで、この辺の地域を、アメリカ人は、地理的には、"heart land"と言っています。このことから言えば、アメリカ東部というのは、大西洋沿岸全部でいいはずですが、実際には、非常に狭い部分で、メリーランドという州と、ニューイングランドといわれている地域、アメリカ全体からみると北東部のごく一部にすぎないのです。地理的には、北部という名前は、なく、南部ならありますが、これは、そのメリーランド州の境にあるバージニア州から入り、ウェスト・バージニア、ケンタッキー、テネシーと来て、ミシシッピーを通り、アーカンソーも南部に入れることがありますけれども、それからテキサスの一部をかすめて、ルイジアナをかすめたあたりをだいたい南部という訳です。そして、それから中西部というのがよく言われますが、これは、真中の西部になるはずですが、実は、真中よりもずっと北で、東にある。けして中西では、ないのです。そして、残りを西部と言います。ごく大ざっぱですけれども。ヘミングウェイという作家を考えた場合、彼は、シカゴの郊外で生まれ、ミシガンあたりで少年時代をすごし、ヨーロッパを舞台にした多くの作品を書いているが、しかし、アメリカを舞台にした場合に、その作品は、ほとんど中西部のものであると、又、フォークナーという作家を考えると、彼は、もちろんミシシッピ州という南部の世界を書いている。という様に、私達は、アメリカを地方でわける時、東部とか、中西部とか、南部とか、あるいは西部とかいう言い方をしますが、これは、けして地理的な区分によってでは、なく、むしろ文化的な区分によってである。その文化的区分というのが、どこから来ているかというと、48の州の中で、いくつかの州が、互いに似通って、ある一つの文化圏をつくっていると考えればいいのです。ですから、少くとも4つの文化圏の文学、あるいは、芸術というものを、考えなければ、いけない。すなわち東部、南部、中西部、西部の4つ、これらの間には、大きな違いが、ある訳ですから。そして、これら4つの地域が、何故できたかということについては、よくご存じと思いますが、この200年の間の歴史的な経過、そういうものが、この様な地域をつくり出した訳です。そして、200年程前、1776年に、現在の様なアメリカが、あった訳ではなくその発展過程において、西部でもないむしろ北東部である所を、中西部と言ったり、非常にいびつなこれらの名前のつけ方、地理的な意味でのこういう区分を改めようとせずに、彼らが、現在にいたっている東部、南部、中西部、西部という名を使っているということに一方では、注意しなければならない。これは最小限必要なことで、アメリカの文学をみる場合、少なくとも4つの大きな文化圏があるという風に考えるべきでしょう。そして、そのことと、先に述べた血の問題、そういったものが、一つの相乗作用をおこして、アメリカ文学は、非常に理解できにくい、アプローチしにくい部分がある。しかし、又、一方でアメリカ文学が翻訳でも、何でも、非常に売れ、世界中で読まれていることも事実なのです。

少し話がかわりますが、アメリカというのが、その文学とか、他の全てのどの地域にいても、違う文化圏にいても、最初からかかえている大きな宿題は、というとそれは、アメリカ人とは何か、アメリカとは何か、という問題なのです。そして、これは、20世紀特に第二次世界大戦以後になると、今度は、私達自身が、日本人とは何か、という問題になってくるのです。それは、たとえば、科学技術が発達して、原爆の様なものが爆発し、あるいは、テレビ、コンピューター等というものが出てくる。そうすると、自分が日本人だと思っていても、実は、日本人でなくなってる部分が、かなりある。それは、もしかするとそうなる必然性を、20世紀文明が、もっているのかもしれない。そうすると、アメリカ人のもっている先程の様な、問いかけの姿勢が実は、世界中の人間の一つの問題ということになってくる。つまり、彼ら自身の、アメリカ人とは何か、アメリカとは何か、という姿勢そのものが、私達の問題と非常に近づいてきている。そのことが、アメリカ文学を、世界中にはやらせている証拠だと思います。何故このようなことを言うかというと、その一つは、1605年ないし1620年にアメリカ移民が始まり、かりにその時、アメリカの文学が始まったとしても、300何年の歴史しかない訳で、それから、建国してからだと200年、さらに極端に言えば、文学・文化等に関する限り、まだ7、80年の歴史しかないと言える。というのは、イギリスと戦争をかまえて独立して最初の１００年間、南北戦争、あちらでは、内乱と言っているだけですが、その様な大きな痛みを経験して、アメリカというものが、現在私達が言っている様な意味でのアメリカ文学とか文化の問題というのが、非常に大きくでてきたのは、当然、今世紀に入ってからだと言ってもよい。そして、実は、ホーソンだとか、ホイットマンだとか、エマソンだとか、メルヴィルであるとかこういった人達が、私達が現在見ているように、正当に評価されるようになったのも、今世紀に入って１９２０年代以降なのです。たとえば、１９００年頃にアメリカの大学でおこなわれていた文学史をみると、今あげたような名前は、少ししかでてこないのです。そして、ロングフェローが、大詩人であるとか、ホイッティアーが、アメリカの大詩人である等とかいてある。ところが、１９２０年代以降、日本で言えば、昭和になってから、先程述べたような、色々な状況が出て来て、やっと、私達が現在知っているような、アメリカの国家形態ができ、彼らがアメリカというのをみつめ出した時には、19世紀のそういう文学者の名前もどんどん消えて行って、逆に今私達が、19世紀の文学者と言っているような作家・詩人達が、正当に評価されはじめた。これも極端な言い方ですが、そういうことを考えますと、アメリカの文学・文化というのは、今世紀になってから始まったと言ってもいい。しかも、その始まり方が非常に複雑で面倒なのです。これも又、よく言われることですが、20世紀に入って正当な評価を受けるようになった、ホーソン、メルヴィル、エマソンだとか、こういった人達、ポー等というのは、今だにフランスの方が、正当な評価をしているように思いますが、この様な人達は、先程ものべた様に、アングロサクソン系の人達ですけれども、しかし、19世紀のアメリカ文学というのは、少なくともイギリスの文学からどの様にはなれていくかという過程の文学であったとみていいと思う。あるいは、そのイギリス文学からの独立というもの、それを、非常に意識していた文学である。そしてイギリス文学から完全にときはなたれたのが今世紀に入ってからである。それからときはなたれたとたんに、ですからもうアングロサクソン系の人達ばかりでなくて、ヨーロッパのあらゆる血を持った人達が色んな発言権を獲得した、まさにその非常ににぎやかな文学活動が始まった。そしてその時になって初めてアメリカの文学というのが世界の文学の中の一つとして認められるようになったというふうに考えられるわけですね。ですから、そういう風に考えると先程アメリカはまだ200年で若い若いと言いましたけれども、それよりもまだずっと若いわけです。若いけれども複雑だと非常にアプローチしやすくて非常に誰でも入りやすくて、入っていくと何か泥沼みたいな感じがしないでもない。そういうのがアメリカ文学の特徴だと思います。よくそのアメリカの文学で、すぐに清教主義と開拓者精神という2本の柱を立てて、それのからみあいでアメリカの文化史・文学史を展開していく方式があります。それは確かに正しいやり方だと思いますけれども、先程からお話しているような状況の中では、清教主義とか開拓者精神とかそういうもののからみあいというのは、アメリカの20世紀に入ってからの色んな文学的な文化的な条件の中ではその一部にすぎない。その全部では少なくともない。そういうことをやはり申し上げたいと思うんで、確かに清教精神とか開拓者精神というのは、非常に重要です。そして大きな要素です。しかしそれもやはり一部だ、全部だというふうにお考えになると、色んなはみだした部分、そしてそのはみでてくる部分の方が、もしかしたらあるいは21世紀になって20世紀というのをふり返った時には大きな意味をもっているような点になっているかもしれない。そういうことを一応ご注意申し上げたいと思います。

（『Tsurumi Review』一九七九年三月）

Episode

大橋ゼミ

私が初めて大橋先生を見たのは、大学二年生の時であった。

慶應義塾大学文学部文学専攻では、二年生に上がる時に英文科（正式には「英米文学科」）・仏文科・独文科・国文科・中文科に分かれ、同時にキャンパスも日吉から三田に移るのだが、英文科は進学希望者が多いため、選抜試験があった。それに合格して初めて「英文科の学生」を名乗れるわけである。そしてその選抜試験を勝ち抜き、晴れて英文科の学生になった私は、三田のキャンパスで、念願の大橋先生の授業を受けられるようになったのだった。

念願の、と言うのは、高校時代から『英語青年』という専門誌を愛読していた私は、大橋先生がこの雑誌に書かれていた様々な文章を読み、慶應に進学するならこの先生の下で勉強したいと、かねがね思っていたからである。

それだけに慶應英文科の学生となり、いよいよ大橋先生の授業を受講出来ることとなった時の私の期待は大きかった。名のみ知る大橋吉之輔先生とは、一体どんな風貌の先生なのだろう？「大橋」という苗字から想像するに、大柄な恰幅のよい先生なのではなかろうか？ そんな風に想像を逞しくして待ち構えていた私の前に現れた大橋先生は、予想を完全に裏切るような、実に小柄な老紳士であった。

先生はテキストを片手に無雑作に教室に入って来られると、教卓を前にして座られ、物静かな声で話を始められた。しかし、その落ち着いた声質の中に何か芯の強さというか、ある種の威厳があって、それまでガヤガヤとした雑音に満ちていた教室がたちどころに鎮まり返り、教室中の学生たちが先生の発する一言一言を聞き洩らすまいと全身を耳にしている様子。その教室一杯に張りつめた緊張感が、大橋先生の落ち着きのある声を一層研ぎ澄ますこととなり、最初の時間が終って先生が退室された時には、我々学生一同、呼吸の仕方をひとまず思い出さねばならぬほどであった。

「小さな巨人」――大橋先生の授業を初めて受けた私の脳裏に浮かんだ言葉である。それはまた、慶應に進学するならこの先生の下で勉強したいと決めていた私が、その根拠のない決意にいささかの間違いもなかったことを確信した瞬間であった。

*

二年生の時に初めて受けた授業で、先生が使われたテキストは、シャーウッド・アンダスンの短篇集『卵の勝利』(*The Triumph of the Egg: A Book of Impressions From American Life in Tales and Poems*, 1921)であった。先生のご専門はシャーウッド・アンダスン研究であり、我々学生は、もったいなくもこの作家の世界的権威から教えを受けることが出来たわけである。

もっとも、先生の授業スタイルは、ある意味、まったく普通であった。いや、普通以上に普通であったと言うべきだろうか。先生は我々受講生に予習を強いるでもなく、復習を強いるわけでもなく、ただ教室にふらりといらして、アンダスンの短篇をまず英語で読まれ、その後、ご自身で訳されるのである。それゆえ、学生としてはただひたすら先生の朗読と訳を謹聴するだけ。その意味では、怠惰な学生にとってはこの上なく楽な授業形態だったかも知れない。

　しかし先生がアンダスンの短篇を朗読される、その英語の発音がまず素晴らしかった。そして、朗読に続いてその英文を日本語に訳される、その訳がまた素晴らしかった。先生はアンダスンの『卵の勝利』を翻訳して出版されることはなかったが、授業中に先生が一文一文訳されていくその訳をそのまま文字に起こせば、たちまち天下の名訳が出来上がるだろうと確信されるほど、それは見事な日本語訳であった。大橋先生の訳を参考にするため、著名な翻訳家が身分を偽って教室に紛れ込み、秘かに先生の訳読を録音していることがある、などという噂が学生の間でまことしやかに囁(ささや)かれているのを私も耳にしたことがあるが、たとえそれが真赤なウソだったとしても、そういうこともあり得るだろうと思われるほどに、先生の訳読は素晴らしかった。

　そしてそんな素晴らしい朗読と訳読の合間に、シャーウッド・アンダスンという作家の生涯を彩るエピソードの数々を紹介したり、アンダスンの作品を理解する上で絶対に必要な背景的知識、もしくはアメリカ文化全般の特色などについて語られたりするのだが、それも非常に面白かった。

　要するに、大橋先生の授業は、まったく何の変哲もないのに、とてつもなく面白かったのである。そしてそのことは、大橋先生のご指導の下で卒論を書きたいという気持ち、すなわち三年生に進む際には是が非でも大橋ゼミに入らなければという更なる決意を、私に抱かせるのに十分なものであった。

＊

　とは言え、誰もが「大橋ゼミ」に入れるわけではない。

　大橋ゼミは毎年十名ほどのゼミ生を受け入れる。しかし、大橋ゼミへの入ゼミ希望者はその何倍もいるので、当然のことながら競争になる。そのため、毎年選抜試験が行われるのだ。しかもその選抜方法は学力試験ではなく、何か別の記述試験に拠るらしいというもっぱらの噂である。

仮に学力試験で選抜するのであれば、私にはさしたる不安もないのだが、しかし、そうではない何かを基準にして選抜されるとなると、私が選ばれる保証はどこにもない。

だが、ある意味、私は大橋ゼミに入ることを前提に慶應義塾の英文科を選んだようなところがあるのだから、もしここに入れなかったら、それこそ人生プランの大幅な変更を余儀なくされてしまう。私にとってこの謎の選抜試験は、大げさに言えば、人生をかけた大試練でもあった。だから試験当日、大教室一杯に詰めかけた大橋ゼミの入ゼミ希望者を見た時、果たしてこれだけの人数の中、私が十人の中に選ばれるかどうかと思うと、どんどん自信が無くなっていって、絶望的な気分になったことを覚えている。そのせいか、その時の選抜試験がどのようなものであったか、私はまったく覚えていない。最近、同期のゼミの友人に訊ね、「あなたにとってアメリカとは何か?」という設問だったことを教えられて、はあ、そうであったか、と辛うじて思い出したくらいである。

ところで、この入ゼミ試験の時、私はいつものように教室の最前列に座っていたのだが、答案用紙を配られた後、大橋先生は私に向かって、試験時間が終ったら答案を集めて研究室まで持ってくるように、と言われた。え、受験者の一人が答案を回収したり、届けに行ったりしていいの? と思ったが、とにかくその役を引き受けた私は、試験終了後、集めた答案を持って大橋先生の研究室を訪れた。思えばそれが先生の研究室に足を踏み入れた最初であったが、部屋の四面を囲む壁にしつらえられた書棚に二重、三重に本が置かれていることはもちろん、それこそ部屋中に本の山が積み上げられ、文字通り足の踏み場もないほど。そればかりか、大きな木製のデスクもほとんどが山積みの本に覆われ、作業用スペースはほんの少ししか残っていなかった。

そしてその部屋に置いてある本のほとんどすべてが洋書であった。

私は大橋先生の研究室を目にして、これこそが「教授の部屋」であると感動し、こんな研究室で日夜研究をされている大橋先生のところで勉強したいと、一層強く思ったことを覚えている。

とにかく私は大橋先生に答案をお渡しし、先生は「ご苦労さん」とかなんとかモゴモゴとつぶやかれ、それで私は退室した。これが大橋先生と初めて個人的にお目にかかった時のやりとりのすべてである。

幸いなことに、私はめでたく大橋ゼミに入れることが決まった。ちなみに例の入ゼミ試験に関し、我々の回答の中に先生は何を見ようとしておられたのか、ということについて、後にゼミ生の一人が大橋先生ご本人に問い質したことがあった。それに対して大橋先生は「文学をやるのに必要なのは正直さだから、その人の正直さを見ていたのだ」と答えられたという。

この年、大橋ゼミに入った「正直者」は男子五人、女子六人の計十一人であった。

*

では、めでたく大橋ゼミに入った場合、どういうことになるのか。

基本的にゼミというのは卒業論文を書くための準備をする場所である。慶應の英文科では三年生の時点でゼミに配属されるので、三年時・四年時と丸々二年をかけて卒論執筆のための指導を受けることになる。ちなみにゼミの時間は三年生・四年生合同なので、三年生の時には先輩方と、四年生の時には後輩たちと親しくなり、そうやって大橋ゼミの伝統が継承されることになる。

ちなみに大橋ゼミに配属された学生には、大橋先生から1枚のリストが手渡される。手元にそのリストがあるので、ここにそれを再録しておこう。

1. Frank Norris: *The Octopus* (1901)
2. Upton Sinclair: *The Jungle* (1906)
3. Jack London: *The Iron Heel* (1907)
4. Theodore Dreiser: *The Financier* (1912)
5. Edgar Lee Masters: *Spoon River Anthology* (1915)
6. Van Wyck Brooks: *America's Coming of Age* (1915)
7. Carl Sandburg: *Chicago Poems* (1916)
8. Sherwood Anderson: *Poor White* (1920)
9. John Dos Passos: *Three Soldiers* (1921)
10. Sinclair Lewis: *Babbitt* (1922)
11. F. Scott Fitzgerald: *The Beautiful and Damned* (1922)
12. Eugene O'Neill: *All God's Chillun Got Wings* (1924)
13. Ernest Hemingway: *The Sun Also Rises* (1926)

14. Thornton Wilder: *The Bridge of San Luis Rey* (1927)
15. Conrad Aiken: *Blue Voyage* (1927)
16. Edmund Wilson: *I Thought of Daisy* (1929)
17. Katherine Anne Porter: *Flowering Judas* (1930)
18. Nathanael West: *The Dream Life of Balso Snell* (1931)
19. James T. Farrell: *Young Lonigan* (1932)
20. Clifford Odets: *Waiting for Lefty* (1935)
21. Thomas Wolfe: *Of Time and the River* (1935)
22. John P. Marquand: *The Late George Apley* (1937)
23. Erskine Caldwell: *Trouble in July* (1940)
24. William Faulkner: *The Hamlet* (1940)
25. William Saroyan: *The Human Comedy* (1942)
26. John Steinbeck: *Cannery Row* (1945)
27. William Styron: *Lie Down in Darkness* (1951)
28. Richard Wright: *The Outsider* (1953)
29. James Agee: *A Death in the Family* (1957)

二十世紀初頭から半ば過ぎまで、すなわちアメリカ自然主義を起点に、シカゴ・ルネッサンス、ロスト・ジェネレーションを通過してサザン・ルネッサンスあたりの時代までのアメリカ文学の主要作品が、黒人文学、戯曲、批評なども適度に交えながら並んでいる。若干左翼的な作品が多いのは、先生の好みだろうか。そしてこのリストこそ、大橋先生特選「必読図書リスト」であり、大橋ゼミに在籍している二年間のうちにここに挙げられた諸作品を読み、かつレポートを書くことが、我々大橋ゼミ生に与えられる最初にして最後のミッションなのである。

もっとも、とここで残念な報告をしなければならないのだが、このミッションを忠実にこなしたゼミ生を私は知らない。大橋先生も、このような課題を出したはいいが、特にレポートの締切も切られないので、そのうちに「ひょっとして、毎月レポートを出さなくてもいいの?」といった感じになってきて、いつの間にかすべてがうやむやになっていくのである。

では課題が宙に浮いた後、ゼミの時間に何をやっているかと言うと、それぞれのゼミ生が卒論のテーマとして選んでいる作家の作品について、順繰りに研究発表していくのである。前期は四年生が、後期に入ると三年生に発表の順番が回ってくるというような感じではなかったかと思う。

そして週に一度のゼミの時間に、その週の当番のゼミ生が前に出て研究発表をし、それがひとまず終ると、今度は発表を聴いていた他のゼミ生から出される質問に発表者が答える質疑応答の時間があり、それらが一通り終わった段階で大橋先生が総評としてコメントをされる。先生のコメントは、当該の発表の良し悪しについて言及されることはほとんどなく、むしろ遠回りの言い方で発表者が扱った作家について話されることが多かった。いわば謎かけのような感じなのだが、そういう時の先生のコメントの内容を思い返してみると、作家の本質をずばりと一言で表現したところがあって、後になってから首肯させられることが多かった。

＊

さて、ゼミが終るとちょうど夕方の六時頃になるので、そのまま先生とゼミ生たちで食事に行くこともある。そんな時よく行ったのは、「幻の門」と呼ばれる東門を出て左（芝方面）の方に少し歩いたところにある、しもた屋風の店構えの岡田屋という天麩羅屋さん。かき揚げ丼が有名で、もちろんこのかき揚げ丼目当てで行くのである。ちなみにここのかき揚げ丼は結構ボリュームがあるので、我々若いゼミ生でも「並」で十分なのだが、大橋先生は、ゼミ生たちが一通り注文し終った後、最後に「じゃあ、僕はそれの『上』」などと注文され、一同を唖然とさせたものである。当時の先生は、小柄な身体つきに似合わず、案外健啖家であったのではないかと思う。

皆で食事に行くと言えば、大橋ゼミでは少なくとも年に三度、大きな食事会というか、パーティがあった。一つは四月の新ゼミ生歓迎コンパ、二つ目は大橋先生の誕生日（十一月二十七日）、そして三つ目はクリスマスである。

誕生日に関して言えば、私が三年生の時、先生は六十歳になられたので、この年のパーティは還暦のお祝いも兼ねた派手なものとなった。ただ、最初にその話が回ってきた時、三年生の間で「え？　還暦？」と、思わず顔を見合わせてしまったことをよく覚えている。誰もが「古稀」の聞き間違えではないかと思ったのである。大橋先生は実年齢よりよほど老けて見えたので、今年ようやく六十歳、というのが信じられなかったのだ。しかし、とにかく還暦といえば赤いチャンチャンコということで、さすがに本物のチャンチャンコではなかったが、赤いセーターか何かを代わりに贈ったのではなかったかと思う。

またクリスマスはクリスマスで、大橋ゼミには「プレゼント交換」という伝統の行事があった。千円とか二千円とか、その程度の上限をつけてゼミ生それぞれがプレゼントを用意し、それをパーティの場で交換し合うのである。全員が輪になって並び、慶應伝統の応援歌「若き血」を歌いながら節に合わせてプレゼントの包みを隣の人に送っていって、歌が終ったところで手にしていた包みをもらえる、というのが恒例のイベントだった。

それからもう一つ、伝統行事で忘れてはならないのが夏の合宿である。

私たちが三年生の頃、つまり私たちの代の初めての夏合宿の時、四年生の先輩方からは、「OED（オックスフォード英語辞書）全二十巻をクルマのトランクに詰め込んで行くのだからそのつもりで」と脅かされたが、これは単なるジョークで、実際には合宿先で勉強をすることはなく、ひたすらドライブを楽しむのである。要するにクルマ好き、ドライブ好きの大橋先生の趣味みたいなもので、ゼミ生たちは何台かのクルマに分乗し、中央自動車道の談合坂サービスエリアに一旦集合して、そこから大橋先生のクルマを先頭にビーナスラインとか麦草峠とか、風光明媚な信州方面の道路をドライブするというのがゼミ合宿の実態なのだ。そして宿は清里あたりのペンションを借り切り、夜は宴会となるのが常だった。

こう言うと、何だか遊んでばかりいるようであるが、大橋ゼミというのは、基本、遊んでばかりいるのである。

＊

実際、大橋先生ご自身が、少なくとも外から見える限りでは、遊んでばかりいる人なのであった。

ある時、ゼミ生の一人が、大橋先生の奥様に、「先生は遊んでばかりいるようだけれども、一体いつ、勉強なさっているのですか?」と尋ねたことがあった。その時奥様はにっこり微笑んで、「そうねえ、いつ勉強しているんでしょうねえ。私も勉強しているところを見たことがないの」と仰った。奥様によると、十数年位前、ボウリングが流行していた時には、大橋先生も夢中になられ、それこそ際限なくボウリングに打ち興じ、プロ並みのスコア（二〇七点!）を叩き出されたとのこと。スポーツに夢中になられている大橋先生というのも想像し難いが、何かに夢中になったらとことんやりそうな人ではあるので、奥様のその言葉も容易に信じられた。

おそらく、先生はそうやって遊び回っていらして、それで普通の人が眠っている深夜以降にあれだけの本を読み、またあれだけの文章を書かれたのだろうと思う。いずれにせよ、たとえ奥様といえども、人に勉強や仕事をしているところを一切見せないというのが大橋先生流の美学だったのではないだろうか。

ちなみに、そこは大橋先生の弟子である私も見習って、家内を含め、自分が勉強をしているところを人に見せたことはない。

スタインベックの文学

昨年の後半期に、スタインベックの作品を材料にした仕事が二、三私のところに舞いこみ、それはそれなりに面白い仕事ではあったが、スタインベック、スタインベックと数カ月のあいだ心をわずらわしていたので、もうスタインベックには当分お別れしたいと思っていた矢先に突然ながらスタインベック論を書いてくれと頼まれた。ちょうど、夜もロクに眠れないほどの仕事に追われているので、お断りしようと思ったが、時日が切迫していてどうにも動かせない様子だし、それに私もスタインベックからいちおう解放されたい気持もあって、引受けた。ただそのような事情だから、スタインベック論というような大上段にふりかぶった評論をする余裕はないし、いきおい思いつくまま悪口ということにもなりかねない。私自身は、《偉大なる現代アメリカ作家》ジョン・スタインベックの悪口をいうつもりはさらにないが、血気さかんな偶像破壊期にあるものだから、つい話が攻撃的になりはしないかと懸念しているのだ。

一般に、スタインベックの文学には大別して二つの傾向があるとされている。そのひとつは濃厚な社会意識であり、あとのひとつは、原始の状態に近い人間たちとその生活をあたたかい眼で見る原始ヒューマニズムだというのだ。同時代の作家アースキン・コールドウェルについても、おなじようなことがよくいわれている。だが、ひとりの作家がそう簡単にいくつかの傾向に分類されうるものではない。やはり、そのようないくつかの傾向という現象の奥に、なんらかの形で本質的なものが見出されるはずだ。

なるほど、ヒューマニズムは容易に社会意識に結びついてゆくものだから、スタインベックのばあいはそう事を荒だてなくても、便宜上二つの傾向にわけておくのだ、ということになるかも知れない。だがヒューマニズムと一口にいっても、いろいろな性格なものがある。社会意識に容易に結びついてゆくものもあれば、社会意識に結びつくどころか、社会意識に愛想をつかして、個人をとりまく小さな世界にせめてヒューマニズムの灯りだけは灯しておきたいといったような、そんな涙ぐましいヒューマニズムもある。スタインベックのヒューマニズムが前者であるとして、ではそれが社会意識へと発展していくのは、果して作家として不可避的な転移であったのか、それとも他の作家によく見られるように、ただ単にジャーナリスティックな感覚の鋭敏さがそうさせたものか。もちろん、作家といえども人間であるから、長い作家生活を通じて一貫して変らないということを要求するのは無理だろう。だが、その変るということが、ジャーナリスティックな感覚によるばあいと、そうでないばあいとは、はっきり区別しておかなければならない。たとえば、ヘミングウェイの作品を年代を追って考えてみるとよい。『持つことと持たざること』あたりから急角度をもって上昇してゆく彼の社会意識（らしいもの）は『誰がために鐘がなる』でいちおう頂点に達するが、その後の彼の作品の系列を追って

『老人と海』にまできたばあい、ヘミングウェイの変貌は悪くいえばカメレオン的なものであったといいえないこともない。ヘミングウェイの偉大さは、変貌などと騒ぐその向うにデンとして揺ぎなく存在しているのだ。

いつも黒系統の丸首シャツか、地味なオープンシャツの上に無造作に上衣をはおり、じっと何物かを見すえて一抹の憂愁をたたえた彫りの深いスタインベックの肖像写真をながめていると、なるほど『怒りのぶどう』の作者らしい、民衆の友といった風貌だが、私にはいつももう一つのスタインベックの写真が思い出される。それは映画に出てきたスタインベックだ。映画の題名は忘れたがオー・ヘンリーの短篇のオムニバス映画で、それにスタインベックが解説者として登場していた（編注：一九五二年に封切られた『人生模様（*O. Henry's Full House*）』のこと）。映画だからだろうがちゃんとした服装で、笑みをたたえた顔だった。そのたくましい軀つきから発散しているのは、社会意識でもなければ鮮烈なヒューマニズムでもなく、好人物の常識家らしいくせのない雰囲気であった。何物かを見すえてもいなかった。はっきり云えば彼のポートレートが与える印象とはおよそ対照的なものであった。映画のほうに彼の地金が出ているとすれば、ポートレートのほうは、彼がいつも世間に向ってしている意識的なポーズだということになる。くだらぬこと、といえばそれまでだが、私はその頃からずっと、意識的なポーズではないほうのスタインベックを脳裡にうかべて、彼の作品を読んでいた。近着の「サタデー・レヴュー」四月十三日号の表紙は、彼のいつものようなポートレートで飾られているが、その彼の近作『ピピン四世の短かい治世』は批評によるかぎりでは、いかにも他愛のないヒューモラス・ファンタシイらしい。諷刺も機知もきいていない、ファースらしい。もしそうだとすれば、表紙のポートレートに偽りありということになる。

「サタデー・レヴュー」を引合いに出したので、ついでにもう一つつけくわえると、彼は現在「サタデー・レヴュー」の客員主筆のひとりで、ときどき同誌に論説を書いているが、近着四月二十日号には"A Game of Hospitality"と題する一文を寄せている。これはアメリカの対外文化政策を皮肉ったもので、自分はこの秋にはペンクラブの大会に招かれて東京へゆく予定にしているが、ペンクラブの大会が未だかってアメリカで開催されたことがないのでその理由を調べてみると、すぐれた海外作家の大多数が現在のアメリカの法規によると入国を拒否されることになるからだ、ということを知って驚ろいたというのである。そして、イエス・キリスト以来、歴史上の有名な政治家、思想家（そのなかにワシントンやジェファスンやロバート・リー将軍などもいる）の名前を数多くあげて、それらの人たちが現在生きていてアメリカへの入国を求めるとしたら、みんな拒否されることになるといって、その理由を一人ずつ表にして見せ、これは冗談ではないと結論している。マッカーシズムなどということばで一般にいわれている、アメリカ最近の右翼的な政策を攻撃しているのである。

だからといって、これは『怒りのぶどう』の作者らしい態度だ、「その社会批判の面では最も重厚な力をもつ作家」だ、とすぐにいえるかどうか。なるほどマッカーシズムを信奉しているような人たちから見れば、スタインベックは左傾した作家かも知れない。進歩的な作家かも知れない。我国などでも、その進歩的な面に眩惑されて、彼の作品を評価し、彼は偉大だなどと推論しておりはしなかったか。だが、もうぼつぼつ作家としての生涯に終りをつげているように見え、その作品全体をパースペクティヴなレヴェルで評価できそうな昨今、スタインベックの進歩性をもういちど考えなおして見る必要があるだろう。

だいいち、右にあげたような彼の発言は、右翼の人たちは別として、現在の私たちの常識から判断すれば、きわめてあたりまえのことで、良識ではあっても進歩的ではないだろう。アメリカの対外文化政策が進歩しているだけであって、その発言は左翼者流にいえばアメリカの良心の声かも知れないが、そんなに大げさにいわなくても、良識のある人の常識にすぎない。

実はここのところが問題なのであって、さきほどからのらりくらりと駄言を弄しているのも、結論を先にいってしまえば、私にはスタインベックが社会意識の特に旺盛な作家だとはとても思えないし、またそのヒューマニズムといわれているものでも、きわめて常識的な枠をでない、たとえていえば街頭で乞食を見て私たちがフトれんびんの情をわかせる態の、そんなものとしか考えられないのだ。そしてそのことは、スタインベックの作家としての優秀さを少しも減ずるものではないと思う。作家としての彼の優秀さも、またその限界も――もちろん右のことと決して無関係ではないが――別のフェーズにおいて考えてみたいと思うだけである。

まず彼のリレキを考えてみよう。彼は一九〇二年生れだから、ドス・パソス、フォークナー、ヘミングウェイなどとそう年が違うわけではない。だが、かれらのように十九世紀生れではなく、二十世紀に生れたことは、たとえわずかな年の違いではあっても、かれらとは決定的な相違をもたらした。わずかな年の違いで、彼は第一次世界大戦に直接的に参加することはなかったし、「パリ・グループ」の雰囲気を知ることもなかった。それにスタインベックが、西部カリフォルニア州の農場の子として生れたことも忘れてはならない。彼が「失われた世代」とは異質的なテンペラメントをもっていることの、そもそもの要因はそのへんにあるようだ。

作家活動をはじめるまでの彼のケイレキは、だいたいほかの作家たちと似たりよったりで、とくに違うところといえば船員にまでなったということぐらいだ。新聞記者もやったし、肉体労働もやった。だが、ここでとくに強調したいのは、彼が継続的にではなく気のむくままに通学したスタンフォード大学で、彼は海洋生物学の研究に関心をよせていたということだ。海洋生物などというものについては、私などはほとんど何も知らないが、そもそも生物学などという学問は、熱情などという情緒的なものをいっさい拒否し、唯物的な思考方法のもとに生命をも規定してゆくものであるように思う。

スタインベックの作品中の人物の大半が、生物とかろうじて一線を劃(かく)するような原始的な人間ばかりであるということと、右のこととをすぐに結びつけて見るのはきわめて危険なことであるし、誤ってもいることであろうが、スタインベックをして海洋生物学に赴かしめたものが何であるかということは、きわめて興味ぶかいことであるし、作家としての彼をもあるていど示唆し規定するものであろう。私たちがいま、海洋生物学の研究ということに衝動を感じたと想定して、そのような想定下における私たちの心的情況を考えてみるのも、スタインベックのある種の作品群を読むばあいには無益ではないし、必要なことであるようにも思われる。読書人としての私たちは、たまたま余りにも自分自身をソフィスティケートしているばあいがあるようだから。

だが、スタインベックが遂には海洋生物学の専門家にならなかったということも重大である。このへんのことになると、もう私たちに取残されている唯一の手がかりは彼の作品しかないが、その作品の中でも、彼のもっとも初期のものである処女作『金の盃』と『天の牧場』の二作が、妙に私には気がかりである、処女作というものは、それが如何に愚劣な拙作であり、世間のきびしい批判をうけたものでも、考えようによっては、作家が敢て世に問う第一作という意味で、作家の本質的な一面が必らずどこかにひそんでいる。作家といえども、そんなに容易に意識や観照力の融通無礙な変化を行いうるものではなかろう。

処女作『金の盃』は周知のように、「歴史小説」と銘うたれた有名なイギリスの十七世紀の海賊ヘンリー・モーガンの伝記である。伝記とはいっても、ロマンスの色彩が非常に濃厚なケンランたるものである。ただ、やはり単なるロマンスと異なるのは、スタインベックが如何にも現代作家らしく、主人公モーガンの心理を追及し、最後に至って、功なり名をとげたモーガンに深淵をのぞくような幻滅感を味わせていることだ。だが、いかに現代的な肉づけをしているとしても、この作品には若々しいロマンティシズムの気配が濃厚で——若々しいということは、二十世紀においてはすぐに明朗だということにはならない——ある意味では楽しい昔の歌声を聞かされているような作品である。

この作品が一九二九年に発表されたことは、作者にとっては幸せなことであった。なぜなら、それが拙作であったということとは別に、一九二九年といえば例の経済大恐慌の起った年で、如何に世俗から離れた読書人でも悠々閑と歴史的ロマンスに耽溺する余裕はなかったはずである。もちろん、この作品は世間から完全に無視された。そして世間は、いわゆる《二十年代》に別れをつげて、《三十年代》へと大きく転換していった。スタインベックは考えた——と私は想像するのだ——が自分は処女作において完全に失敗した、これからの文学はもうこんなものではいけない、もうすこし足が地についた「リアリズム」でいかなければ、と。そのへんの彼の頭の働きは鋭敏である。けっしてある作家たちに見られるような鈍重さはない。そもそも『金の盃』などという歴史的ロマンスに手を染めたのも、経済大恐慌などという不測の事態はさすがに予見できないで、いわゆる《二十年代》の文学に対するアンティテーゼとしての気持があったのかも知れないのだ。もし経済大恐慌が起らなかったとしたら、私たちは全然別のスタインベックを見るようになっていたかも知れないし、だいいちスタインベックなどという作家を知らなかったかも知れない。

話が先廻りをしたが、この『金の盃』という作品のなかから、二、三おもしろいと思われるところを引用してみよう。占術師マーリンが主人公のモーガンにむかっていうことばに、「お前は金の盃から月を飲みたいと思っている。だから、もしお前がいつまでも子供心を失いさえしなければ、偉大な人間になれるだろう。すべてこの世の偉大さは、月を求める子供の心にあるのだ」といい、また「お前は偉大な人物になるであろう。しかしその偉大さを獲得したとき、お前は友もなく、淋しい気持におそわれるであろう。きれいな眼をしてもの欲しそうに空を見上げているお前、わしは本当にお前を気の毒に思う――そして、おお神よ！　わしはお前を羨しく思うぞ」というのがある。さらにモーガン自身は、「すべての人間の特徴のうち、もっとも人間的なものは矛盾ということだ。おれはいまそれを知って、自分が人間であることを発見したかの如くおどろいた」と心ひそかにつぶやく。また、ある女がモーガンを許してのことばに、「あなたはちっともリアリストではなく、ただの不細工な空想家にすぎないのね」というのがある。

右のような引用のなかにあらわれている思想は、現代的なものにわずかに裏打ちされたロマンティシズムであり、だからスタインベックもというのではないが、子供心――偉大さ、人間――矛盾、などという感覚は、純粋であればあるだけ、真実であればあるだけ、高踏的で複雑な現代感覚とはかけはなれた常識であり、そのような常識が人間の生活に不可避なものであることには違いはないが、モダニズムと四つに組んでたちむかうには余りにも常套的で、「不細工な空想家」らしい考え方のようだ。このような「空想家」的な思考方法が、スタインベックにはじめからまとわりついていたとして、それを彼は「リアリスト」に転換するに際して、完全に払拭することができたかどうか。あるいは、「リアリスト」としてのスタインベックを、「空想家」があるていど規制しているのではないか。

『金の盃』で無視されたスタインベックは、それから四年のあいだ沈黙をまもっていた。そして一九三二年に第二作『天の牧場』を発表した。この作品もまた余り世間の注目をひかなかったが、果してあざやかな転換ぶりであった。こんどは「リアリズム」であった。登場人物は作者の故郷カリフォルニアの「天の牧場」という谷間に住む人たちで、日常卑近な生活の苦楽に心を浮き沈みさせ、そこからしみる浮世のユーモアが谷間の人の話の種である。かれらはみな単純で無知な人ばかりだ。白痴、狂気、美、醜、恐怖、悦楽などと、「天の牧場」の物語をいろいろな典型に分類してみても、それらはいずれも現代的なものとはほど遠い、それだけに不易的な価値をもつ、人間原始の昔から存在していたものだ。カリフォルニアという風土には少くとも現在のところ《伝統》というものはない。そこに住む人たちは、それぞれの背後に《伝統》をおっているにしても、カリフォルニアという風土は、そのような《伝統》は受け入れない。肥沃なカリフォルニアの土壌は、如何にその上に現代のメカニズムが樹立されようとも、そのようなメカニズムが根を深くおろすことができないほどに原始的な風土だ。外来の《伝統》もいきおい、その風土においては神話となり伝説となって、原始的、典型的な形をとらざるをえなくなる。万古不易に人間の心に通じている人情だけが、存続をゆるされるのだ。カリフォルニア出身で、カリフォルニアを舞台として描く作家たちのリアリズムが――現代のメカニズムを対照としているばあいは別として――いずれも逃避者的な傾向をもち、ナイーヴな神秘主義（ミスティシズム）がときに頭をのぞかせ、「主婦的な感傷性」がその底に脈うっているのは、そのへんのところに原因があるのではないか。

さて、スタインベックのばあいだが、彼が「リアリスト」としての眼をむけたのも、現代性を必要としないでも生きてゆかれる昔ながらの人たちであった。そのあたりに、すでに生物学と彼との結びつきがはじまりそうだが、彼の「主婦的な感傷性」は、かれらに対してきわめてあたたかい反応を示すのであった。アメリカの文学には全くの門外漢であると自称する私の親友が、最近『天の牧場』を一部読んで、「わたしにはこれがリアリズムだとは思えない。それはかのゴーゴリをリアリズムだというのに似て、彼の眼鏡の歪みが、歪んだなりのピントが正確なところから、映像を歪んだままでくっきりと写しだしてみせる――そういう鮮度をリアリズムといっているような気がわたしにはする……これは『人間喜劇』ではなくて、妖精たちの真面目くさった劇のようだ。彼の妖精は、樹木や花の中にいず、市場や牧場に住んでいて、その妖精たちの只中で、スタインベックは彼等の織りなす多彩な脈拍の律動を材料に、複雑な曲を作曲している如くである。この作家にわたしが『愛』を感じないのは、人物が『人間喜劇』として『観照』されているためではなく、そもそも『人物』などではないからであろう……その意味でこれは古典的な曲であり、そこにこの人のリアリズムと見紛われるものが求められそうにも思う」云々といってきた。このことばから、私は大きな示唆をうけた。リアリズムかどうかということには、異論がある。また、登場人物が果して「人間」でないか、ということになると、これも疑問だ。だがたしかに、スタインベックの作品から私たちがうける感銘は、「古典的な曲」を聞いたときにうける感銘に似ていて、きわめて典型的で鮮明だ。「主婦的な感傷性」はそれがその極限においてものに反応するばあいは、その印象は鮮烈であると同時に、格調のある典型を保っているものだ。「細部の真実さのほかに、典型的情勢下における典型的な性格の忠実な表現」とエンゲルスはリアリズムを定義しているが、その根拠となる思想の相違は別として、スタインベックのリアリズムはそのようなものではなかったのだろうか。「主婦的な感傷性」が不断にかもしだすものは、ハート・ウォーミングなヒューマニズムの雰囲気であり、同時に「典型的情勢下における典型的な性格の忠実な表現」的なリアリズムであって——だが、「主婦」というものは家庭の座に安住してしまうと、もう泰然自若として、己れの感覚に万腔の信頼をよせ、疑問などはいつのまにかなくなって、その「感傷性」もひからびたものになってしまい、自分で作った殻の中にとじこもってしまうのが通例である。そして、よく知っている人たちの昔話を人情噺風に語ってきかせはじめるようになれば、もう動脈硬化を起したも同然で、生ける屍になってしまうのだ。しかしそのようなマンネリズムにおち入る前の、いわば新婚早々の「主婦」は、人生にたいして、生活にたいして、見る眼もするどく情熱にあふれ、その「感傷」もきわめて新鮮なものである。

またまた話が脇道にそれてしまったが、その後の彼の作品を年代順に追ってゆくと、三三年には『知られざる神に』という人間の土との関係を神秘主義的に描いた作品があり、三五年にはその「主婦的な感傷性」が最初の鮮鋭な結晶を見せた『トーティーア平』が生れた。モンテレイに住むパイサノ人たちの原始的な生活をヒューモラスに描いたこの作品には、善良な「主婦」のあたたかみがあふれているが、善良な「主婦」には痛烈な諷刺や皮肉は不可能だ。それをするには孤高な「独身男の潔癖さ」が必要だ。

ついで、あまりはしゃぎすぎた子供がやがては深く自省をはじめ、眼にうつる人間生活の矛盾に思いをはせはじめるように、スタインベックも自分の愛するカリフォルニアの原始に近い人たちの上にのしかかる現代の重圧に、「主婦的な感傷性」のアンテナを向けはじめた。『勝算なき戦い』、『二十日鼠と人間』、『長い谷間』、『怒りのぶどう』とつづく一連の作品は、そのような志向の生みだした作品であり、『怒りのぶどう』においては遂にその「感傷性」は卓抜した「悲劇」を生みだすほどに高揚した。その高揚してゆく過程にあずかって力があったのは、ものごとの真実を見きわめようとするリアリスティックで象徴的で哲学的な考え方であり、それを押しすすめてゆく旺盛な精力であった。だがその「感傷性」の故に、イデオロギー的な社会意識までには至らず、それの代替物として、新鮮な「感傷性」からかもしだされるあたたかいヒューマニズムが社会意識らしい形となってあらわれた。

危惧していたとおり、余りにも冗舌がすぎて、紙数がつきてしまった。いよいよこれから本論に入らねばならぬところで――といって『怒りのぶどう』以後の諸作品は、しだいに年老いてゆく「主婦」を思わせるもので、『カンヅメ横丁』や『エデンの東』など、生命の最後の燃焼力を暗示するものもあるが、概して燃えつきてゆくローソクを思わせるものが多い。（フォークナーを除いて、アメリカの作家はどうしてこうまで「短命」なのだろう？）ただ以上は、私自身、きわめて独断的な所論であることを自認した上で書き誌したものであることを、最後におことわりしておきたい。一方ではスタインベックが自作“Burning Bright”の酷評に反論して、“Critics, Critics, Burning Bright”（批評家、批評家、燃えちまえ）とヤユしていたことが気にかかって仕方がないのである。まだ彼は生きており、近いうちに日本にもこようというのだから。

（『不死鳥通信』一九五七年五月）

アーネスト・ヘミングウェイの死

先般、ヘミングウェイが死んだとき、それが「自殺」によるものであったか、それとも「事故死」であったのか、ということがいろいろと取沙汰された。そして、まだはっきりした結論はでていないようである。いわば、「謎の死」であった。しかし、ヘミングウェイの読者は、それぞれ「自殺」か「事故死」かのいずれかに心できめて、各自の心中にあるヘミングウェイの像に、しずかに黒いリボンをまとわせたにちがいない。たとえ、事実はどのようにヴァイオレントな死にかたであったにせよ、多くのものは彼の死についての報道を、おちついて冷静にうけとった。巨星地に墜つ、といった感慨も意外にわいてこず、その死を悼むことも腹だたしいほど少かったのではなかろうか。私自身に関していっても、彼の死が報ぜられたその日の午後、某新聞社に翌朝の新聞にまにあうように、一時間かそこらで追悼文を書くようにと、出先きで依頼されて、いたずらにあわただしい思いをしただけであった。

このようなことを書くのは、なにもヘミングウェイをおとしめるためではない。ヘミングウェイの死が信じられないからである。あんなタフ・ガイが死んでたまるか、という気持が、心の片隅に巣くってはなれないからである。彼の死が実感として感じられるのは、現代が現代でなくなるとき——そのようなときがいつかくると予想して——ではなかろうか。彼はいわば、現代という学校のオリエンテーション主任であった。

ヘミングウェイの作品が、現代の読者にこれほど議論され、これほど読まれているのは、彼が現代の生活や思考や行動に、一分の隙もないほどに密着しているからである。もちろん、彼の作品については、多くの人によって、多様な解釈が発表され、いろいろな読みかたがなされている。しかし、その読みかたにしろ解釈にしろ、それらがそのまま、その人たち自身の現代性を判断する絶好の基準になるのである。

現代というやっかいなしろものにたいする認識のしかたは多様であるにせよ、その底に息づいているなまなましい息吹きは一つであり、その死にざまも一つである。そこのところを、彼は適確に正当に、その作品を通じて私たちに提示してくれた。それゆえに、私たちは彼の作品のうちに、一つの哲学を感知するのである。これは、アメリカの文学においては、きわめて珍らしいことである。大部分のいわゆる「失われた世代」の作家たちにしろ、近くはビートと呼ばれる一群の作家たちにしろ、その活動は現象的には華華しいものであっても、哲学というものの裏づけがないために、現代にたいして強大な影響力はもちえていない――もちろん、文学はすべてそうであるべきだというのではないが。こう考えてくると、ヘミングウェイはたんに「アメリカの文豪」ではなく、「世界の文豪」であった。

（『高校英語教育』一九六一年十月）

ウィリアム・フォークナーの人と作品　――私は人間の終焉を信じない――

（1）ヘミングウェイとフォークナー

昨年のヘミングウェイの死についで、この七月六日にはウィリアム・フォークナーが逝去した。これで私たちは、現代アメリカ文学、さらには現代の世界文学を支えていた二つの大きな柱を失ったわけである。二人は共に前世紀末に生れ、一九二〇年前後から大きな変貌をとげはじめた現代アメリカ文学の、意欲的な前衛作家として、長いあいだ創作活動をつづけ、共に相前後してノーベル文学賞を受賞した。この二人の死は、現代アメリカ文学が、一つのエポックの終焉にさしかかり、曲り角にたっていることを改めて想い起させる象徴的な事件であった。とはいえ、これからまだしばらくのあいだは少くとも、この二人の作家のそれぞれとはまったく異質的な、新しい文学が創造される可能性はなさそうである。昨今の新進の作家たちの多くも、なんらかの意味で、ヘミングウェイあるいはフォークナーを、下敷きにしたり、踏台にしたりしており、二人の影響から完全に脱皮できるのは、ずっとまだ先のことでしかなさそうである。それほどこの二人は、偉大な存在であったが、それは、この二人が開拓していった世界が、私たちが当面している複雑きわまりない《現代》というものに、ぴったりと密着していると同時に、人間というものの普遍的で永遠的な相のある断面を、するどい切先であざやかにえぐりだしてみせてくれたからである。

しかし、この二人の作家の、創作の方法とか、作家としての姿勢は、まったく対照的であった。ヘミングウェイが、人生をそのもっとも能動的な瞬間にとらえて処理していくという形式を、極限にまで煮つめていこうとしたのにたいし、フォークナーは、アメリカ南部の歴史的な過去のなかに存在している社会的、宗教的な諸形式の点から、現在を考察しようとした。ヘミングウェイが、一見実存的な視点や時点にたって前向きであったのにたいして、フォークナーは、人間の実存を、眼を過去にむけることによって、時間の堆積のなかから発見し証明しようとした。したがってヘミングウェイの作品には、いわゆる「ハード・ボイルド」なスタイルや気分が充満しているが、フォークナーは、彼独特の意識の流れの手法などをふんだんにとり入れた、非常に晦渋で難解な文体を生みだした。

そのようなわけで、一般にはよく、ヘミングウェイに比べてフォークナーは難しいといわれる。たしかにそうであるが、よく考えてみれば、ヘミングウェイもフォークナーに劣らず難しいのであって、ただ、フォークナー作品へのアプローチの方法がヘミングウェイなどのばあいに比べて、やや特殊的でなければならないために、そのような印象が強いのである。フォークナー作品に入っていこうとする読者は、なによりもまず、いわば打ちのめされる覚悟が必要であろう。結論的にいえば、フォークナーはヘミングウェイなどよりもはるかに、一人の「現代の説教師」としての資質をそなえていた。

（2）訪日したフォークナー

一九五五年夏、フォークナーが来日した。これは私たちにとってはまさに、青天のへきれきのごとき事件であった。フォークナーは学者、批評家、研究家たちにたいしてきわめて冷淡であり、自分の作品についてはいっさい語ろうとはしない、と私たちは聞かされていたし、またそれは事実でもあった。それが、三週間にわたって日本に滞在し、ほとんど連日のように私たちのいろいろな質問にたいして、率直な返答を聞かせてくれたのであった。おかげで、いわゆる「フォークナー・スタディー」は、日本において急速な発展の糸口を見出したといっても過言ではなかった。

『フォークナー大いに語る（*Faulkner at Nagano*）』（一九五六、研究社）は、その折の、私たちとフォークナーとの問答を集録した示唆に富んだ書物であるが、ここでしばらく、私たちがそのときうけた人間フォークナーの印象と、フォークナーの語った二、三のことばを紹介してみよう。

みずからを百姓であると称するフォークナーは、あまり背の高くない中肉中背の人であるが、その骨格はたくましく、その当時五十八歳の頭髪はすでに真白であった。一見、村夫子という形容がぴったりするような人柄であるが、その目は澄みきっていて、猫の目のような光をたたえ、人間全体をつつむ気品には、村夫子以上のものがあった。予想どおり、無口で無愛想で、というよりはむしろきわめてシャイで、紳士らしい礼節を堅持しながら、お世辞ひとつついわない人であるが、その反面、ひとたび口をひらけば、しわがれた小さな声で、とつとつと率直な語り口を示す人であった。ウィスキーとパイプをほとんど手もとから離さない人だが、その口をついて出てくることばには、温情と誠実さがあふれ、親密感がたたえられていた。

ノーベル文学賞受賞のときの、あの有名な演説のなかで、フォークナーは人間の魂の優越と不滅ということを強調しているが、それはけっして、狭義の既成宗教的な色あいをおびたものではなかった。「人間は魂をもっているが故に、かならず勝つであろう」という意味のことを述べているが、それは人間の歴史というものにたいするフォークナーの考え方の結論としてひきだされたものである。フォークナーはもちろん神の存在を信じてはいるが、フォークナーによれば、制度化された宗教は一種の「国家的興奮」、あるいは「知的逃避」なのであり、欧米人にとってキリスト教は日用必需品であるという。

これに関連して、フォークナーは文学のありかたについて言及し、「文学が必要としているのは、それ自体ならびに人間にたいする信仰であって、キリスト教にたいする信仰ではない。」というようなことを述べた。もちろん、フォークナーの、文学ないし人間にたいする信仰の基盤となっているものが、キリスト教を支えている基本的なモラルであることはたしかであるが。

また、フォークナーの文学には、なぜ暴力や頽廃などのような暗黒面が多く表現されているのかという私たちの質問にたいして、そのような暴力とか頽廃を通じて人間の尊厳を表現しようとしたのであり、自分はよくいわれるように自然主義者でも象徴主義者でもなく、なによりもまずヒューマニストであるつもりだという。そして、自分がもっとも尊敬しているアメリカの作家はマーク・トウェインであるといった。

フォークナーは、自分はあまり学校教育をうけていないといったが、ギリシア、ラテンの昔から現代にいたるまでの文学に関する該博な知識はおどろくべきものであり、話のなかにそれらからの引用がどんどんとびだしてくる。そして、自分の愛読書として、『ドン・キホーテ』、『白鯨』、『ボヴァリー夫人』、『カラマーゾフの兄弟』、『旧約聖書』、シェイクスピア、チャールズ・ディケンズ、ジョゼフ・コンラッドの小説などをあげ、それらの作品を自分は二、三年おきにくりかえし読んでいるのだと述べた。

フォークナーは、自分があんなに難解な文体や技法を使って小説を書いているのは、致しかたないことで、あれが「自分にとって最善で唯一の方法」であるというが、それに関連して、ジョイスやプルーストやT・S・エリオットなどの影響をうけてはいないかと訊ねたら、かれらは自分と同時代の文学者として尊敬し、かれらの作品を読んではいるが、影響をうけたと思ってはいないと断言した。それは作家としての自信というものでもあろうか。

そもそも、現代の南部の文学をいまのような姿にしたのは、南北戦争であり、戦争の動機はともかくとして、南部が敗北したということ、そのために南部はかぞえ知れぬ苦悶と逆境を味わってきたこと、それらを南部の文学は基調としているのだという。そして、「物語がその文体を生みだす」のだから、自分の文体もあのようになるのだというのである。

（3）フォークナーの文学

一八九七年にアメリカ南部に生れたウィリアム・フォークナーが、どのような家に育ち、どのような経歴をたどって作家活動に入っていったか、そのへんのことは、さまざまな研究書や参考書にゆずって、ここでは割愛するが、一九二六年ごろより、彼は生涯の大半をミシシッピー州のオックスフォードの町ですごし、その町をモデルにしたジェファソンの町と、その町を中心とするヨクナパトーファという架空の郡とを設定して数多い作品群の大半を、いわば「ヨクナパトーファ・サーガ」とでもいうべきものに形成していこうとした作家であった。処女作『兵士の報酬』（一九二六）、第二作『蚊』（一九二七）、また『寓話』（一九五四）など、いくつかの小説や短篇には、ヨクナパトーファ郡を離れた作品もあるが、それらも見方によっては、いずれもヨクナパトーファ・サーガの「外伝」と考えられないこともないのである。一九二九年の第三作『サートリス』にはじまり、同年の『響きと怒り』、『死の床に横たわりて』（一九三〇）、『サンクチュアリ』（一九三一）、『八月の光』（一九三二）、『アブサロム、アブサロム！』（一九三六）、『村』（一九四〇）などをへて、遺作となった『自動車泥棒』（一九六二）に至るまでの、ぼう大なヨクナパトーファ・サーガを形成する作品群は、したがって、単独ではけっして背景をなす年代記のすべてを見せてはくれない。しかし、そのような全体的な背景のうえにたって、ひとつひとつの単独の作品は、それだけである力強さと、特殊的であって同時に普遍的でもある特別の意味とを、りっぱにひきだしており、背景の全部を展望しなければ、独立した作品としての本質的な調和が感じられない、といったようなものではないのである。

ある有名な批評家は、ヨクナパトーファ郡のことを「フォークナーの神話の王国」と呼んでいるが、そこはミシシッピー州北部の辺境で、面積二四〇〇平方マイル、人口は一五、六〇〇〇人のうち、その大部分が黒人をふくむ小作人の階層である。フォークナーはこの「神話の王国」の、過去の伝説、白人以前のインディアンの物語、南北戦争、戦争後の旧家の没落、北部商人たちの侵入、小作人たち、いわゆるプア・ホワイト（貧乏白人）たちの生態、黒人の問題、神の問題など——一言にしていえば、南北戦争という南部最大の歴史的事件を契機に、ますます複雑さと特殊性とをくわえてきた南部という風土の、栄光と悲惨とを、時間的、空間的、心理的なあらゆる角度から語ろうとしたのであった。したがって、その描出の方法は一様ではなく、ありとあらゆるさまざまな技法を駆使しているところに、究極的には、南部の過去に存在しているとみられる社会的宗教的心理的な諸形式の面から、現在の時点を考究し、さらにはそれを普遍的な意味にまで昇華しようとした彼の悲願が推察されるのである。

フォークナーの作品には、たくみな話法と豪放なユーモアとに裏打ちされながらも、無知、頽廃、暴力など、人生の暗黒面がきわめてはげしく表面にうちだされているが、彼は暗黒面だけを好んで描こうとしたのではなく、ヨクナパトーファ郡の歴史がそうさせたのであり、その意味で、彼があくまで誠実なヒューマニストであったことにまちがいはない。「私は人間の終焉を信じない」といい、さらに、「矛盾になやむ人間の心の問題、それのみがすぐれた作品を生むことができる。それだけが書くにあたいし、苦悩と汗にあたいするものだからである」と彼がノーベル賞受賞(一九五〇)の際にいったことは、老境に入っていた彼の言として、多少の割引きは必要としても、ともかく重要であろう。私たち読者は、どんな批評書や研究書よりもまず、率直に彼の作品(どの作品でもいい)のなかに入っていき、作中人物とともに苦悩し、ともに泣き、ともに笑い、ともに汗をながして、彼の《倫理体系》にすなおにのっかることが、彼の作品を鑑賞する最善の方法ではないかと思う。たとえ、その《倫理体系》の基盤がどのようなものであろうとそれは作者の躍動する作家精神によってひとつの芸術にまで昇華されており、それが展開するイメージのすさまじさに眼を見はりながらも、現代という様相の一局面を、切実な感慨をもってうけとることができるからである。

(『英語研究』一九六二年十月)

大橋健三郎著『フォークナー研究 1』

「フォークナーの想像力の展開の軌跡とも言うべきものを、初期の作品から一歩一歩綿密に辿り、かつ今日の世界における文学、殊に小説の状況のなかで、彼の文学的営為がなしとげ、またあらわにした重要な多くの事柄を、鋭意明らかにしよう」として書かれたこの『フォークナー研究』は、全三巻のうちの第一巻が刊行されたばかりだから、軽軽に書評することはできない。ただ、第一巻だけを読んですでに確実だと思われることがある。それは、本書が『研究』としてはきわめて秀れたものであるということである。フォークナー作品全体についての緻密で正鵠を得た読みと、一次的たると二次的たるとを問わず現在検討することのできるほとんどすべての資料にたいする細心の考証とが相俟って、錯綜をきわめるフォークナー作品の展開の軌跡がまことにあざやかに究明されている。たんにわが国ばかりでなく、今後のいかなる「フォークナー研究」も、本書を無視することはできないと思われるほど、著者の学者としての力量が、長い年月の醸成をへて、遺憾なく発揮され見事な結実を見せているのである。わが国の学界が誇ることのできる「フォークナー研究」の最高水準を示すものと言っていい。

だが——ここで改めて、全三巻のうち第一巻を読んだかぎりでは、という留保が必要になるが、本書成立の大きな眼目であるらしい「今日の世界の文学におけるフォークナー文学の真実の位置づけと、その現代的な衝迫の意味のより深い把捉」や、それによって「現代の文学状況そのものの重要な一面」を「照射」するという期待は、率直に言って、必ずしも満たされてはいないように思われる。換言すれば、フォークナー文学が一つの大きな生きものとして私たち素朴な読者にあたえる「衝迫」は、本書が解明しようともくろんでいる「現代的な衝迫」とは大きなズレがあるように思われるのである。生きものは解体されれば血を噴き出すが、その血こそが「衝迫」の根元的な形象なのではないか。たとえば、本書には逆説(的)、摩擦、相剋、葛藤、併置などという弁証法的なネクサスが「ダイナミックに」多用されて、きわめて熱っぽい文体と論法を生み出している。しかし、その熱っぽさは現代的ではあるかもしれないが、噴き出た血の熱さとは完全に異質なのである。著者は現代の文学状況を一つの「極限状況」と見るらしいが、かりにそうだとして、そのような「極限状況」をもたらした元兇は、勇ましく熱っぽく、そして非文学的な、多分に弁証法的な思念ではなかったのか。たとえばフォークナーにおける「時間」は、過去とか未来とか現在とか、そういった個別的で非文学的な概念からはおよそかけはなれているし、「空間」や「罪」や「悪」の態様にしても同様である。非ユークリッド幾何学の世界は、ユークリッド幾何学の定義では説明できないのである。妄言多謝。

(『英語青年』一九七七年十一月)

Episode　大橋先生の文学論

大橋先生は学部時代・大学院（修士）時代を通じて私の指導教授であったわけだが、卒業論文の作成の際にせよ、また修士論文作成の際にせよ、いかなる意味においても「指導」していただいたことはない。それどころか、完成した卒論や修論について何か感想を聞かせていただいたとか、評価していただいたとか、そういうこともない。私はいずれの場合も論文を勝手に仕上げて提出し、先生からは何も言われずに卒業（修了）したのである。またその後、先生の鞄持ちのような形で始終行動を共にしていた時期に関しても事情は同じで、今思えば愚かなことだが、あれだけ長い時間を一緒に過ごしておりながら、私は先生とまともに専門のアメリカ文学の話をしたことがないのだ。

もっとも、当時としてはむしろそれが当たり前のことであって、同業・同世代の友人たちに尋ねてみても、指導教授から手取り足取り指導された、という話は聞いたことがない。他の学問分野のことは知らず、少なくとも文学研究の世界では、弟子が先生の学風を真似るということこそあれ、あまり立ち入った指導はしない／されないというところがあるのかも知れない。所詮、文学研究というのは感性の学問であるから、指導する／されるということにはあまり意味がないのだろう。

とは言え、それではアメリカ文学のことについて私が大橋先生からまったく何の指導も受けなかったかと言うと、そういうわけでもない。ただそれは大上段に構えた指導ではなく、雑談の際にふと先生がもらした一言が「啓示」となって、ある特定の作家なり作品に対する私の解釈に、非常に大きな影響を与えるという形を取ることが多かった。

例えば、黒人作家ジェイムズ・ボールドウィンについて何事かを先生と話していた時のこと、先生がふと「彼は、スタイリストだからな」と言われたことがあった。「スタイリスト」というのは、「文体に凝る人」という意味である。

ボールドウィンと言えば、リチャード・ライトの流れを汲む「怒れる」黒人作家であるが、白人による黒人差別の問題に真っ向から挑んだライトとは異なり、黒人を差別する白人を憎むのではなく、むしろ黒人側が憐れみの心をもって受け容れてやらなければならないと主張した人物。「右の頰を打たれたら左も差し出せ」というキリスト教的な発想か、はたまたガンジー的な無抵抗主義か、公民権運動の最中、残虐なリンチをはじめ、黒人に対する白人の、眼を背けたくなるほどの暴力が渦巻く中でのこの独自の主張は、後世の、そして当事者ではない日本人の目から見てもなかなか容易に理解し得るものではなく、ゆえにボールドウィンを論ずるのであれば、当然、こうした彼の屈折した愛の論理にまず着目したくなる。またボールドウィンは自分が同性愛者であることを公言していたばかりか、主人公をはじめ登場人物すべてが白人という『ジョヴァンニの部屋』なる同性愛小説までものしているのだから、そちらの方面からボールドウィンの文学を論じることも出来そうな気がする。

しかし、大橋先生は今述べたような観点ではなく、「文体」こそがボールドウィン文学のキモだ、と示唆されたのである。

そしてその一言を聞いた途端、例えば『誰も私の名を知らない』や『次は火だ』といったエッセイ集に顕著なボールドウィン独特の文体、すなわち一つのテーマを息長く執拗に追い回し、その主題にいつまでもねっとりとまつわりつくような、いわば自らの身体を主題の回りに絡みつかせようとしているかのような、ボールドウィン特有のクセのある文体のことが一瞬にして思い出され、なるほどあの文体にこそボールドウィンを理解するカギがあるのか！　という、まさに電撃的な啓示を私は受けたのだった。

またこんなこともあった。大橋先生のゼミに入った大学三年生当時、私はご多分に漏れずJ・D・サリンジャーの大ファンで、得意になってサリンジャーのことを凄い、凄いと吹聴して回り、ゼミ内での研究発表の際も、当然のことながらサリンジャーへの賛辞を並べ立てていた。

ところが意気揚々と発表を終え、大橋先生からコメントをいただく段になった時に、私にとっては衝撃的なことが起こった。サリンジャーこそ世界最高の作家であると言わんばかりの勢いでサリンジャーを褒め称え、先生にも同意していただきたくて仕方がなかった私に対し、大橋先生はこともなげに一言、「結局、サリンジャーというのは、風俗作家だからな」と仰ったのである。

先生の「風俗作家」の一言に、私は凍りついた。私が愛してやまないサリンジャーのことを、先生が二流の作家であると一刀両断にされたのかと思ったからである。私は耳を疑い、言葉に詰まった。

だが、そんな私を思いやってか、先生はこう付け加えられた。「一流の作家というのは、皆、風俗作家なんだよ」と。

私は先生のこのたった一言のサリンジャー評を聞いて、サリンジャーの良さは、究極的には風俗作家としての良さであることを悟った。そして後年、サリンジャー熱が冷めてからは、サリンジャーは結局、一流の風俗作家ではあるとしても、それ以上ではなかった、ということも悟った。

大橋先生の文学論は、個々の作家についての透徹した認識、たった一言のフレーズに凝縮されるまで先生の中で煮詰められた認識を背景に持っていた。そしてそのワンフレーズにまで煮詰まったものを少しずつ解きほぐして行く度に、私は大橋先生がそのワンフレーズにたどり着くまでに、どれほどの時間をかけて考え抜かれたのかを思い知るのである。

いまなぜユダヤ系なのか

終戦後まもなくの昭和20年代、あちらの文学作品に飢えてしきりに「兵隊文庫」（編注：Armed Services Edition：米軍が兵隊に支給していた小型の文庫本）などという袖珍本をあさっていたころ、たまたまロバート・ネイサンの『いまひとたびの春』（*One More Spring*）に出会い、異様な感動にみまわれたことを今でもはっきりおぼえている。当時は、生理的な飢餓感にもしばしばおそわれ、終戦によってやっと解放されたという感慨が一方にあるだけに、絶望的な感傷にひたることも少なくなかった。したがって、『いまひとたびの春』に出会ったときの異様な感動というのも、私自身の当時の生理に深いかかわりがあった。

といって、ネイサンの1933年のこの作品、だれでもがご存知のように、いわゆる大作でも傑作でもなんでもない。強いていえば、良質の哀愁が塗りこめられた小品というところだろう。私自身、異様な感動をおぼえたといいながら、話の筋もなにもすっかり忘れてしまっている。不況下のニューヨークはセントラル・パーク界隈の、肩を寄せ合うようにして生きている小市民たちの姿を淡々と描いたもので、登場人物の一人が公園の池に飛びこんだか、あるいは飛びこもうとしたか、それぐらいのことしか記憶にない。もしかしたら、その記憶も誤っているかもしれない。だからといって、その本をいま改めて探し出してみようという気もとくにない。描かれている小市民たちの苦しい生活に共感をおぼえたことはたしかだが、そんな話はどこにでもある。私が経験した異様な感動というのは、話にあるのではなかった。そんなどこにでもあるような話を、この作者が私たちに語って聞かせるとき、その裏側に、というより行間にといったほうがいいかもしれないが、たえず静かで清冽な「音楽」が流れ、渋いアイロニーのこもった「幻想」が淡彩画のように薄く刷かれているように感じて、それが私に異様な感動をそそったのだった。

小説やエッセイを読んで、そこに「音楽」や「幻想」を感じたのは、それまでにもないことではなかったが、このときに感じた「音楽」や「幻想」は、それまでに経験したどんなものよりも異質であった。だから、飢えていた私の生理にもすんなりと入りこんできて、少なくともしばらくは飢えを忘れさせてくれ、それが異様な感動という形で今でも記憶に残っているのであろう。思えば、幸福な出会いであった。しかし、不思議でならなかったのは、そういった「音楽」や「幻想」がどこからきているのかということだった。どう考えても、ロバート・ネイサンがそういったことを意識的に意図していたとは思われない。彼はあまり大した作家ではなかったかもしれないが、少なくともあざとい作家ではなかった。不思議に思って、彼の他の作品にも、一、二あたってみたが、『いまひとたびの春』ほどではないにしても、やはりそういった「音楽」や「幻想」を多かれ少なかれ感じた。やがて私は、これはもしかしたら作家の「血」というものではないだろうかと思うようになった。そういう思いは、それからしばらくしてナサニエル・ウェストを読んで、たちまち確信となった。もちろん、ナサニエル・ウェストの「血」がネイサンのそれと同じだというのではない。同系の「血」でも、ネイサンのは落着きはらい、ウェストのは自己の魂の燃焼に向けて騒いでいた。

アメリカ文学におけるユダヤ系作家の特集ということで、なにか書くようにと言われたとき、まず思い浮んだのは30年以上も前の上記のような、きわめて主観的、恣意的なことにすぎず、また、かねてからヘンリー・ミラーやノーマン・メイラー、サリンジャーやジョーゼフ・ヘラー、さらにはソール・ベロウやフィリップ・ロスやマラマッドなどまで、これはユダヤ系作家だからとまず身がまえて読んだおぼえはさらさらなく、ただ読んだあとでそれぞれにそこはかとなくユダヤ人の「血」を恣意的に感じて、アメリカ文学の豊かさを賞でるという、きわめてだらしない読書態度であったので、編集者の意図にはとても沿えそうになく、最初はおことわりしようと思ったのだが、一人ぐらいはつむじ曲りがいてもいいということでお引き受けしたのだった。ところで、暴露するようで申し訳ないが、編集者側の意図というのは、次のようなものであった。「海外文芸ものの沈滞をいわれる日本の読書界にあってアメリカ文学、ことにユダヤ系作家が多くの関心を集め話題を提供しておりますが、今日の状況をかえりみるさい、ユダヤ系アメリカ文学はわれわれにとっても単に〈外国〉の文学として客観視できない問題をはらんでいるように思われます。同時にまた、現代アメリカ文学の主潮を占めるユダヤ系作家を通して逆にアメリカ文学のアイデンティティを問い直すことも可能ではないか……」この意図、一読して非常によく理解できた。だが再読しているうちに、理解できたと思ったのは自分のしたり顔にすぎず、ほんとうはわからないことがいくつかあることに気づいた。そのわからないことについて、以下に少し駄文を書かせていただくことにする。

今世紀はじめ、10年代から20年代にかけて、いわゆるモダニズムの運動が、文学・芸術その他の分野で、アメリカだけでなく世界各地で起ったことは周知のとおりである。なかでもアメリカではこの運動がすさまじかった。かりにモダニズムを、それまでの伝統や因襲にたいする反逆、それらからの解放、を目ざした運動であったと簡単に定義すれば、テーゼの基盤となったのがヨーロッパであったとしても、そのテーゼに向けて自由奔放に人間のエネルギーを燃焼するのには、社会の成り立ちから考えて、アメリカがもっとも適当な場所であった。そして、そういったエネルギーの燃焼の受け皿となったのは、工業化の進展とともに、ようやく繁栄と醜悪という二律背反的な様相を顕著に露呈しはじめた都市であった。人間の自由奔放なエネルギーの燃焼と都市の活力とが、奇妙にバランスを保っていた今世紀唯一の時期である。

そのころ、短命ではあったがモダニズム運動の露払い的な役割りをはたしたリトル・マガジンに、『セヴン・アーツ』(*The Seven Arts*, 1916-17)というのがある。この雑誌を創始し主導したのはヴァン・ワイク・ブルックスとともにユダヤ系のジェイムズ・オッペンハイムとウォルドー・フランクであった。そのフランクは1919年に、フランスの知識人たちにアメリカ文化の現状を説明しようという動機から、『我らがアメリカ』(*Our America*)を書いている。この本、その第3章が「選ばれし民」となっていて、今のアメリカにはＷＡＳＰばかりではなくユダヤ人もいるということを主張してはいるが、それとて清教主義への反逆のための戦略的な一章であって、『我らがアメリカ』の「我ら」は、最終章の「ホイットマンにおける大衆」という表題が示唆するように、非常に広汎である。ホイットマンといえば、この本の冒頭にも彼の詩の一節が引用してある。また、この本の第5章は、シカゴという都市の活力と醜悪さを活写しながら、シカゴ文芸復興の模様を説明したものだが、たとえばその冒頭の中西部を描写した一節、

……ミシシッピー川の豊かな水が、中西部に豊穣をもたらした。インディアンの諸部族はそれを「我らの世界」と呼び、「我らの母」とも呼んだ。（中略）そして白人がやってきた。（中略）しかしてその壌土は、放縦な女のように彼らを迎えた。際限なく小麦やトウモロコシを植える彼らは、飽くことを知らぬ欲望の民だった。中西部の大地は彼らに実りを与え、世界の支配権を与えた。この大地を満足させる多情の民がついに現れたのだ。

このように展開されるエロティックなイメージは、ヘブライ的なものとホイットマン的なものとの微妙な結合とさえ思われるのである。ちなみに、この『我らがアメリカ』は、わが高垣松雄をアメリカ文学に向わせる決定的な動機になった本でもある。

先を急ごう。この時期を回顧していて、フランクについですぐにユダヤ系で思い出されるのは、音楽批評を中心に広く文芸の分野にもかかわって大きな足跡を残し、エドマンド・ウィルソンにその才能を「彼の中にはアメリカ人、ヨーロッパ人、それにユダヤ人としての教養が共存している」と賞讃されたポール・ローゼンフェルド、そしてローゼンフェルドの親友であったシャーウッド・アンダスンやハート・クレイン、ウィリアム・カルロス・ウィリアムズなどに畏敬され、ローゼンフェルド以上にモダニズム運動の中心的存在として、本来の写真芸術ばかりでなく文芸のほとんどすべての分野に深くかかわったアルフレッド・スティーグリッツと、まるで連鎖的にユダヤ系アメリカ人の名前がぞろぞろ出てくる。しかし、ぞろぞろ出てくるのはなにもユダヤ系ばかりではない。ドイツ系、スペイン系、イタリア系と、まるで百花繚乱の体である。しかもそれらが渾然一体となって、その功罪はともかく、そのうちのどれが、どこが、ユダヤ系であるかなどというこまっしゃくれた分析などは許されそうにない。ましてアメリカ文学のアイデンティティ（かりにそういうものがあるとして）を問おうなどという考えは毛頭なかったにちがいない。

それがいつごろから、ぎくしゃくしはじめたか。これもまた私自身の恣意的な経験で恐縮だが、ユダヤ系にかぎって言えば、バッド・シュールバーグの『何がサミイを走らせるのか？』（*What Makes Sammy Run?*, 1941）、アーサー・ミラーの『焦点』（*Focus*, 1945）、ローラ・Z・ホブソンの『紳士協定』（*Gentleman's Agreement*, 1947）あたりからである。当初から存在していた日常的な社会生活の次元でのぎくしゃくが、文学作品の上でも顕在化しはじめたのである。もちろん、そういったぎくしゃくを描いた小説は、モダニズムの時代以前からもずっとあるにはあったが、その多くは、社会的なドキュメントとしては面白くても、小説作品としてはあまり評価できなかった。40年代になって、上にあげたような小説が目立ちはじめたのは、一つには19世紀末から今世紀初頭にかけて大量移民してきたユダヤ人たちがやっとアメリカ社会に定着したことを意味するのかもしれないが、他方では都市を中心とした社会の変貌ということが考えられる。

変貌というと聞こえがいいが、それは都市の活力や個性が硬直化して荒廃を生み、それまでそういった活力や個性と微妙なバランスを保って燃焼していた人間のエネルギーにも、歪曲や矮小化を強制することになった。「実存」とか「疎外」とか「アイデンティティの喪失」とか、今日ではもはや常套句でしかない状況が認識され、しかもまるで伝染病のように世界中にひろがった。そういった状況のなかで、人が自分の魂の燃焼を維持するためには、さまざまな新しい戦略が必要になってくる。たとえば、差別や疎外にたいする神経症的な敏感さとか、逆に自己の魂の内部での冬眠とか。そして、そういった戦略をもっとも有利に展開できるのは、もしかしたらユダヤ人の知恵かもしれない。しかしそれは、神学、宗教学、経済学、社会学、人類学などの問題であって、基本的には文学の問題ではない。そのせいかどうか、「小説に未来はあるのか?」などという愚にもつかない設問が、大真面目で討論されはじめたのもそのころからである。ユダヤ系作家であろうとなかろうと、文学という局面でエネルギーの活性化をはかろうとそれぞれの方法で苦悶している今日、現代アメリカ文学の主潮を占めるのがユダヤ系作家というのは如何なものであろうか?

(『別冊 英語青年』一九八三年十一月)

谷崎、荷風の作品を評価　来日の米小説家ソール・ベロー

先般来日して約一カ月間滞在した現代アメリカ小説界の第一人者ソール・ベローは、多数の聴衆の前で講演をしたり質問されたりすることが非常に苦痛らしく、本人の承諾を得て予定されていた講演も、本人のたっての希望で、その回数を減らしたり、質問は受け付けないことにしたりで、気むずかしい人という印象を多くの人に与えたようである。

だが、少数の人を相手に、文学や文化一般の問題を論じるときはなかなか真剣で率直であったし、高潔な文士という名にふさわしい人柄であった。少し極端ないいかたをすれば、最後の文士ではないかという思いさえした。

ところで、人前でしゃべることが苦痛であるといっても、ベローの社会的な肩書きはシカゴ大学教授である。しかし、ベローは来日して開口一番、自分は本来小説家であって、大学教授というのは単なるカモフラージュにすぎない、と述べ、そのことについて次のような面白い説明をした。

アメリカにおいては、ほとんどの作家や芸術家は、生活的な意味で社会のなかに定着できる場所をもっていない。したがって、従来の作家たちの多くは、新聞や雑誌などのジャーナリズムに生活の本拠をおいて、文筆活動をしていた。

ところが、近年、大学のもっている機能や、果たすべき役割りに大きな変化が起こり、もはや単なる象牙の塔ではなくなってしまって、いわば文化のあらゆる分野の中心、文化的な一大総合企業体、作家や文化人が自由に集まって討論ができる場所、文化的な創造活動のセンター、といった性格が強まってきた。だから、自分のようなものでも、大学に籍がおけるようになった、というのである。

そういえば、最近のアメリカの小説家のなかで、大学に関係している人の数は非常に多い。ほとんど授業や講義などはしないでも、キャンパスの中にちゃんと定着できる場所を与えられているケースがほとんどである。もっとも、そのことはあちこちの大学で最近顕著になっている「創作科」などといった部門の設置や存在とは無関係で、ベロー自身も、そういった部門がいくつかの大学にあることは文学や芸術にとってたいへん有害で不幸なことだと述べていた。

改革が叫ばれているわが国の大学のなかでは、少なくともいまのところは、アメリカの大学のような局面は見られないが、はたしてどちらの行き方が社会的な意味で正しいのか、なかなか興味のある問題である。

ところで、ベローの発言に戻って、彼の現代日本文学についての所見を一、二紹介すると、彼は川端康成や三島由紀夫、また大江健三郎などの小説はすぐれてはいると思うが、あまり評価することができず、谷崎潤一郎や永井荷風などの作品を高く評価したい、と述べた。

とくに谷崎潤一郎の「蓼食う虫」や「瘋癲老人日記」などは、性的な率直さや退廃のよろこびを、ヨーロッパからの影響をうけながらも完全に作者自身のオリジナルなものに転化させ、どこに出しても恥ずかしくないほどの〝病的な文学〟を完成させていると激賞した。そして、もし谷崎が生きていたら、ノーベル文学賞をもらうべき人は彼で、川端ではなかったであろうとまでいった。また、三島由紀夫の作品のなかでは、「宴のあと」が最善であると思うと述べていた。

（『山陰新聞』一九七二年六月七日）

死を想定しない倫理

輩出しているユダヤ系アメリカ作家のなかで、私にはいつも、フィリップ・ロスがマラマッドとはまったく対照的な作家のように思われる。アメリカにおけるユダヤという、いわばアンビヴァレントな状況のなかで、マラマッドはつねに自己に巣食っているユダヤ性のなかに内向沈潜して、アンビヴァレンスを克服し、そうすることによって、たとえどんなにおぞましくとも、ユダヤの夢を墨守しようとしているが、ロスのほうは逆に、そのアンビヴァレンスを強烈に意識するあまり、ふっきれるものではないことを承知の上で、しきりにユダヤ性に反撥し、そうすることによって、アメリカにおけるユダヤの行方を見さだめようとしているかに、思われるからである。したがって、マラマッドには、つねに良質な物語だけがあるが、ロスには、ときおりぎくしゃくとしたものさえ感じさせる倫理が生々しく息づいていて、しばしばその生硬さを露呈することがあった。

だが、『ポートノイの不満』では、ロスはいわばその生硬さを逆手にとって、臆面もなくさらけだし（断わっておくが、これはこの作品が生硬だという意味ではけっしてない）、近頃流行の——というより、昔からそういうものであったというほうが当っているだろうが——ポーノグラフィのパタンを巧みにふまえて、センセイショナルな成功をおさめている。センセイショナルな、といういいかたが幾分でも侮蔑的な意味合いをふくんでいるとすれば、一種の見事な、あるいは、ロスの作品のなかでは最高の部類に属する、成功といってもいいだろう。この作品が発表されたとき、若いゴイ（ユダヤ人移民から見た異教徒）の友人が、わざわざアメリカから速達便をよこし、サリンジャーの『ライ麦畑でつかまえて』以来の感激であると、興奮さめやらぬ読後感を書いてきた。もっとも、彼のその感激的な興奮が、作者の八方破れの倫理の臆面もない勇敢な露呈に由来するものか、あるいはこの作品のポルノ性に起因するものか、そのへんのことはさだかではなかったが——たぶん、その両者であったのだろう——そういわれれば、この作品は、『ライ麦畑でつかまえて』の大人版であるといえないこともない。だが、この作品と『ライ麦畑でつかまえて』との相似性を考えようとすると、私にはきまってもう一つの顔と声が思い出される。それは、ロスと大学時代親しいクラスメートであり、その後しばらく職場も共にしたことのある、ある大学教授（日本文学の！）の顔と声で、談たまたまこの作品のことに及んだとき、「ロスはだんだんひどくなっていくようですな」と渋面をつくったのである。ひどくというところをどういう英語で表現したか、いまはっきりと憶えてはいないが、その渋面だけはいまもなお鮮やかで、『ライ麦畑でつかまえて』などと比べるのは論外だといっているようで、それだけになおさら、私としては、両者を同じ系列の上におきたいと思うのである（系列といえば、ホールデン・コールフィールド——アレクサンダー・ポートノイの系譜は、私にとっては、ハックルベリー・フィンにまでさかのぼらなければならない）。正直なところ、この作品を最初に読んだとき――そしてまた、こんど宮本氏の達意の訳文に改めて接してみて――ひどいなどとはさらさら思わなかったし、それは平常の自分のポルノの読みすぎ、あるいは性的能力の衰退、のせいではないと確信してもいる。私はある種の小説を読むと、すぐに感激してしまう悪癖があるが、この作品のばあいもそうで、その感激を思いかえしてみると、はなはだ心もとない、まったくなんの根拠もないことだが、昔、田中英光を読んだ時の感激をふと思い出した。ただ、田中英光は私にしきりに性的な興奮をおぼえさせたが、この作品はそういうことはない。しかし、それはあながち読者である私の年齢のせいではなく、田中英光には破滅への予見があり、ロスには、いかに八方破れとはいえ、田中英光型の破滅はありえないからであろう。ポートノイにも破滅↓不能という図式があるが、その次に破滅の極限――死を想定してはいないのである。ロスの、ユダヤの、アメリカの、倫理とはそういうものなのだ。

当年三十三歳のポートノイは、これまでずっと学校は秀才でとおってきたし、いまはWASP（白人の支配するプロテスタントの社会）のなかで、ニューヨーク市人権擁護委員会の副委員長という要職にある。そういった彼が、「強度に意識された倫理的、愛他的衝動が極度のさまざまな性的欲求と対立する場合に生まれる症状。多くの場合、倒錯的性格を帯びる」〈ポートノイ症〉にかかり、精神分析医のもとに赴いて症状の経緯をあらいざらいぶちまける。「ぼくの意識の中にとても深く根をおろしている」母親、便秘に苦しむ父親をはじめ、すでに私たちにはおなじみのユダヤ系家族の、掟と戒律にしばられた濃密な息づまるような雰囲気がまず描きだされ、その雰囲気に反撥するかのように、ポートノイの自慰行為がはじまる。「あの苦難に耐えるジュウの物語なんか、もうぼくの耳からどんどんぬけてしまうもの。みんなお願いだ。みんなの苦難の遺産は、みんなのケツにでも押しこんどけばいい——ボクハ一個ノ人間デモアルワケダカラ！」

　自慰行為はやがてエスカレートして、女性の股の間にまで行為は及ぶようになるが、それは自分の体に、頭から爪先まで刻みこまれている抑圧のマークを拭い去り、「ユダヤ人たちのなかに自己を恢復（かいふく）したい」ためであると同時に、「ぼくは自分のペニスをその娘たちに押しこむというよりは、娘たちの文化的背景に向って押しこんでいるようなものだ——まるで性交によってアメリカを発見するとでもいうふうに。アメリカを征服する——といったほうがいいだろう。コロンブス、キャプテン・スミス、……ワシントン将軍——そして現代にあってはポートノイ」という自負もある。彼が噴出する精液は、母や姉のパンティやブラジャーに向けられたり、金髪のシクセ（異教徒の娘）に向けられたり——というより、同時にそのどちらにも向けられている。だが、手を変え品を変えて、いくたびそういった行為をくりかえしてみても、自己の解放や恢復への充足感はおろか、「アメリカを征服する」ことなど及びもつかない。しかも、自己に忠実に、大真面目になればなるほど罪の意識は強烈になってくるばかりだ。あげくのはては、確かなよりどころとしていた「愛」への不信までぐらつきはじめて……やがて不能に陥ってしまう。

　ポートノイの訴えを聞いて、精神分析医がどういう処置を施そうとしたか、ここには書いてない。「幕切れの名文句」として、「そこで〔と医師は言った〕。それじゃ、始めてもいいでしょう。いいですね？」だが、たとえどんな名医であるにせよ、なにを語りはじめることができるというのだろう？　医師としてなにかを語りはじめたら、この小説はあとかたもなく吹っ飛んでしまうことは明らかである。メロドラマ風にいえば、ポートノイよ、いずこに行く？　ということになるかも知れないが、だからこそ、ここではロス流の生きた倫理があざやかに浮彫りにされているのだ。

（『海』一九七一年十月）

Episode 先生の、そして私の『ライ麦畑でつかまえて』

先生が慶應義塾大学を早期退職され、恵泉女学園大学に移られた頃だったろうか、その膨大な量の蔵書をかなり思い切って処分されたことがある。大学の研究室に置いてあった蔵書を引き取らなければならなかったこともあり、また四年制大学として新たに発足したばかりの恵泉女学園大学の図書館に蔵書の一部を寄贈したいというお心積もりがおありだったこともあるが、先生のご自宅に溢れかえった本の山は物理的な限界をとっくに超えていて、何らかの減らす算段をしなければどうにもならないところまで来ていたのである。そこで先生は私を含め慶應時代の教え子を何人かご自宅に呼び寄せ、蔵書の処分に着手された。

やり方はこうである。我々実働部隊数名がそれぞれ一度に十冊ばかりの本を先生のご自宅の書庫から運び出し、居間にでんと座って待ち構えておられる先生のもとに持参する。先生はその十冊ばかりの本のうち、自宅に残すものと手放すものを瞬時に選別される。そこで残すように言われた本は書庫に戻し、手放すと決められたものは、それ用の場所に置いて、後はこの作業を延々と繰り返すのである。手元に残すか、手放すかを決める先生の判断は実に素早かったが、もとよりすべての本に愛着があり、一瞬でも考慮してしまったらすべてを残したくなってしまうので、そうするしかなかったと後で先生に伺った。

ところで、先生がそうやって瞬時に手放すことを決めた本の中に、喉から手が出るほど欲しい本が混ざっていることがある。そういう時、「先生、これ、戴いてもよろしいですか?」とお尋ねすると、大概は「いいよ」というお返事がいただけるので、内心飛び上がるほど喜びながら、その本を自分のものにするのである。そうなると実働部隊の間で競争が起こるので、それぞれ自分の欲しい本をこっそり忍ばせた十冊を持って、一刻を争うようにイソイソと先生の評定を仰ぎに行くことになる。作業が捗(はかど)るはずである。

そんな中、たまたま私が先生の判断を仰ぎに持ち込んだ本の中に、J・D・サリンジャーの『ライ麦畑でつかまえて』のペーパーバック版があった。主人公ホールデンの後ろ姿を描いた表紙で名高いシグネット版である。そして先生はそれを手放す方に選別されたので、めでたく私のものとなった。それはまさに奇跡のような出来事であった。実は少し前にこの本をめぐる面白いエピソードを先生から伺ったことがあって、先生が手放すとは思えない本だったからである。

先生は、サリンジャーのこの本を入手して一読された時、ひどく感動され、先生には珍しいことであったが、本の裏表紙の内側に万年筆の手書きで一言、「Moving!」(感動した!)と書きつけられた。

それからしばらく経ったある日、先輩同僚であられた西脇順三郎先生が、どういうわけか大橋先生に「アメリカの作家でサリンジャーという人がいるらしいが、どういう人かね」と尋ねられたそうで、求めに応じて説明しながらこの本のことをお話しすると、西脇先生も興が乗られたようで、是非自分もその本を読んでみたいと言い出された。そこで大橋先生がお貸しすると、後日、読み終わった西脇先生がそれを大橋先生に返しながら、「キミは本の終わりのところに、なにやら書いていたね」と言って、ニコニコされたというのだ。つまり、大橋先生が思わず書き記してしまった「感動した!」の一言を冷やかしながら、同時に、その一言を書かずにはいられなかった大橋先生のことを、西脇先生は褒められたのである。それこそが小説を読む醍醐味だよな、と。

　私はこのエピソードのことを大橋先生から伺っていたので、そして私もまた熱狂的なサリンジャー・ファンであったので、この薄っぺらいペーパーバック版の『ライ麦畑でつかまえて』を自分のものにしたかった。そして、その願いは奇跡的に叶った……はずだった。

　だが、この世のことは上手く行かないことが多い。このことがあってしばらくしてから、この本を自分が持っていることを、私はうっかり大橋先生ご本人にしゃべってしまうという大失策を犯してしまったのである。大橋先生は私の口からそのことを聞くと、「え？」というような表情を浮かべ、すぐさま「あれはなあ、あれは……もうちょっと手元に置いておきたいから、お前、返せ」と仰った。バカバカバカ！　と自分をののしったがもう遅い。私はしぶしぶ先生に『ライ麦畑』をお返しした。

　それから何年かして先生が亡くなられた時、私は既に名古屋にある大学に赴任していたので、先生の蔵書がどうなったかは知らない。「Moving!」の書き付けのある『ライ麦畑』の行方も、私の知るところではない。しかし、もし仮にこの本がまだこの世に存在するのであれば、私はもう一度、その本と対面したいという淡い願いを持っているのである。

本国におけるメイラーの評価

アメリカ人は、中流階級以上になると、概してたいへん読書家が多い。そして、メイラーの作品は、全部とはいかないまでも、非常によく売れている。だが、それが、すぐにアメリカ人一般のあいだでメイラーの評判がいいということには結びつかない。新聞や雑誌その他の書評で、メイラー批評のあとを辿ってみると、かれの作品を一貫して終始賞讃している代表的なものは、コメンタリー誌である。コメンタリーは周知のように、程度の高い文化評論誌で、その書評もすぐれており、この種のものでは全米一の発行部数を自負しているが、その最大の理由は、いささか楽屋落ちめくが、それがユダヤ系の雑誌だからと極言する人も多い。ノーマン・ポドーレツの『成功』の中にもバクロされているように、ニューヨークの《ザ・ファミリー》を中心として、アメリカのユダヤ人たちの団結と協同はたいへん強固である。アメリカにおけるユダヤ系の人の数がどれだけか、正確には承知していないが、相当な数にのぼることは確かで、そのうちの大部分が、読む読まないにかかわらずコメンタリーの定期購読者であれば、同誌が発行部数の多いことを誇れるのも当然といえよう。そして、同誌が推賞する文学作品は、これまた読む読まないにかかわらず、一種の義務感から、ユダヤ系の人はほとんど買うというのである。

コメンタリーが推賞している作家はメイラーのようなユダヤ系の作家ばかりではない。ジェイムズ・ボールドウィンのような黒人作家もいる。しかし、右に述べたような事情を考慮に入れるならば、メイラーの作品がよく売れているという事実は、すぐにメイラーの評判がいいからということには結びつかないのである。

他方、ニューヨークやシカゴやロサンゼルスのようなアメリカの大都市は、必ずしもアメリカそのものの集約的な象徴といえない。ほんとうのアメリカはそういう大都市以外のところにあるともいえる。そして大都市以外のところに住んでいる中産階級以上の人たち（かれらはアメリカの読書人の大多数を占める）の中には、予想外に潔癖な人たちが多い。たとえばエリザベス・テイラーは何回も離婚した女優だから、彼女の出演する映画は絶対に見ない、といったたぐいである。この例は少々極端であるにしても、スキャンダル（？）の多いメイラーの作品が、かれらに容易に受け入れられないことは確かである。事実、かれらの読書の重要な供給源である公共図書館には、ちゃんとメイラーの作品も残らず入っているが、それらがあまり貸し出されていない事実をみて、私自身おどろいたことが何度もある。

こういったことは、もちろんメイラーの作品の本質とはなんら関係のないことであるが、大学その他、アカデミックな雰囲気が支配しているところでも、だいたい似たりよったりで、メイラーを不逞の作家と見る風潮が少なくなかった。もちろん、『裸者と死者』は、そこでももはや無視することができず、現代アメリカ文学の演習や講義にほとんど必ずとりあげられている。ただ、『裸者と死者』以後の諸作品については、いわばメイラーの不逞ぶりに眩惑されて――というより、ジャーナリスティックな現代風俗や現象的な社会思想の背後に彼の作品の主題を読みとろうとして、困惑を重ね、メイラーの名をあまり口にしたがらないのがその大勢であった。もっとも、俊敏な文学批評家たちの好意的なメイラー評が、先生方の眼にふれぬはずはなく、続々と発行される彼の著作にひそかに注意をはらっていたことは事実で、気にかかる作家であったことはまちがいない。それが、『夜の軍隊』の発表を機として、メイラーを正当に再評価しようという気運に変ってきているというのが、最近の顕著な現象である。一見、ワシントンでの反戦デモのルポルタージュというノンフィクションでありながら、この作品にはい小説としてのすさまじい迫力があることは事実で、カポーティの『冷血』とはまた異なった意味で、新しい小説の一方向を示唆するものとして迎えられたのである。『夜の軍隊』につづく『マイアミとシカゴの包囲』も、同じような注目をあびた。一方、ヒッピーたちの強力な理論的擁護者として、メイラーが学生をふくむ若い読者層のあいだでさかんに論議されているのは当然であるが、かれらは必ずしも熱心なメイラー作品の愛読者ではない。かれらは、メイラーの理論をうのみにするあまりメイラーがケン・キージーのように直接に自分たちの運動に入ってこないこと、また彼の反体制的な志向と彼独特の実存論とに、いささかの違和感をおぼえているらしいのである。

不逞の作家が後になってはじめて正当な評価を受けた例はあまりにも多い。「最初は第二のドス・パソスの出現を思わせたが、最近では現代のサド侯爵を思わせる」というアルフレッド・ケイジンの評価も、『夜の軍隊』以来、多少の修正をされなければならぬ気配だが、それがどのような経過を辿るか興味ぶかい。

(『新潮社　ノーマン・メイラー全集　月報（7）』一九六九年十月)

『カリフォルニア州ヨコハマ町』

十五年ほど前、ふとしたことから、日系アメリカ人のトシオ・モリという人が、アンダスンの『オハイオ州ワインズバーグ』に刺戟されて、『カリフォルニア州ヨコハマ町』という短編連作集を書いていることを知った。一九四九年にアイダホ州の小さな出版社から刊行され、ほとんど誰にも知られないうちに、まもなく消えてしまったらしい。その作品のコピーをようやく手に入れて、読んでみた。

サンフランシスコ近辺の日系人社会の日常を淡々と語るこの作品には、不思議な魅力というか味わいというか、文学のもつ香気があふれている。翻訳してみたい、いや、翻訳すべきだ、と思った。だが、翻訳はしても、完全に無名の作家の無名の作品を、おいそれと本にしてくれるところがそんなにあるわけはない。やっと、昔の教え子である毎日新聞社出版局の大村孝氏(塾員)に、むりやりに頼み込んで、ともかく本にしてもらった。一種の強権発動である。幸い、作家の大庭みな子さんや一部の読者から好評を得た。しかし、洛陽の紙価を高めるまでに至らなかったことはもちろんである。いつしか絶版になってしまった。拙訳が出版されて二年後に、原作者も死去された。

それから十数年、この作品をめぐって二つの大きな変化があった。一つは、アメリカでこの作家のこの作品が、やっと日の目を見て高い評価を受けるようになったこと、あとの一つは、わが国でありがたいことに、拙訳の絶版を惜しむ一部の人たちのあいだに再版を望む声が起こり、大庭みな子さんたちに働きかけたこと、である。かくして、大村氏の再出馬となり、先日、拙訳の新装版が出版された。

それからまもなく、原作者の未亡人ヒサエ・モリ夫人から、新装版の刊行をよろこぶお礼の電話をいただいた。

（『三田評論』一九九二年九月）

Episode

大橋先生と翻訳

大橋先生の世代の外国文学研究者に総じて言えることだが、研究だけでなく、翻訳による外国小説の日本への紹介もまた、当時の研究者にとっての大きな使命であった。そして実際、大橋先生も数多くの翻訳を手がけられ、その中には名訳として今なお世評の高いものも多い。

ちなみに、私が「大橋吉之輔」という名前を最初に意識したのも、翻訳を通じてであった。

私が中学生くらいの頃だったと思うが、私の父がストウ夫人の『アンクル・トムの小屋』を子供向けにリライトすることになり、参考にしようと市販されている翻訳を何種類も買い集め、比較検討しながら読んだ結果、「断然これがいい」と言って私に指し示したのが、旺文社文庫版の大橋吉之輔訳『アンクル・トムの小屋』だったのである。なるほど、大橋吉之輔という人の訳は上手いのか、と私は思ったのだが、その時点ではまさか自分が後年、その人に直接教えを乞うことになるとは思わなかった。

だが大橋先生の翻訳のお仕事を総括しようとする時、一つ困ることがある。「大橋吉之輔訳」とされている翻訳小説は沢山あるが、その中のどれが実際に先生が翻訳されたものなのか、特定するのが難しいのだ。

例えば、白水社から出版されているジェイムズ・ボールドウィンの『ジョヴァンニの部屋』という作品、一応、大橋吉之輔訳となっているが、これを実際に翻訳されたのは明治大学教授の須山静夫先生である。つまり須山静夫先生が「下訳」をされたわけだが、大橋先生がその下訳に手を入れたところはほとんどないので、事実上、この作品は「須山静夫訳」と言っても構わない。否、本来、「須山静夫訳」とすべきである。そしてこのような例は、おそらく他にもまだあるだろうと思う。その意味では、大橋先生は、他の方の業績を奪ってしまったことになる。

この点に関して、大橋先生は不思議なまでにおおどかな倫理観を持っていらした。

私は一度だけ、このことについて勇を鼓して先生にお尋ねしたことがある。なぜ先生は、他の方が訳した作品にご自分の名前を冠して平気でいられるのかと。

その時、先生が仰ったのは、「そりゃあ、キミ、順繰りなのだよ」ということであった。

大橋先生が若かりし頃、先生は、先生の先生であり、また数多くの翻訳を手がけられた龍口直太郎氏の下訳を随分担当された。それゆえ、スタインベックの『月は沈みぬ』をはじめ、「龍口直太郎訳」として市場に出回っている翻訳小説の中に、実際には大橋先生が訳されたものが沢山ある。だが、そういう形で実地に翻訳の勉強をさせてもらったことは、先生にとって大きな意味があったので、それらの作品の翻訳者として自分の名前が載らないことに何ら不満を抱かなかったし、そういうものだと思っていた。だから、その後ご自身が翻訳家として一家をなし、出版社から次々と翻訳を依頼されるようになってからは、実力のある若手研究者たちに「下訳」という名の下に翻訳をさせ、そうすることで彼らに勉強をさせているのだと。

先生が「順繰り」と仰ったのは、この意味である。

私は先生のこの説明を聞いて、半ば納得し、半ば納得出来ないものを感じたが、その後、このことについて先生とこれ以上お話ししたことはない。

ただ一つ付け加えておくと、須山静夫先生をはじめとし、大橋先生が下訳を頼んだ方々の中から、その後、名翻訳家として世に知られるようになった人は多い。だから、先生の言う「順繰り説」にも正当性がないわけではない、とも言えるだろう。また何の話の流れだったか、私が大久保康雄氏の翻訳の質について大橋先生に問うたところ、「あの人も、自分で翻訳している時は、なかなかいいのだけどね……」と仰ったことがある。そこから推すに、翻訳の大家の名前が冠してあっても、それを実際に訳したのが本人とは限らないということは、当時としてはごく普通のことだったのかも知れない。

そんなこともあり、先生の翻訳について云々する際には、常にある種の危険が伴うわけだが、先生の御訳業の最後を飾るトシオ・モリの『カリフォルニア州ヨコハマ町』に関しては、確かに先生ご自身が訳され、しかも非常なる愛着をもって訳された、ということを私は断言することが出来る。

『カリフォルニア州ヨコハマ町』というタイトル、これは大橋先生が生涯をかけて研究されたシャーウッド・アンダスンの代表作『オハイオ州ワインズバーグ町』を想起させるし、アメリカの田舎町に暮らす住民たちの姿を描いた連作短篇でありながら、これを一篇の長篇小説としても読むことが出来るという仕組みもまた『オハイオ州ワインズバーグ町』と共通する。実際、トシオ・モリはアンダスンのこの作品を読んで文学的開眼をし、自らも作品を書き始めたのだった。つまり大橋先生とトシオ・モリは、中にアンダスンを介して繋がっていたのである。またトシオ・モリ自身はカリフォルニア州オークランド生まれの日系二世だが、トシオ・モリの両親は広島出身で、同じく広島出身の大橋先生にはその点でも親近感があっただろうし、本作の登場人物たちの言葉遣いの訳出についても自信を持たれていたに違いない。

だがそういうことは別としても、トシオ・モリの『カリフォルニア州ヨコハマ町』という作品自体の魅力が、大橋先生をして、自ら翻訳したいという強い想いを引き起こしたであろうことは、私には容易に想像がつく。

大橋先生はフォークナーの文学を高く買っておられた。ヘミングウェイの作品もお好きだった。戦後の作家では、ノーマン・メイラーのバイタリティーを評価し、ソール・ベローの知性を称揚されていた。しかし、そういうことはあったとしても、先生が本当にお好きだったのは、むしろジョン・スタインベックであり、ウィリアム・サローヤンであり、ジェイムズ・サーバーであり、シャーウッド・アンダスンだったのではないかと私は思う。

これらの作家に共通するのは、「ペーソス」である。「ペーソス」とは、要するに「面白うて、やがて哀しき」という心持ちである。喜びの中に哀しみを見、悲しみの中に人間に対する愛しさを感じるヒューマニズムである。そう言い切ってしまうと、なんだか先生の感性を単純視するようなことになりはしないかと怖れるところもあるが、それでも先生はペーソスのある作品がお好きだったし、そういう作品を書く作家がお好きだった。そして、トシオ・モリは、まさにペーソスの作家だったのである。

トシオ・モリは、決して上手い作家ではない。その英語にしたところで、文法的観点からしたら、とても褒められたものではない。だが、その文法のでたらめな拙い英語で綴られる物語は読む者の心を鷲摑みにし、読んだ後、泣いていいのか笑っていいのか分からなくなる。まさに「泣き笑い」の読後感を抱かせる稀有な作家だった。

あれほどアンダスンのことを研究しながら、ついにその代表作である『オハイオ州ワインズバーグ町』を自ら翻訳されることのなかった大橋先生は、その代わりに『カリフォルニア州ヨコハマ町』を自らの翻訳人生の最後に訳された——。これは私の単なる想像に過ぎないが、そう考えると色々なことの辻褄が合う。私には、そんな気がしてならないのだ。そして『カリフォルニア州ヨコハマ町』の最後を飾る「明日と今日と」という短篇を読む度に、今でも私は先生の名訳に泣かされてしまうのである。

事件と文学の間柄

一昨年の初夏、旅行中に米国モンタナ州の山中のモテルの一室で、たまたまテレビのスイッチを入れたところ、トルーマン・カポーティが登場した。

それはナイトショー（といっても日本のとは少し趣が異なるが）の番組で、司会者がカポーティに、作家としての最近の関心事を尋ねたところ、カポーティはとうとうと、ケネディ兄弟とキング牧師の暗殺の黒幕は同一であり、十九世紀中葉のロシアの某思想家の教えを信奉する狂信家であると確信している。自分はいまそのことを立証する資料を全精力を傾けて集めており、近い将来に公表できると思う、と語った。

変人のホマレの高いカポーティとはいえ、それは異常な興奮と情熱にあふれた発言だった。

他方、わが国にはあまり紹介されていないが、中堅作家として着実な活動をつづけているレイノルズ・プライスやライト・モリスが、ケネディ大統領暗殺の報を聞いた瞬間に、次の作品を書こうと思い立ったと語っていた。プライスのばあいにはそれが『寛大な男』となり、モリスのばあいには『ある一日』となったが、どちらの作品にもケネディ大統領や暗殺のことは少しも出てはこない。だが、ケネディ暗殺がそれぞれの作品を触発したことは確かである。戦後の前衛作家の一人であるブージェイリーも、『ケネディを知っていた男』という作品（これも内容はケネディ暗殺とは直接的には無関係）を発表している。

アメリカの文学作品には、ケネディ大統領暗殺といったような事件に作家が心を揺り動かされて、出来あがったものが昔から少なくない。それはアメリカ文学の特質あるいは体質の一つと思われる。

わが国にも、「政治」に触発された作品はもちろん多いが、その触発のされかたについては、彼我のあいだに微妙で大きな差異があるように思われて仕方がない。アメリカ文学がわが国に人気があるゆえんかも知れない。

（『朝日新聞』一九七〇年二月二十日）

南部女流作家の写真集

アメリカ南部の生んだ女流作家として、わが国にも多くの読者をもっているユードラ・ウェルティが、『ある時、ある場所』という写真集を公刊した。これは、彼女がアマチュア・カメラマンとして写した故郷ミシシッピー州の風物に、自らの文章を添えた本で、多くの識者から好評をもって迎えられている。

一般にミシシッピー州といえば、アメリカ南部のうちでも、黒人に対する差別問題が最もしれつ（熾烈）なところで、アメリカの恥部として、また最も後進的な州の一つとして、多くの政治家や文明評論家たちの論争の的となり、急進的な運動家たちが暴力に立ち向かって、白人、黒人を問わず多量の血が流されている陰惨な場所という印象が強い。だが、ユードラ・ウェルティにとっては、彼女の故郷の州は、昔から常に、それとはどこか異なるものであった。イデオロギーなどには曇らせられない小説家としての彼女の目が、自由にさまようことのできる場所であり、どんな微細なもの音も動きもあざやかに聞き分けることのできる風物が展開しているところであった。

彼女は長年にわたって、ミシシッピー州の黒人と白人の生活を、平等な愛情と深い理解と冷静な理性をもって作品の中に描きつづけ、黒白を越えた人間としての生き方の複雑さを喚起している。その彼女が、一九三〇年代には、政府の公共事業促進局の一員として、州内を歩き回ったが、この本に収められている写真は、すべてそのとき彼女が余技として折りにふれ写したものである。そのほとんどはいなかの風物で、その中で、黒人は笑い、泣き、目を見はり、白人も同様に生きることに一喜一憂し、悲惨な場面もあるが、同時によろこびにあふれた瞬間も見事にとらえられている。技術はどんなにまずくとも、作者のやさしい寛大な心情と、鋭敏な詩人としての感受性が、存分に表現されている写真ばかりであるといってもいい。

「黒人問題にまつわる南部の保守性、悲惨さ、後進性などを論評し、批判し、報告している書物は、近年、枚挙にいとまがないほど、多い。だが、そういった書物を十冊読むよりも、ウェルティの写真を一枚か二枚見たほうが、たとえどんなにかたくなな人でも、ずっと南部と南部の人々をよく知ることができるだろう」とある進歩的な批評家は論評している。人種問題なども、曇りない目でもういちどその原点を見つめることによって、意外な転機が生まれるかもしれないのである。

(『高知新聞』一九七二年四月二十一日)

ケルーアック再考

（自らはケラワックと読むのだと述べていた由だが、ここでは内外の現行の慣例にしたがって、ケルーアックとしておく。）

ノーマン・ポドーレッツは『世間知らずのボヘミアン』というエッセイで、ビート・ジェネレーションの名付け親ジャック・ケルーアックたちを総括して、「ビート・ジェネレーションの原始主義と自然発露礼讃は知性に対する敵意を隠すだけではない、と言ったほうが正しいようである。それはまたいたましくも感情の貧困さから生じるものだからである」（井上・百瀬訳『行動と逆行動』を借用）と述べている。そして、彼はこのエッセイの中で、主としてケルーアックの『途上』と『地下街の人びと』という「二冊の独創的な古典的作品」の特質である自然発露的な文体（スポンテニアス・ライティング）が、一見魅力的にみえながら実は生活と文学の区別を破壊する浅薄なものだと攻撃している。これは、トルーマン・カポーティのあの有名な評言、「これ（ケルーアックの文体）は文章ではなく、タイプライターで打ち流されたものだ」にも通ずるものだが、ケルーアックの自然発露的（スポンテニアス）な文章作法については、一九五八年夏の「エヴァグリーン・レヴュー」誌に本人が発表した「自然発露的散文の要義」を改めて仔細に検討してみる必要があるだろう。

「ケルーアックはあきらかに、自然発露とは何でもかんでも心に浮かんだことを語り、順序などおかまいなしに、たまたま語りたいことを語ることだと考えているらしい」というポドーレツの評言は、カポーティのと同様、いまやケルーアック批判の通説にさえなっているが、はたしてそうであろうか？　ここではもちろん、「要義」を仔細に検討する余裕も意図もないが、「要義」の内容はともあれ、少なくとも「要義」は「何でもかんでも心に浮かんだことを語っている」のではなく、むしろ、ケルーアック自身が公然と嫌悪していたアカデミックな論考の一種であるといってもいい。したがって、ここにすでにケルーアック自身の矛盾が露呈しているといえないこともないが、ポドーレツをはじめ多くの評者がおかしている矛盾も、実はこのあたりからはじまっていると思われるのである。

というのは、ケルーアックに自然発露的な文体を教唆したのは、ケルーアックにとって十年近いあいだ「親友」であり「偶像」であり「教祖」であったニール・キャサディであった（教唆という語が不適当であるとすれば、そういった文体について両者が完全に意見の一致をみた、といってもいい）。「あなたはジョイス、セリーヌ、プルーストその他の人たちの最良の文体を合わせもち、それらをほとばしりでる男性的興奮にみちた文体の語り口に利用している。ドライサーも、トマス・ウルフも、メルヴィルも、あなたの前では色あせてしまう……あなたの文体は、ヘミングウェイのように簡潔にもなりえない。なぜなら、なにも隠そうとしないからで、あなたの素材は痛ましいほど必要なものばかりであり……それに比べれば、スコット・フィッツジェラルドの素材は甘美なまでに不必要なものばかりだった。あなたの文体こそは、アメリカ文学がまだもっていないものであり、近い将来もたなければならないものである」とケルーアックはニール・キャサディへの手紙の中で述べている。だが、ニール・キャサディは周知のように、「途方もない放浪者、自動車泥棒、強姦常習者」であって、彼が書い
たもので私たちがいま読むことができるのは、『最初の三分の一、その他』と題するニールの自伝と散文の断片だけである（ニールがケルーアックと別れた頃からは、ニールは書くことをやめ、もっぱらテープレコーダーに吹きこんだ）。そして、ニールは実際にはそれだけしか書かなかったらしいから、ケルーアックが賞讃しているのは『最初の三分の一、その他』と同じような内容のものにちがいない。事実、ケルーアックが書いているものの多くには、『最初の三分の一』のまさに（ポドーレツやカポーティが評しているような意味での）自然発露的な語り口が反映している。それはポドーレツがいうように、「思考というよりも情緒から、〈文学〉というよりも〈人生〉から、頭脳というよりも腹から出ている」文体であり、自伝ではありえても小説にはなりえないものである。それがケルーアックにも強く反映しているとすれば、ケルーアックの文学全体は自然発露的であるどころか、むしろその反対であるという逆説が成立しそうである。なるほど、ケルーアックの作品には、イメージやヴィジョンばかりでなく、パラグラフやシンタックスの点でも、実にくりかえしが多い。くりかえしが多い、ということ自体は、作家をそこなうものではもちろんなく、またまさにその意味で、ケルーアックはトマス・ウルフとよく比較されてもいるのだが、くりかえしが多いということは自然発露的な文体という視点からすれば、

ポドーレッツのいう「感情の貧困さ」が指摘されても致し方ないことになる。しかし、ケルーアック自身は一方では、自分の作品全体を「一つの作品」として読んで欲しいと読者に要求している。そして、「一つの作品」を構成する作品の一つ一つを丹念に追っていくとき、そこには自然発露的どころか、まさにその正反対のたどたどしく痛ましくのろい歩みしか感知できないのである。「感情の貧困さ」ではなく、過剰な感情とそれに対する怖れとが、たがいに交錯して重い足を引きずっているとしか思えないのである。

もういちど、ニール・キャサディのことに戻ろう。ドライサーやメルヴィルよりもすぐれているとケルーアックがニール・キャサディを賞讃したことの裏には、二人のあいだの劇的な出会いと交友があった。夢、ヴィジョンなどの面で二人は共通した資質をもち、反面ニール・キャサディは猛スピードで走りまわることを無上のよろこびとし、ケルーアックは逆に動くことに怖れを抱いていたという事実は、この二人をある時期のあいだまるで一心同体のように結びつけていた。（そのあたりの具体的な事実については、アン・チャーターズのケルーアックの伝記その他に詳しい。）この一心同体のような結びつきは、ある意味でパトロジカルなものであったが、他面、まさにそうであったがために、二人は一心同体どころか同一人物であるような印象を世間にあたえたことも確かである。そして、周知のようにニール・キャサディは、ケルーアックの作品では、『途上』の主人公ディーン、『コーディの夢』その他のコーディとして、たびたび登場している。もちろんケルーアック自身、『途上』ではサルとして登場するが、全体的にみてディーンことニール・キャサディが作品中で占める比重のほうが一見大きいし、サルはある意味でディーンの片われであるという印象も否めない。

実をいうと、この短かいエッセイで私が試みようとしたことは、『途上』におけるこのディーンとサルとの関係を、できるだけ綿密に検討し、結論としてこの作品はディーンとサルとの出会いと放浪の書であるというよりはむしろ、ディーンとサルとの別離の物語であることを強調したかったのである。サルはディーンと一心同体であろうとして、究極的にはそれが果されなかった。放浪をつづけているうちに、次第にサルはディーンの「感情の貧困さ」に気づくようになり、無意識のうちにディーンに批判の眼を向けるようになり、その結果、ディーンに代表されるような「ビート・ジェネレーション」（その名付け親はサルことケルーアック自身であったのに）そのものにまで批判的になっていく——すなわち、ポドーレツたちと同じような視点にまで陰微に近づいていく、その過程がそれこそ自然発露的に『途上』の主題になっていることを強調し、ポドーレツたちのケルーアックへの批判は実はニール・キャサディへの批判であり、新しいケルーアック論が展開されるべき時がしだいに熟しつつあると思われることをいいたかったのである。（さらに、ケルーアックのもとを離れたニール・キャサディが、ケン・キージー一派のメリー・プランクスターズに投じ、かれらのバス運転手になった事実から、いわゆるビートやヒップスターたちの本質とケルーアックの本質とおぼしきものを比較類推することも可能ではないかという希望もあった。）

『途上』の最後におけるサルとディーンの別れ――「虫に食われた外套を着て、ディーンはひとり淋しく歩み去っていった、真直ぐ前方を見つめながら、七番街の角をまがってその姿を消した……」。この終幕に近い場面は、「失われたアメリカ」へのエレジーだといってもいいだろう。なぜなら、イノセンスと青春の力強いみずみずしさをすでに喪失しながら、それに気づこうとあえてしないでいるディーンは、「失われたアメリカ」あるいは「アメリカの夢」そのものであり、依然として聖杯の幻影を追いもとめて放浪している不能でうすぎたない片輪者、であるといってもいい。サルはディーンとの交友の過程において、そのことに次第に気づき、両者の夢やヴィジョンの本質的な差異に怖れを感じ、「アメリカ」に幻滅して、救いと楽園とは「途上」にはないことを知るようになる。「アメリカ」もディーンも、彼の人生に秩序をあたえ、方向や意味を付与することができなかった。そしてそれらを付与してくれるのは、自分自身でしかないことを悟るようになった。唯我論のアイロニー!

サルはレイモンド・スミスに変して、今度は『ダルマの放浪者』となる――

「貨物列車に飛び乗って、ロサンゼルスをあとにしたのは、一九五五年の九月も末に近い、とある日のちょうど正午のこと。無蓋貨車の一つにもぐり込んだぼくはダッフェル・バッグを枕にして寝転がり、両脚を組み合わせると、北の方、サンタバーバラに向けてゴトゴトと運ばれてゆく道すがら、雲をふりあおいで瞑想にふけっていた」(小原訳『禅ヒッピー』を借用)

その行方に、救いや楽園があろうとなかろうと、ここには「失われていないアメリカ」の自由とオプティミズムがある。その自由とオプティミズムの背後に、たえずもう一つの「失われたアメリカ」の恐ろしい罠が仕掛けられていることは確かであるとしても――したがって、救いや楽園は永遠に幻想であるとしても、そこには少なくとも試みるに価する生活がある。ケルーアックはいわば、新しく「アメリカの重み」を意識しながら、二度目の放浪に旅立っていったのである。「ぼくの人生は楽しかったよ！　自由奔放にこの国を動きまわったものな」と述べたときのケルーアックは、「ぼくはハック・フィンだ」と語ったときと同様、アメリカ大陸を再発見しようとしていたのだ――アメリカ大陸の中の東洋と、それからブリタニィ（彼の祖先の地）をも含めて。

「これまでアメリカに悲劇といったようなものは一度もなかった。あったのはただ偉大なる挫折ばかりだった」と言ったのはスコット・フィッツジェラルドだったが（一九二七年四月三日の「ワールド」紙でのインタヴュー）、そしてそれはきわめてアイロニカルなコンテクストでの発言ではあったが、そのアイロニカルなコンテクストをそのままに、ケルーアックの場合にあてはめてもいいだろう。回心して仏教徒になりながら、同時に死ぬまでカトリック教徒でもあることに固執したケルーアックのアイロニーは、「アメリカ」のアイロニーであり、「アメリカ」の現象である。「自分は実際は『ビート』ではなく、奇妙な孤独な狂ったカトリックの神秘主義者であり、自分の全作品は、あわれなタイ・ジーン別名ジャック・デュルオース（すなわちぼく自身）の目を通して見た一つの大きな喜劇なのだ。」『途上』以後、彼は彼が名付け親であったビート・ジェネレーションという一つの世代の、「予言者」ではないにしても「記録者」であるという世評を得た。そして、その世代の没落とともに、「記録者」の役割りも終ったかに見えた。だが、実は彼は「記録者」ではなく「批判者」であり、一つの世代に属するにはあまりにも個性的であって、一つのプロトタイプになりおおせることはできなかったのだ——ニール・キャサディが「聖なる愚か者」のプロトタイプになったようには。

もちろん、ケルーアックはけっして偉大な作家であったとはいえないだろう。メルヴィルやトウェインや、さらにはトマス・ウルフなどと、彼を同列におくことも許されないだろう。しかし、彼もかれらと同様に、アメリカ的心情の重要で永続的な一面を描出することによって、「アメリカ」および「アメリカ人」にまた一つの定義をあたえようとした功績は認めなければならないだろう。

(『英語文学世界』一九七四年三月)

思い出すこと

一九六六年十月、シカゴ大学創立七十五周年を記念して同大学で「芸術と大衆」という総括的な表題で、一週間にわたって会議が開かれた。会議とはいっても、議長であるソール・ベローが基調演説を述べたあと、小説、戯曲、美術の三部門にわかれて、全国から集まった著名な作家や批評家、学者たちが、それぞれ芸術の現状と大衆とのかかわりあいについて意見を述べ、それらにたいしての討論やシンポジアムが行なわれたのである。その模様の一部は、シカゴ大学出版部から発行された『芸術と大衆』(J. E. Miller, Jr. and P. D. Herring, (eds.): *The Arts and the Public*, 1967)のなかに収録されており、ここで詳しく述べる必要はない。私は小説部門にオブザーバーとして参加し、熱心な討論やシンポジアムを聴くことができたのは幸いであったが、「芸術と大衆」という問題ひとつについても、意見が四分五裂し、おたがいに自己の主張をゆずらず、その状態がそのまま会議の結論となったのが印象的だった。

小説部門には、作家としてはアンソニー・ウェスト、ライト・モリス、レノルズ・プライス、リチャード・スターン、それにソール・ベロー、批評家・学者としてはリオン・エデル、グランヴィル・ヒックス、シオドア・ソロタロフ、ウェイン・ブースその他の人々がいたが、カリフォルニア大学から休暇をとってシカゴのニューベリー図書館に研究にきておられたリオン・ハワード教授も、オブザーバーとして参加されていた。もっとも同教授は、後で述べるように、ライト・モリスの応援に馳けつけられたといってもいいだろう。

ところで、意見は四分五裂といったが、大別して二つに分けるとすると、作家ではアンソニー・ウェストとライト・モリスが真向から衝突し、レノルズ・プライスがモリス側についていた。批評家・学者のほうでは、当然予想されるように、リオン・エデルがウェスト側に、グランヴィル・ヒックスとシオドア・ソロタロフがモリス側について、激論をたたかわした。その激論ぶりは、とても活字になった本からはうかがえないほどはげしいもので、感情までむきだしになり、しばしば時間も無視されて、調停者は苦労をしていた。その激突は、イギリスとアメリカとの衝突だといってもいいだろう。

現在アメリカに居住し、『ニューヨーカー』誌の文芸批評を担当しているとはいえ、レベッカ・ウェストとH・G・ウェルズとの間に生まれたアンソニー・ウェストと、ネブラスカ生まれの生粋のアメリカ西部人であるライト・モリスとでは、どだい意見が合うはずはないのである。いわば、ウェストは東の方ヨーロッパに向いて、モリスはその東に背を向けて、話をしているのだ。そして、ニューヨーク大学の「ヘンリー・ジェイムズ教授」であるリオン・エデルがウェスト側につき、長いあいだ野にあって『サタデイ・レヴュー』誌の文芸批評欄を精力的に担当しているグランヴィル・ヒックスと、現在は『ニュー・アメリカン・レヴュー』双書の野心的な編集者になっているシオドア・ソロタロフがモリスの肩をもつのも、まったく当然であった。また、多くの点で微妙な食いちがいをみせながら（それは世代の相違ということだと思うが）、若い作家であると同時にデューク大学の助教授でもあるレノルズ・プライスが、実作者としてモリスの肩をもつのも、二人の作品を読んでいるものにとっては、少しも意外なことではなかろう。

さまざまな問題で両者の激突はくりかえされたが、主題である「芸術と大衆」についていえば、ウェスト側が芸術は大衆におもねってはならぬと強く主張したのにたいし、モリス側は、それは当然のことであるとしても、芸術はたえず大衆に志向し、大衆に深いかかわりあいのある事件なら芸術の素材になりうるばあいが多いと主張した。たとえば、ケネディ大統領暗殺事件のニュースを聞いたとき、モリスもプライスも深い衝撃をうけ、その衝撃を契機としてそれぞれ作品を書かねばならぬと感じ、実際に書いた、と告白したのにたいして、ウェストはそんなものは芸術ではないと多少感情的になって反論した。こういったことは、先に述べたように、イギリスとアメリカの衝突といってしまえばそれまでだが、そこを一歩つっこんで考えてみると、芸術の素材となるものの宿命的な相違ということが浮かびあがってくる。

そういったことは、先に述べた本の方にゆずるとして、ここで私自身のことをいえば、私はモリスやプライスの作品のかねてからの愛読者であり、またグランヴィル・ヒックスやソロタロフの活動を日頃から尊敬していたので、激論がたたかわされているとき、自然モリス側に肩入れする気持になっていた。ハワード教授は終始笑顔を浮べておられたが、自分の「最良で最悪であった学生」ライト・モリスを心ひそかに応援しておられたことは疑いない。「最良で最悪」というのは、ライト・モリスがカリフォルニア大学で同教授の指導を受けていたとき、学問上の指導をうける学生としてはまったく不適格であったが、作家の卵としてはなかなか面白そうな人物なので、同教授は退学を善意から勧告し、モリスはそれに従った、ということがあったからである。そのモリスが今はサンフランシスコ市立大学の教授なんだから、とハワード教授は苦笑しておられた。モリスは現在でも折さえあればハワード教授宅に出入りしている。

ところで、会議の途中で、小説部門のカクテル・パーティが一夜ひらかれた。場所はシカゴ大学の某教授宅であったが、和やかであるべきパーティもまったく呉越同舟の有様で、完全に二つのグループに分れてしまった。その折、私は幸運にもグランヴィル・ヒックス氏などとしばらく話し合う機会をえた。ヒックス氏はすでに六十代も半ばをすぎているのに、『サタデイ・レヴュー』誌に毎週精力的な健筆をふるっていることは周知のとおりで（私などは、ヒックス氏の批評を読みたいばかりに、『サタデイ・レヴュー』誌をずっと購読しているのだ）、毎週一つかそれ以上の作品をとりあげて論評するのは大変でしょう、とその労をねぎらうと、氏は、自分のところには毎週十ないし十五の作品が送られてくるが、それらを読むのは非常な楽しみであると同時に、送られてこない作品のなかに取上げるべきものがあるのではないかと気にかかって仕方がない、紙面の関係で毎週一つか二つの作品しか取上げられないが、それはその週に取上げるべき価値のあるもの全部の何十分の一にしか当らないだろう、致し方ないこととは思うが残念だ、とまさに超人的な意欲のあるところを謙遜しながら見せられた。あの小柄な痩せた体のどこに、そんなエネルギーがひそんでいるのか不思議なほどである。また、毎週くる週もくる週も、十ないし十五の作品をていねいに読みとおしているとは、常識ではおよそ信じられないことで、心から小説を愛していなければできないことである。ヒックス氏はまた、現在不当にネグレクトされている作家として、J・G・カズンズやライト・モリスの名をあげられた。モリスの作品が、批評家たちからはたいてい好意をもって迎えられても、あまり売れていないことは、彼の多くの作品の中でペーパーバックスになったものがまだ数冊しかないことでも明らかだが、カズンズのばあいは、そのほとんどの作品がすでに廉価版で出ているので、私がけげんな顔をすると、氏は、カズンズは自分で最も高く評価している現代アメリカ作家の一人であるが、どうも自分の評価はまだ少数意見にすぎないような気がするからだ、といわれた。ヒックス氏とカズンズという取合わせは、よく考えてみると少しも奇妙ではない。こんなのを相性というのだろう。

同じ席で、私はハワード教授の紹介で、ライト・モリス氏とも話すことができた。私が同氏の主要な作品はたいてい愛読していると語ると、氏は、アメリカでもあまり売れない自分の作品が日本で読まれているとは、といってよろこび、私が氏の『ある日』以後の作品について、それ以前のものと比較しての拙ない意見を述べると、自分は作家としては昔から少しも変ってはいないつもりだ、まあ次の作品を見ていてくれ、と目を輝かしていた。

モリス氏とは、不思議な縁で、その翌年の夏にも再会した。シカゴから車を駆って大陸横断の西部旅行をしていたときである。大陸の中北部を横断して太平洋岸に達し、海岸沿いに南下してロス・アンジェルスまできて、そこからフランク・ノリスの作品などでおなじみの「死の谷」を通過してラス・ベガスに抜けようとした。ところが、ロス・アンジェルスの自動車クラブに立寄って、「死の谷」の詳しい道路地図をもらおうとしたら、夏は危険だから近づかないほうがいい、海抜以下のところにある盆地になった砂漠で、気温は四十度以上もあるから駄目だ、という。道路もそのほとんどが閉されていて、やっと一本あるにはあるが、夏には誰も近づかないことになっている、とおどかされた。そんなことはこちらは百も承知で、覚悟もできているつもりであったが、そういわれると迷いが生じるのは人情で、どうしようかと困惑し、ハワード教授宅を訪れて相談することにした。ところが教授宅にはたまたまモリス夫妻が滞在しており、私の訴えを聞くと、教授もモリス氏も私に、行け、心配するな、とこもごも励まして下さった。いよいよ出発の朝、教授宅にお別れにうかがうと、モリス氏は私の肩と自動車のトランクを叩きながら、冒険への旅にいざ出発せよ！　と高らかな声をあげ、東北「死の谷」の方に向って手をさしのべた。ハワード教授はその場面を写真にとったあとで、教授夫人心づくしの冷水の入った魔法びんを私に手渡して、最後までなるべく飲まないように、と注意された。その冷水は幸い手をつけずにすんだのだった。

（『学鐙』一九六九年五月）

サーバー雑感

ちかごろでは、わが国でも、大人のための漫画や漫文が非常に流行しているが、残念ながらこの分野では、国産品は舶来品の一流のものには、まだまだ遠くおよばない。その原因をさぐるとなると、たいへんなことになりそうだが、そのひとつに、そういったものの基盤となっている《ユーモア》というものが、元来西欧的なものであって、東洋的なものではない、ということもあるだろう。現代における《ユーモア》は、個々の人間や社会や国家や世界が、それぞれ内包しているいろいろな矛盾や不合理を、強い勇気と徹底した合理主義的な精神で、見とおし、分析し、切りさばき、あばきだして、そこからいいようのないオカシサとペーソスをひきだすものでなければならない。くさいものには蓋をしたり、ハラ芸とやらで、まあまあ、と事態をおさめたりすることが、まだ根性のどこかに美徳としてこびりついているような風土ではなかなかそういった《ユーモア》が育たないのも当然であろう。そのような《ユーモア》を、わが国の明治以後の文学作品のなかにもとめるとすれば、私の乏しい知識のなかでは、漱石の初期の作品ぐらいしか思いうかばない。

ところで、アメリカの現代文学のなかで、そのような《ユーモア》にあふれた作品をさがすとなると、なんといっても、ジェームズ・サーバーにとどめをさす。周知のように、サーバーは独特な画風をもった漫画家でもあったが、彼の漫画と散文とがアメリカの読書界を席捲したその速度とすさまじさとは、現代の驚異のひとつだといわれているくらいである。しかし、よく考えてみるとそれは驚異でもなんでもない。当然のことであった。彼の公正な叡智と機智とは、じゅうぶんに天才の領域に属するものであった。現代というえたいの知れない深みと歪みをたたえたしろものの底にまで、彼の眼はおよび、「事態は現在、そうとう悪化しているようだ」と診断した。しかし、そのような診断をくだしても、彼はいたずらに感傷的になったり悲観的になったりはしなかった。主として、雑誌『ニュー・ヨーカー』に拠って、時にはハツラツと陽気に笑いとばそうとしたり、時には神秘のヴェールにつつんで読者に思索の材料をあたえたり、時には仮借のないホコ先をむけたりしながら、ひとりの積極的な《モダン・プリーチャー》としての役目をはたしてきた。彼の作品を、簡単に軽文学とか滑稽文学とかの呼び名で、片づけてしまうことのできない所以である。

天才といえば、彼には有名な奇癖や奇行がいろいろとあった。そのひとつに、名前・数字記憶症とも称すべきものがあった。彼自身の告白によれば、彼は大人になっても、小学校時代の同級生の姓名はみなおぼえていたし友人たちの誕生日や電話番号など、およそ一度きいたことのある名前や数字は、ぜったいに忘れることができなかったというのである。これは、私などからみると、まったくおそるべき《病気》であるといわざるをえない。このような奇病にとりつかれたら、やがて頭が爆発してしまうか、爆発しないまでも、体じゅうが数字と名前で充満して、みずからの生命を断つこと以外には、救いの道はなくなりそうだからである。しかし、サーバーには救いの道があった。散文（随筆、ルポ、物語、論評、戯曲等々）と漫画がそれであった。彼の散文における語り口や文体、また、漫画におけるあの線とイメージ、――そういったものと、彼の散文におけるあの語り口や文体、また、漫画におけるあの線とイメージ、――そういったものと、彼の奇病とのあいだには、どうしても切りはなすことのできない密接な関連があった、と思われる。また、彼があれほどの多作家でありながらだいたいいつも同じ調子を維持できたのも、珍らしい奇病のせいではなかったろうか？

その他、ひとが話をしているときには、決してその話に耳をかたむけたりせず、自分の心をブランクにしておいて、自分の番になると一気呵成にしゃべりだすとか、いつも高価な服装で身をつつんでおりながら着こなしかたが極端に下手だったとか、帽子をおき忘れてこなかったことがないとか、そういったたぐいの奇癖、奇行は非常に多かったらしい。また、彼の愛読書が、フィッツジェラルドの『偉大なるギャッツビー』であり、好きな作家はヘンリー・ジェームズであったということも、興味ぶかいことである。

サーバーが最大の関心をよせていた主題のひとつに、現代における男と女の関係やセックスの問題などがあったが、彼の描画に端的に表現されているように、男はいつもしいたげられてゲンナリしており、女は昂然としている。彼にあっては、男女の関係は、いつも「男と女とのたたかい」なのであり、早寝早起きは三文の徳、ではなくて、「早寝早起きは男性を、健康にし、金持ちにし、死に至らしめる」のであった。ある高名の批評家がヘミングウェイの作品中における男女の関係は、サーバーのいわゆる「男と女とのたたかい」の一語につきると指摘しているが、これなども、サーバーがいかにすぐれた観察眼をもっていたかということの例証になるものであろう。

サーバーが動物たち、ことに犬などに、浮いた愛着をよせているのも、現代におけるそういった男女の関係のありかたに、ある種のみきりをつけていたためではないかと思われる。ただし、みきりをつけたからといって、彼の毒舌はけっしてにぶったりはしなかった。ことに、女性にむけられる毒舌には痛快なものも少くなかった。一九二〇年代、文学者のあいだでは、泣く子もだまるような存在であったガートルード・スタイン女史に、くってかかった一文など、サーバー魂ここにあり、と思わず喝采をおくりたくなるような文章である。芝生におりたつ鳩を見て詠嘆するスタイン女史に、そんな詠嘆はまったくのナンセンスであるときめつけたのであった。

サーバーは昨年死んだが、彼の作品はまだしばらく読者を失いそうにはない。

（『異色作家短篇集　月報9』一九六二年十月）

われわれにとって外国文学とは何か
――「アメリカ文学に対するアジアの反応」会議に出席して

五月三十一日から六月七日まで、インドのカシミール州スリナガールで、「アメリカ文学に対するアジアの反応」という主題で国際会議が開かれた。参加国は韓国、日本、中国（台湾）という極東諸国から、イスラエル、トルコといった中近東諸国まで、ほとんどアジア全域におよび、参加者約六十人、ただしそのうちの半数はインドの学者たちであった。旅費の一部および滞在費などにつき、アメリカの援助があったとはいうものの、会議の組織、進行などについては、誇り高いインドの学者たちが完全に掌握していた。我国からの参加者は三名だった。

会議の進行は、参加者各自がもちよったペーパーを中心に、討論を重ねていくという形で行なわれたが、ペーパーには決められた課題があるわけではないから、話題は非常に広汎多岐にわたり、そのうえ午前九時から午後五時まで一週間ぶっつづけというハード・スケジュールで、私のようなものにはどうしても適当な息抜きが必要だった。したがって、すべての参加者の発表に接したわけではないが、率直な印象を述べるなら、会議は必らずしも成功であったとはいえないように思う。

その第一の理由は、入国した瞬間から否応なく私たちに襲いかかってきたインドのすさまじい現実が、アメリカ文学に関する討論に衝撃的な障害となったことである。だから、インドの学者たちは、会議は成功であったと思っているかも知れない。かれらはそういった現実から完全に遊離し（少くとも私たちにはそのように見えた）、現実とはまったくかかわりのないところで、高遠な文学論を展開し、かれら同士のあいだで激烈な討論をくりかえした。他方、現実の衝撃にひるみ怯えていた私たちは、呆然としてかれらの討論を傾聴しながら、その堅固な討論の行方と現実とのあいだの異和感に大きな不安といらだちをおぼえ、それは時としてかれらへの侮蔑感にまで進んだ。侮蔑感といえば、インド以外の各国からの参加者の多くが、それぞれ自国におけるアメリカ文学の現実的な受容、反応、影響などについて具体例をあげて問題を提起したが、そういった現実的な問題提起に対しては、インドの学者たちはほとんど耳をかそうとしなかったばかりでなく、その現実性に冷笑や嘲笑さえあびせたこともある。したがって会議の空気は最初から二分されていた。

いろいろな本に書かれ、さまざまに噂されてはいたが、じかに接したインドの現実は、私たちのものさしを適用することを拒否しているかのようだった。飢餓とか貧困とか不潔とかいう私たちの言葉は、そこではまったく意味を失ってしまうとしか思えない。かつて文明がその国家全体に花咲いていたとしても（その証拠はいまでも至るところに見ることができる）、そのとき以来すべての時間は停止してしまっているかのように思われた。しかしまた、低開発国とか未開発国とかいう言葉も、インドにはあてはまらない。時間が停止している現実の他の局面では、高遠な文学論が展開され、原子力開発の潜在力が進展しているのである。私たちが自分のものさしを適用できないとき、ふつうそれを不思議とか神秘とか呼ぶが、不思議とか神秘とかいうには、インドはあまりにも大国でありすぎる。それは怖ろしい衝撃としかいいようがない。そのような衝撃によって私たちのものさしは無残にも壊されてしまった。したがって、インドの学者たちの高遠な文学論には、素直な気持で耳を傾けることはできなかった。

そういった雰囲気の中にあって――あるいは、そういう雰囲気であったためか、ここに紹介しようとするアフガニスタン代表シュプーン氏の発表は、ひどく私の心をゆさぶった。同氏の発表に対してインドの学者たちの多くは冷笑さえ浮べたが、私には笑いも凍りついてしまった。日本の現実がしきりに思い出されたからである。それはあまりにも対照的であるように見えながら、その実、私たち自身にも大きくはねかえってくるような大きな問題を示唆しているように思われた。同氏の率直な発言に、私は悲痛な感激さえおぼえ、その夜ひそかに同氏の部屋を訪れて握手をもとめた。

シュプーン氏のペーパーの表題は、「アメリカ文学の正当な評価に対するさまざまな障害」というもので、カブール大学文学部で教鞭をとる同氏の体験に基づいた報告である。同氏の快諾を得たので、以下その要旨の一部を記してみる。

現在のアフガニスタンにおいて、外国文学を読んでいるものの大部分は、大学生ならびに教育をうけた若い層の人たちである。（かれらは全人口の約十パーセントにあたり、あとの九十パーセントは農牧に従事している文盲の人たちである。）かれらのほとんどは、外国文学を原語で読めるほど外国語に堪能ではない。したがって、かれらが読む外国文学は、ほとんど翻訳によるものである。（英語、仏語、独語、露語などの外国語教育は、中学に入るとはじまるが、大学に入っても、原語で外国小説が容易に読めるまでには至らない。）

かれらがもっとも魅力を感じている外国の作家たちは、ドストエフスキー、トルストイ、ゴリキーなど帝政ロシアの時代の作家である。他に、モーパッサン、ユゴー、タゴール、ジャック・ロンドンなども人気があるが、なんといっても、現在のアフガニスタン社会の発達の段階が、それらの作家たちへのかれらの傾斜に反映していると思われる。

他方、アフガニスタンは、ソ連、中共、パキスタン、イランに四方をとりかこまれ、そこに米国まで入っていて、アフガニスタンのインテリ層はさまざまなイデオロギーの交錯に直面し、多かれ少かれ、政治的なものがかれらの考えを支配している。（元来、イランをとおして、ヨーロッパ、ことにフランス的なものへの志向が強かったが、それもいまは次第に薄れつつある。）かれらのあいだにあっては、「インテリ」ということは「進歩的」ということと同義であり、総体的に社会主義的な傾向が強い。

ところで、出版活動があまり盛んではないアフガニスタンにおいては、外国文学の翻訳といっても、イランでペルシャ語に翻訳されたものが主として導入され、そのペルシャ語があまり方言や俗語を含まないかぎり、アフガニスタンのインテリには容易に読むことができる。しかし、パシュトおよびダリと呼ばれるアフガン・ペルシャ語での翻訳が少ないことは、かれらにとって大きな不満であり、今後その方面での努力が強く望まれている。一方、外国文学の原書に関してであるが、ことアメリカ文学に限ってみても、ソ連、米国、中共、イランなどが、それぞれ自国に有利な宣伝臭の濃い原書を次々と送りこんできていて、たとえばジャック・ロンドンの作品はソ連側の図書館にあり、米国側の図書館にはないといった有様で、送りこまれてくる原書以外にあまり外国の書籍に接することのないかれらの外国文学観は、いきおい政治的な色合いをもつことになる。

かれら自身も文学活動をやっている。こころみに大学生の一部に物語を書かせたところ、次のような表題の作品が集まった。「村長と農夫」、「未亡人の悲しみ」、「逃げた娘」、「衛星を信じない父」、「人民の阿片——宗教」、「貧乏人の子」、「草食人対肉食人」、「ひとりでに乾く涙」、「神よ、息子をあたえたまえ、ただし彼の食糧といっしょに」こういった表題からも容易に想像できるように、物語といってもきわめて素朴なものであり、技巧の面でも、かねて外国文学のもつ文学的な技巧を教えられた影響はみじんもあらわれてはいない。

シュプーン氏は大学で学生たちに、ヘミングウェイの『老人と海』を読ませ（同氏がパシュト語に翻訳したものによる）、その作品について討論を行なったが、すぐにそれが失敗であったことに気づいた。第一に、同作品の舞台ははじめから終りまで海であるのに対して、アフガニスタンには海はない。したがって、読者たちには、海を背景にした老人の思考や行為を理解することは困難であった。次に、ヘミングウェイのハード・ボイルドといわれる簡明率直な文体の問題があり、ある学生たちは、この作品がはたして大人の読物であるのか、子供のために書かれたものではないのか、という疑問を表明した。また、この作品には、白人である老人と黒人とが争って、老人が勝つ場面が挿入されているが、そこからみると、この作品は白人優越思想を鼓吹するものではないか、というものもいた。また、ある学生（A）は、老人をして社会に背を向けさせ、海という自然に赴かせることによって、ヘミングウェイは帝国主義者に屈服したと主張し、その主張に反対する学生（B）と、次のようなやりとりがあった。

B――人間同士が戦うのはやめて、人間は自然と戦うようになる日が、いつかきっとくるといったのは君ではないか？

A――それはまったく別の問題だ。そのときまでには、社会主義の旗じるしのもとで、すべての社会悪は追放されてしまっているだろう。社会的な階級や階級闘争があるかぎり、そういった段階に到達することはできない。

B――君の意見によると、病気とたたかったり、宇宙開発を行なったりするのに指導的な役割りを演じているのは、帝国主義者ではなく、社会主義陣営ということになる。

ヘミングウェイの他の作品も読んだことがあると主張する別の学生は、ヘミングウェイの主人公たちは一様に体ばかりたくましくて精神的には貧困であるといった。それに対して、精神生活は文学作品の不可欠な要素であるのかと反問すると、彼は一概にそうとはいえず、肉体的な面も大事であるが、精神生活も同等に重要視され、両者のあいだに適当なバランスがなければならない、と主張した。そこで、アフガニスタンの民話にも、超人的な体力を誇るヒーローがいるではないかというと、その学生は、それは別の問題であり、また、そういった超人たちも苦境を打開するにあたってすばらしい精神力を発揮しているではないか、と反論した。

また別の学生は、全力をあげて大魚と苦闘する老人に同情を示しながらも、物語の結末に不満をもらした。なぜ作家は老人の努力を無駄なものにしてしまったのか？　あれほどの苦しみを老人に味わせながら、その報酬として無しかあたえないとはなにごとか？

討論がここまできて、それまで沈黙をまもっていた他の学生たちも、少しずつ発言をはじめた。そのうちの一人は、物語の結末は常に教訓的なものでなければならない、といった。また別の学生は、物語を読むとき、読者は主人公と共感すべきであるのに、この作品においては、だれ一人この主人公と共感したいと望むものはいないはずだ、と主張した……。

シュプーン氏は『老人と海』のほかに、他の代表的なアメリカの現代作品をいくつか学生たちにあたえたが、反応は大同小異であった。たとえば、黒人差別の問題を含むアメリカ小説を読ませると、大部分の学生には、まず差別ということの意味が理解できない。黒人は白人とは離れたところに住んでいるのか？　白人と一緒に食事をすることは許されていないのか？　高級な職業に就くことはできず、雇傭されても賃金は白人よりも安いのか？　いったい黒人はどうしてそんなに貧乏なのか？　黒人は白人の娘とは結婚できないのか？　また白人は？　白人の黒人に対する偏見の理由は何なのか？　ただ皮膚が黒いからというだけのことなのか？　そうでないとしたら、黒人であるということがどうしていけないことなのか？……

シュプーン氏は、そのほかにも幾多の具体例をあげて、アフガニスタンにおいてアメリカ文学を教えることの難かしさを述べ、私たちの意見をもとめた。それに対して、先にも述べたように、ある人たちは冷笑や嘲笑をもって答えたが、情報過多といわれる我国の現状を顧みるとき、私は答えるすべはないように感じた。たとえば『老人と海』に対して、右に述べられたような反応が我国の学生（ばかりではない）からはかえってこないとしても、それははたして手放しによろこべることなのかどうか？　また、かまびすしい黒人差別の実態が、はたして我国の読書人にほんとうに理解され、真剣な問題になりうるのか？　そもそも外国文学とは、われわれにとっていったい何であるのか？　どんな意味があるというのか？……

私はシュプーン氏の発表に心をゆさぶられながら、しきりにそんなことを考えていた。

（『群像』一九七〇年八月）

編注：本稿前半の記述について、若干曖昧な書き方がされているため、文意が明確でないところがあるが、端的に言えば、これはインドのカースト制度への批判である。

本会議では、アメリカ文学が必然的に扱わざるを得ない白人・黒人間の人種差別の問題についての「知的な」討論も盛んになされていた。そのことに強い違和感を覚えた大橋先生は挙手をして発言を求め、アメリカの人種差別問題をここで云々するのもいいが、それならば、この会場の周辺にも沢山居て、会議参加者たちに施しを求めているインドの最下層の人々のことをどう考えるのか、と問うた。それに対し、主催者側であるインドの学者たちは、こともなげに「あれは人間ではない。人間ではないのだから、人間として扱う必要はない」と即答したという。その答えに驚愕すると共に、そう答える人たちと同席することは出来ないと思った先生は、前後の見境なく席を蹴って外へ飛び出したと、私は先生ご自身の口から伺ったことがある。インドでの国際会議はこのような雰囲気の中で行われたのであって、そのことを補助線にすると、本稿の前半で大橋先生が何を言われているのか、また本稿後半でアフガニスタンでのアメリカ文学受容の難しさを語ったシュプーン氏の人間味溢れる苦闘ぶりに、大橋先生がなぜ深く共感されたのかがよく分かるのではないだろうか。

ちなみにこの会議からの帰途、タイに立ち寄られた先生は、インドとはうって変わったタイ社会の落ち着きと、人心の穏やかさに触れて感銘を受けたそうで、「その時初めて、仏教国ってのはいいなあと思ったよ」と述懐されていた。

シャーウッド・アンダスンと私

終戦直後といえば、私にとっては大学の学業を1年ちょっとおえていたときであったが、そのころしばらくのあいだ、いろいろな事情から、私は外国の某地にあったアメリカ軍の兵舎ではたらいていた。私が現代アメリカ文学に開眼させられたのはそのときで、将校や兵士たちがもっていた本を借りて読んでいるうちに、次々と新鮮な感動をうけ、ついにはイギリス文学を放棄しようと決心した。もっとも、20才そこそこのときの「感動」というのがどんなものかは充分ご想像いただけると思うし、イギリス文学の放棄などという笑止千万な決心をしたといっても、大方の苦笑をまねくだけにすぎないだろうが、本人は大まじめにそう考えたのであった。高等学校時代から、大学に入ったらイギリス文学をやろうと決め、相当な数にのぼるイギリス文学関係の原書をかかえこんでいた私は、大学に入ったころは、ジョン・ダンやウィリアム・ブレイクや20世紀の新しい小説家たちのことを、心ひそかに思いうかべ、そのうちの一人を専攻しようなどと夢想していた。それが、現代アメリカ作家たちの出現によって、みごとにくつがえされたのである。スタインベック、ヘミングウェイ、フォークナーなどの短篇小説をはじめて読んだときの新鮮な感動は、今でも忘れることができないが、それらのなかの一つにシャーウッド・アンダスンの『オハイオ州ワインズバーグ町』があった。そして、これもたまたま読むことのできたアメリカ文学史のアウトラインによって、シャーウッド・アンダスンが現代アメリカ小説の出発点の一人に位置づけられているのを知り、まず卒業論文にはシャーウッド・アンダスンの研究をやろうと決めたのであった。

帰国すると、上記の決心をただちに実行に移して、イギリス文学関係の蔵書を一冊も残らず売りとばし（正直なところ、生活苦がその実行を容易にしたのだが）、シャーウッド・アンダスンを中心とするアメリカ小説へのアプローチにとりかかった。そして、さまざまな障害に遭遇したが、その第一は、昭和22年ごろの東大の英文科の研究室や図書館には、シャーウッド・アンダスン関係の研究書はおろか作品さえもほとんど皆無にひとしいということだった。困惑した私は、神田の古本屋街を歩きまわり、やっと彼の作品をいくつかと、クリーヴランド・B・チェイスの『シャーウッド・アンダスン』（１９２７）を買い入れた。だが、それだけではもちろん足りない。次は、日比谷にあったＣＩＥ（編注：民間情報教育局）の図書館に日参した。そこには彼の作品はなかったが、アメリカ小説論はいくつかあって、それらのなかでアンダスンの名が出てくると興奮しながらその前後をノートに写しとっていった。写しとった量は大判ノートの二、三冊ぶんであったが、その半分ぐらいは、妻にたのんで写してもらったものである。（女学校出たての妻と同棲をはじめていたのもアンダスンのせいだったかも知れない。）

次に、かんじんの彼の作品であるが、Ｔという先生が彼の作品を多くもっておられることを人づてに聞き、矢もたてもたまらずに同先生宅におしかけ、いきなり彼の作品の借用方を申し入れた。見も知らぬ若僧がとつぜんおしかけてきて、大切な本を貸してくれと頼んだのだから、先生もずいぶんおどろかれたらしいが、ともかく、手はじめに一冊だけ貸してやろう、ただし一週間の期限付き、ということだった。試されていることを知った私は、一週間といわず五日でお返ししようと心に決め、『ウィンディー・マクファーソンの息子』をお借りしてかえると、重要と思われる個所はぜんぶノートに写しとりながら大急ぎで読み、五日目にはお返しにあがった。それで信用をえたらしい私は、先生がもっておられる彼の作品をぜんぶ借出すことができた。もちろん、長く借りっぱなしにすることはできないので、急いで読むと同時に、ノートに写しとることにも精力を傾け、妻にも手つだってもらって、『プア・ホワイト』や『暗い笑い』などはそのほとんどを写しとった。ノートにするとぼう大なものになったし、その辛さにはまったく参ったが、そのころの興奮がそれをカバーしてくれた。

それやこれやで、どうにか彼の作品の大半に接することができて、卒業論文にまでこぎつけることができたが、総合的な結論としては彼をきめつけることになった。しかし、彼を出発点としたことは今でも誤っていなかったと思うし、現在の私は公私ともに彼へのアプローチからはじまったといっても過言ではない。いまさら悔んでみてもはじまらない話である。

(『英語と英文学』一九六六年四月)

シャーウッド・アンダスンの文章

シャーウッド・アンダスンの文章といえば、彼の書いたものをいくつか読んだ人なら、ああ あれか、とすぐに思い出すことができるほどユニークなもので、あの一見親しみやすい口語文体は、たしかに、とても凡庸な手では成就できるものではない。その意味では、彼はもちろん非凡な文章家であった。事実、彼が自分のことを「下手なもの書き」と称しながら、生涯にわたって言葉にとり憑かれ、言葉の運用に鏤骨の努力をはらっていたことは、彼自身がくどいほどくりかえし述べているとおりである。だが、そのくどいほどのくりかえしは、彼の言葉にたいする執念と同時に、自分の運用する言葉についての不安と不満と焦燥を無意識のうちに表明していたものとも受けとれる。「私は紙の前にうなだれる。紙は清潔だ。私はその上に、遺言を書く。私にできることはそれだけだ」そして、「清潔な」紙はつぎからつぎへと汚されて「不潔」になっていった。「不潔な」紙の量はぼう大なものとなった。

そのような彼の言葉を、文章論的あるいは文体論的に論じる資格は私にはない。また、その種の論究は、すでにリチャード・ブリッジマンの『アメリカにおける口語文体』（一九六六）や、その他の非常に多くの論文のなかでなされていて、もはや出つくしている感さえある。他方、一見親しみやすい彼の文章は、文才のある人にはパロディとして模倣しやすいもので、ウィリアム・スプラトリングの戯画集『シャーウッド・アンダスンならびにその他の有名なニュー・オーリーンズの紳士淑女たち』に付されたフォークナーの序文や、ヘミングウェイの『春の奔流』はその好例である。フォークナーやヘミングウェイが、そのようなパロディを書いた詳細ないきさつについても、周知のようにすでにいくつかの書物のなかで明らかにされている。ここで面白いのは、それぞれの詳細ないきさつよりも、同じくアンダスンの文章のパロディでありながら、両者のあいだに、それぞれを書いた当時のフォークナーとヘミングウェイのアンダスンにたいする心情の差異があざやかに映しだされていることであるが、それはここでは問題外のことである。ただ、アンダスンの文章がどのようなものであるかを端的にうかがい知ろうと思えば、この二つのパロディはなかなかよく出来ているといわねばなるまい。

一方、アンダスンがその文章技法において、ガートルード・スタインの強力な影響をうけたことが、よく論じられている。しかし、それは強力な影響といえるほどのものだったのだろうか？　なるほど、アンダスンはスタイン女史を、「言葉の台所」における言葉の秀れた調理士として、その調理の仕方に深い尊敬をはらい、スタイン女史はアンダスンを、「アメリカでもっとも明確な文章」の書ける人として称揚し、両者のあいだには強い友情が生まれていたが、友情と影響とは区別して考えるのが妥当であろう。アンダスンが、スタイン女史流の言葉の調理法から多くのものを学びとり、それを自分の文章の味つけに利用したことは疑いないとしても、それはあくまで塩や砂糖や香料のサジ加減のようなもので、それぞれの調理が目ざすものは、本質的に異なっていた。その本質的な差異が、アンダスン自身にとっても、ときおり不分明となり、スタイン女史流の調理法だけに心を奪われて、いくつかの失敗をおかしていること は明らかで、先にあげたヘミングウェイのパロディなども、そこをつけねらわれたものといってもいいだろう。

ところで、アンダスンは、「私はけっして、自分自身を思索するものとして重く考えたことはない。そうではなく、私は書くことに恋をしている人間である。もし私が、ほかの人々にとって、少しでも意味のある人間であるとしたら、それはストーリー・テラーとしてである」といったように、自分がストーリー・テラー（あるいはテイル・テラー）であることをくりかえし強調し、自分がノヴェリストであるとはほとんどいわなかった。彼はまた、「作家」というものを概括的に述べるときには、好んで「詩人（ポエト）」という語を用いている。だが、彼のいうストーリー・テラーとは、いったいどのようなものであったのか？「書くことに恋をしている……ストーリー・テラー」というのは、どのような人間であったのか？

「誰の心の中にも、何人もの人間がいて、想像力ゆたかな人間は、何十もの人生を生きている」というアンダスンの言葉は、作家心得の基本としてまことに陳腐な発言のようにも受けとれるが、それがアンダスン自身の場合には、さまざまなニュアンスを付して考えなければならない。第一、「誰の心の中にも、何人もの人間がいる」といっても、彼の場合には、その「何人もの人間」は、彼がまさに手あたりしだいやみくもに自分の心の中に引きずりこんだ人間たちである。そもそも彼は、「書くことに恋をする」前に、自分の目にとまったすべての人間を、強引に自分の内面に引きずりこむことに恋をした。それは、すさまじいばかりの自我への執着であったが、反面、何十もの人生を生きているという言葉がはしなくも露呈しているように、その自我は無数に分裂した不安定なものであった。引きずりこまれた人間たちは、彼の心の内側で、集約された秩序のある生き方はできなかった。「想像力ゆたかな人間」といっても、彼の場合には、その想像力は洞察的な思索よりも情念（ファンシー）に重点をおいたもので、引きずりこまれた人間たちは、アンダスンの情念の森の中を、道に迷いながら、それぞれ自分勝手にさまよっていなければならなかった。

しかし、アンダスンはなぜそれほどに、無数の人間を自分の情念の中に引きずりこもうとしたのだろうか？　それはもちろん、不安動揺のやまない自我への執着という彼の病理的な資質によるものであったが、他面、単純明快で豊穣なアメリカ（中西部）生活の様式が、しだいに空洞化し、その空洞化を促進しているものが単純明快ではなくなっている人間精神の荒廃であることを敏感に察知したアンダスンの守護聖人的な衝動があったことも忘れてはならないだろう。自我執着という病理的な資質と、守護聖人的な衝動と、この二つの奇妙な取り合わせが、アンダスンの心の中では共存していたのである。いや、共存していたというよりは、葛藤していたといったほうがいいかも知れない。

それはともかく、アンダスンは自分の情念の森の中を彷徨している無数の人々に、再生の機会をあたえようと試みた――それぞれの人に、それぞれの物語を付して。『もしお前が生来のウソつきで、情念に重きをおく人間なら、そういう人間らしくすればいいじゃないか』と私は自分にいいきかせた。すると、私はまた楽な気持で、筆を運びだした」彼は、自分の中に引きずりこんだ無数の人々に、ひとしなみの恋情をおぼえ、その恋情から、それぞれの人間の物語を語ろうとした。彼が「書くことに恋をした」のも当然である。その物語が、いずれも彼の情念のフィルターを通過したものであることはいうまでもないが、彼がその物語を語るときにもっとも意を用いたのは、読者への直接的な文字どおりの語りかけということであった。読者の前に、物語を客観的に呈示して、あるいは描いて、みせるのではなく、読者の耳に自分の肉声によって直接に聞かせる、ということであった。そのような方法によって、彼は自分の心の中に引きずりこんだ人間たちを、いつまでもそこに囲っておこうとした。自分から切り離して、独立させることはできなかったのである。しかも、読者すなわち語りかける相手とのあいだに距離をおかないようにするということは、その読者をもあわよくば自分の中に引きずりこむという貪欲な期待をも有望にしてくれるのであった。そのために、彼はやむにやまれず、あるいはなりふりかまわずに、口語文体を選んだ――それも多くの場合ヴァナキュラー以下の文体を。それに関連して、彼の物語に会話文が少ないという事実や、たとえあっても、その会話文体が実際の会話からはかけはなれたものであることが多いという事実が、あげられるだろう。

「一日のうちに、何百という新しい物語の種子が心の中で芽生えることがある。しかし、その物語を語るということ、その物語に形（フォーム）をあたえ、衣裳をまとわせ、適切な語を発見してそれを適切に配列するということ、それはまた別の問題である」あるいは、「ストーリー・テラーの用いる語は、画家の用いる絵具のようなものであって、形（フォーム）はまた別の問題である。形（フォーム）は、物語の素材と、その素材にたいする作家（テラー）自身の反応とから生まれるものであって、ストーリー・テラーをもっとも苦しめるのは、物語が形（フォーム）を備えようとしているときである」このような発言も、一見いかにもたわいないようなものに思われるが、アンダスンのような自我執着者にとっては、これはもっとも大きな問題だったのである。しかし他方、いかに多数の人間が住んでいるとはいえ、そこは想像力の世界というより情念の世界であったから、その世界における浮き沈み、すなわち上下の振幅は、たとえどんなに大きくとも、次元の無限の拡大に大きな期待をもつことはできなかった。したがって、心の住人の物語に形（フォーム）を付与しようにも、その形（フォーム）に多くの種類を期待することはできない。たとえ、それぞれの物語の主題が本来は多様なものであっても、情念のフィルターにかけられると、その多様性は色あせたものになるのである。また、多数の心の住人のそれぞれの発展や相互の関係を形成するプロットも、このような状況のもとにおいては、きわめて存立しがたいことは当然である。このようにみてくると、アンダスンは、無数に近いほどの多くの人間の物語を、読者に直接的に語り聞かせようと努力したが、そしてその語りかけの方法はしばしばすばらしい成果をあげたが、その物語は意外に多様性に乏しかったといわざるをえないのである。これは、アンダスン流のストーリー・テラーの逃れ得ぬ宿命といってもいいだろう。それはいわば、「瞬間の激情（パッション）」——それも多様性に乏しい「瞬間の激情」、にたえず耽溺していることはできても、それらを「激情の瞬間」に置換することに消極的であるストーリー・テラーのおち入った罠であった。

しかし、アンダスン自身は、自分の物語の多様性に乏しい単調さを救うために、さまざまな努力をおしまなかった。だが、その努力が報いられることが少なかったのは、その努力の重点が、彼の心の住人の視点の相違にだけ向けられていて、視点の相違を確立させるのに必要な言葉の相違にまでは至らなかったからであると思われる。視点の相違と言葉の相違と、その両者を、すべてを自らの情念の世界に閉じこめてしまおうとする、アンダスンのような作家に期待することは、それ自体が欲ばりすぎであるかも知れないが、先にもちょっとふれたような、彼が無意識のうちに感じていたらしい言葉の運用に関する不安や不満や焦燥は、そのあたりに大きな原因があったのではないかと思われる。第一、心の住人たちの視点の相違に注意を向けたといっても、その相違をそれぞれのレベルできっちりと受けとめられるほど、彼の情念は幅のある安定したものではなかった。もしそうであったら、言葉の相違もおのずとそこに生まれていたはずである。

すでに多くの伝記的な書物や研究が証明しているように、アンダスンの情念の世界は、無邪気で若々しい青少年という極と、悟りきった教養のある老年という極と、その二つを両極として、たえずはげしく揺れ動いていた。大人になりそこなった青少年、あるいは中年を通過しなかった老年、であったわけである。したがって、彼の物語の視点が、青少年あるいは老年の視点から出ているときは、語りかけの言葉までが潑剌（はつらつ）とした生気をおびて、秀れた物語を生みだしている。『ぼくはその理由（わけ）を知りたい』、『卵』、『ぼくは馬鹿だ』、『森の中の死』、さらには『ワインズバーグ・オハイオ』などの成功は、安定した視点と、それに適合した言葉の運用によるところが大きかったといってもいいだろう。また、自らの情念の世界そのものを、真偽は不分明のまま客観的に映しだそうと彼はしばしば試みているが、その出来不出来の度合いも、右に述べたような尺度から推し測ることができると思われるのである。

（『英語文学世界』一九七六年七月）

Episode

大橋先生の「アンダスン愛」

大橋先生が生涯の研究対象としたのはシャーウッド・アンダスンというアメリカ作家であるが、先生のアンダスン論、特にその初期のものを読むと、アンダスンに対して意外に批判的なことが書いてあることに驚かされる。例えばアーネスト・ヘミングウェイであるとか、ウィリアム・フォークナーであるとか、ソール・ベローに対しては絶賛に近いような論調の文章をものしていることが少なくないのと比べると、アンダスンに対しては、割に厳しい評価を下しているように感じられるのだ。

あれほどお好きだったアンダスンなのに、何故?

そのことについて私に思い付くのは、ひょっとしてそれは先生の「学問的厳正さ」の顕れだったのではないか、ということである。つまり、ストーリー・テラーとしてのアンダスンは実に面白いが、例えばフォークナーと比べて、作家としてどちらが優れているかと問われたら、フォークナーの方が遥かに上と答えざるを得ない――、そんな厳正さである。好きは好きだが、だからと言ってフォークナーより上だなどとは考えていない、贔屓（ひいき）はするが贔屓の引き倒しのようなことは絶対にしない、という強い意志表明とでも言おうか。

しかし還暦を過ぎた頃の先生、すなわち私が先生と直接お話しするようになった頃の先生は、また少しアンダスンに対する考え方を変えられたのではないかという気がする。と言うのも、私が大学四年生くらいの頃だったか、何かの拍子で話がアンダスンのことに及んだ時、先生がぽつりと、「色々考えてみたのだが、アンダスンというのは、案外長く残る作家なのではないかと思う。――シェイクスピアが長く残る作家であるように、という意味だが」とつぶやかれたのを耳にしたからである。長い年月が作家の哲学やら技巧やらを削ぎ落した後、残ったもので勝負をしたら、案外、アンダスンはシェイクスピアにも匹敵するのではないか……。あの時先生が仰ったのは、そういうことだったのではないか、と、今の私は思う。

＊

学生時代、卒論でアンダスンを取り上げて以来、生涯アンダスンのことを考え続けた大橋先生は、やはり心の底からアンダスンに惚れ込んだ人であった。そしてその惚れ込みようは、先生の場合、なによりも「コレクション」という形で発揮された。

先生の研究室は、それこそ足の踏み場もないほどアメリカ文学関連の本で溢れかえっており、また先生のご自宅の書庫もこれ以上入らないというほど本が詰まっていたが、それらとは別に、と言うか、それらとは別格な扱いの本として、アンダスン関連の本のコレクションが、先生の寝室の書棚に納まっていた。先生はアンダスンの本と、まさに「寝室を共にしていた」のである。

しかもそのコレクションの内容が凄かった。アンダスンが生前に出版した作品がすべて揃っていたのは勿論のこと、そのすべてが初版、しかも各作品二冊ずつ置いてあるのである。先生は若い頃より内外の古書店を回り、アンダスン作品の初版を見つけた時は必ず買い求め、既に持っているものと比べてより状態のいい方を残すという形で、常に最上の状態の初版本を二冊ずつ、手元に置いておくということを続けて来られたのだ。

それだけではない。先生は多少なりともアンダスンにまつわるもの、あるいはアンダスンが係わっていると判明しているものであれば、どんなものでも集められた。無論、アンダスンの小説の各国語翻訳版も含まれていて、中にはソビエト連邦で発行されたアンダスンの短篇のロシア語版の小冊子まであった。これだけのコレクションは、おそらく、アメリカのどの大学のアーカイヴにもないだろうと思う。

そしてそのコレクションの威容を初めて見た時、私が感嘆のあまり、と言うより、むしろ呆れ果てて「よくもまあ、こんなものまで集められましたね……」と言った時の先生のお返事が今も忘れられない。先生はしれっとした何食わぬ顔で「キミなあ、コレクションをするというのは、そういうことなんじゃないのか?」と仰ったのである。

それはつまり、「研究するということは、コレクションをするということと同義ではないのか」という、先生の信念であった。研究するということは、愛することであり、それは相手のすべてを我が物にしたいと願うことである――。先生のアンダスン研究の根っこには、常にこの「愛」があった。

洋書二六四点、和書五四点、計三一八点から成る先生のアンダスン・コレクションは、今、戸板女子短期大学の図書館に「アンダーソン文庫」として収められている。

＊

これだけ長い間、アメリカ文学研究に携わってこられたにもかかわらず、大橋吉之輔先生には単著が少ない。少ないと言うより、実質的には一冊しかない。そのことは、例えば先生と同じく長年に亘って日本のアメリカ文学研究を牽引してこられたもう一人の大橋先生、すなわち東京大学の大橋健三郎先生が、ご専門のフォークナー研究をはじめ数多くの研究書を単著として世に問われてきたことと比べた時に、なおさら顕著な謎として浮かび上がってくる。

大橋健三郎先生と大橋吉之輔先生の間には、同志としての強い絆があった一方、研究者としてのスタイルの上で、あるいはご性格の点で、案外、大きな違いがあった。簡単に言えば、表に立つのが健三郎先生、裏方に回るのが吉之輔先生ということになるが、学問に対する秘めたるプライドというか、アメリカ文学に対する価値判断への絶対的な自信という点では、吉之輔先生の方がずっと強かったのではないかと思う。

そのことは、例えば、大橋健三郎先生がご自身のフォークナー研究の総まとめとして、いわば満を持して発表された『フォークナー研究』（全三巻、南雲堂）を書評で取り上げた際、大橋吉之輔先生がこの研究書を実質的に全否定されたことからも窺い知ることが出来る。この短いながらも激烈なまでに批判的な書評（本書一二三―四頁）は、今読んでも身の毛がよだつようなところがあるが、「同志」が書いたこの厳しい書評を読まれた時、さしもの大橋健三郎先生も驚かれ、かつ非常に落ち込まれたということを、私は信頼すべき筋から漏れ聞いている。

大橋吉之輔先生には、長年の友情を反故（ほご）にするおそれのあるようなことですら、後先のことを顧みずにやってしまう、ほとんど捨て身なまでの思い切りがあり、またそういう行動を取らせるのに必要な、確固とした価値基準をお持ちだった。

ただ、大橋吉之輔先生のために一言弁解するならば、先生は人の書くものに対して厳しかっただけでなく、それ以上に、ご自身が書くものに対して厳しかったのだと思う。だからこそ、新聞や雑誌にあれだけ数多くの文章を書かれた割に、自らは多くの著書・論文を残すことがなかったのであろう。大橋先生が書きかけられた論文は、おそらく、先生ご自身のお眼鏡に適わず、草稿の時点でその都度、屑籠に直行とあいなったのではなかろうか。

＊

そういう風に考えると、大橋先生が生前唯一世に問われた研究書、『アンダスンと三人の日本人――昭和初年の「アメリカ文学」』の意味も明らかになってくる。

本書「小伝」に記したように、この本は、大橋先生がシカゴにあるニューベリー図書館のアーカイヴに蒐(しゅう)集(しゅう)されていたシャーウッド・アンダスン宛ての書簡の中に、ダダイスト詩人の高橋新吉、翻訳家で作家の吉田甲子太郎、それにアメリカ文学研究者で立教大学教授の高垣松雄から送られた熱烈なファン・レターが含まれていることを発見したことからすべてが始まった。日本においては必ずしもメジャーな作家ではないシャーウッド・アンダスンに対し、一体なぜ彼ら三人はこのような手紙を書くことになったのか、また遠く極東の一小国のファンから寄せられたそれらの手紙に、アンダスンはどのように応対したのか。昭和初年のとある時期、アンダスンと日本人の間に人知れず結ばれた友誼の一部始終を、徹底的な文献調査はもちろんのこと、当時まだご存命だった高橋新吉氏への直接取材などもまじえながら明らかにしていく――それが本書『アンダスンと三人の日本人』の内容である。

つまりこの本は、アンダスンにまつわる「研究書」であるとは言え、大橋先生ご自身がアンダスンの小説を腑分けし、分析し、その価値を論ずるという類のものではない。そうではなくて、先生より一足先にアンダスンの熱烈なるファンとなった何人かの日本人の心情をその奥の奥まで掘り下げ、いわば彼等の「アンダスン愛」に託す形で、先生ご自身のアンダスンへの深い共感と敬愛の念を表明したものなのである。完璧主義者で、しかも照れ屋の先生には、そういう間接的な形でしかアンダスンを語れなかったし、アンダスンに関する本も書けなかったのだろう。高橋新吉、吉田甲子太郎、高垣松雄という先人が居てくれたその偶然のおかげで、先生はアンダスンを語る唯一の語り口を見出したのである。おそらくこの偶然が無ければ、先生は更に間接的な形、すなわち、完全無欠のシャーウッド・アンダスン全集を本国アメリカに先駆けて編纂・刊行するという形でしか、アンダスンへの思いを表すことは出来なかっただろうと私は思う。

*

実際、大橋先生は『アンダスンと三人の日本人』の執筆を心から楽しまれた。この本は、『英語青年』という専門誌に掲載された「Sherwood Andersonと三人の日本人」（全九回）、及び「『アメリカプロレタリヤ詩集』とSherwood Anderson」（全二三回）という連載記事を元にして書き上げられたものであり、この連載が続いている間、一方で調査を進めながら、もう一方で調べたことを文章にまとめていく、そんな自転車操業に忙殺されたそうだが、そうした懸命の作業の末に書き上げた原稿を郵便ポストに投函する時の充実感は何とも言えず心地よいものであったと、私は先生の口から直接伺ったことがある。「夜通し原稿を書くだろう、そして朝、それを投函するんだが、封筒がポストの底に落ちる『カサッ』という音がなあ、いいんだよ、実に」――そう語られた先生は、まるで当時のことを思い出す度、その充実感がリアルに蘇ってくる、という風であった。

大橋先生が亡くなられてからおよそ七年の後、二〇〇〇年の四月から、私は同じ『英語青年』誌上で一年間の連載を受け持つことになる。そしてこの連載が続いていた間、私は先生が語られた、締切に間に合うように書き上げた原稿をポストに投函する時の「カサッ」という充実感の意味を、ようやく、身をもって、理解したのであった。

第三章

仕事・クルマ・映画・古本

貧乏性

先日、銀座である文芸映画の試写会があったとき、試写の前に十分間ほど、その映画の原作についてつまらぬことをしゃべったら、五千円の謝礼をもらった。なんともわりきれない気持であった。というのは、話はちがうが、だいたい類似したような性質のことを、某ラジオ放送のために二十六分間しゃべって、やはり五千円の謝礼をもらってきたばかりであったからだ。

ラジオ放送の謝礼にしたところで、自分が話した内容に比べて、三十分たらずで五千円とは、少し多すぎるような気がしていた矢先なので、試写会のほうのが、まったくべらぼうに思われたのだ。

だいたい、ぼくがふだんもらう原稿料は、とくべつなばあいは別として、多いときで一枚五百円—八百円というところである。ぜんぜんもらえないばあいもよくある。いつぞやは、千枚ばかりの翻訳小説を、一年半ほど七転八倒して完成したあげく、その印税が十万円にもおよばなかったことがあった。

しかもぼくは遅筆で、一枚が十分以内で書けるようなことはめったにない。だが、正直なところ、いままで別に不平に思ったことはなかった。書く機会をあたえられることだけで、満足し、ありがたく思わなければならぬと、いつも自分にいいきかせてきた。金はいつも欲しいが、それとこれとは別である。

　だから、十分間で五千円というのは、自分では、どうしてもわりきれなかった。ありていにいって、それはぼくにとっては、悪銭なのである。ラジオ放送のほうも、それに近い。その日、計三十六分のはたらきで、計一万円ほどの悪銭を手にしたぼくは、逃げるようにして試写会場からとびだし、ひさしぶりの銀座の街頭で、散財をした。そんなとき、お酒が飲めないということは苦痛である。けっきょく、どこでどんなふうに使ったか、ともかく三時間あまりのうちに、八割あまりの金を費消した。全部は使いきれなかった。しかし、残りの金で本を買う気にはとてもなれない。残りの金も、その翌日、全部はたいてしまった。遊びたいから遊んだのではなく、形にのこったものものもなにひとつない。

　考えてみれば、親友の某君には一万円ほどの借金がある。本屋さんへの払いもたまっている。家内や子供たちにも買ってやりたいものがある。こんどの確定申告もこわい。だが、そんな悪銭を、そんなむきにあてることは、とてもできないのである。そんなのを貧乏性というのだろうか。

　それならそれで、あっさり忘れてしまえばいいのに、やはり重苦しい気分がのこっているところをみると、ぼくの貧乏性はほんものなのである。


（『三色旗』一九六二年十二月）

ヘミングウェイ架空会見記

印象にのこっている卒業論文といえば、よほど良かったか、あるいはよほど悪かったか、またはよほど珍妙なるものであったか、ということになる。良かったほうの例としては、数年前S嬢が書いたヘンリー・ジェイムズの『ある貴婦人の肖像』論がある。あの難かしい長篇を詳細に分析し、これまで行なわれているさまざまな論評を手ぎわよく整理し、さらに自分自身の鋭い秀れた見解を付した百五十枚の大論文であった。私のところの論文は、もちろん英語で書かねばならないが、論旨よりもなによりも、まず書かれた英語が問題であるような論文が相当多いなかで、この論文など、そのままあちらの人に見せても恥ずかしくはないほど、英文のほうも立派だった。S嬢はいま、アメリカのある一流大学で、さらに勉学をつづけている。

悪いほうの例としては、H君のヘミングウェイ論があった。同君は、就職のことなどで身辺が多忙なようであったが、そのせいかゆっくりと論文にとりかかっている暇がなかったらしく、せっぱつまって、アメリカで出版されたばかりのヘミングウェイ論をほとんどそのまま写しとった。あちらで出版されたばかりだったため、こちらはまだ見ていないと思ったらしいが、そうは問屋がおろさない。しかも、そっくりそのまま写しとることにはさすが良心がとがめたらしく、ところどころ抜かしているのだが、抜かした個所が肝腎なところばかりで、できあがったものは論文の形すらなしていなかった。もちろん、さっそく書き直しを命じた。
　珍妙な例としては、せんだって、N君の、これまたヘミングウェイ論があった。卒業論文の枚数は、だいたい五十枚以上という約束があるのだが、N君、どんなにがんばっても二十五枚ぐらいにしかならなかった。草稿を読ませてもらうとなかなかよくできている。自分のいいたいことはちゃんと述べているし、根が正直で飾りけのない男だから、適当に水まししたりふくらませたりすることができないのだ。本論はこれでいいから、体裁ということも少しは考えて、本論の前か後になにか付けるようにしてはどうかと指示したら、N君は思案の末に、とうとう二十枚にわたるヘミングウェイと自分との架空会見記をものにした。

N——はじめまして、ヘミングウェイさん。
H——やあ、どうぞよろしく。
N——お坐りになりませんか。
H——ありがとう。
N——タバコはいかがですか？
H——一本、いただきましょう。

といった調子ではじまり、談論風発、話題はついに三島由紀夫の死にまで及んでいた。天国のヘミングウェイ、さぞかし苦笑したことであろう。採点にあたって、私がアイデア賞をプラスしたことはもちろんである。N君は卒業後、ある出版社に入社、そこの企画部門を担当している。

（『塾』一九七二年二月）

国産車の余禄

先年、二年ほどアメリカに滞在していたとき、比較的束縛されない立場にあったため、余暇を利用して自動車による全米の各州踏破を思いたち、だいたいその目的を達することができた。おかげで、すっかり自動車のとりこになってしまったが、警告を無視して真夏の「死の谷」横断やリオ・グランデぞいのテキサス縦断、また厳冬のカナダ国境付近の走行など、いま思い出すとぞっとするようなことも多かった。だが、乗っていた車がN社のDという国産車であったために、思いがけない余禄にあずかったことが一、二ある。

その一つは、ウィスコンシン州の名もない田舎町のモテルに泊まったときのことだが、モテルの主人が私たちの乗っている車を見て、「その車は自分がかねてから注目していた車だ。いまはアメリカの車に乗っているが、この次には必ずその車を買うつもりでいる。気に入った」ということで、宿泊料を二割ほど割引してくれた。モテルやホテルに泊まるのに、こちらから値切ったことはあるが、むこうから車が気に入ったといって、積極的に割引されたのは、あとにも先にもこのときだけである。

次は、ニュー・メキシコ州のサンタ・フェを訪ねたときのこと。ロッキーの大分水嶺を越えて夜遅くその町にたどりついたが、折悪しく週末の晩で、どのモテルも満員だった。はじめての町で地理は不案内だし、おまけに夜ふけときているので、すっかり困惑してしまい、ともかく様子を尋ねてみようと考えて、やみくもにあるモテルの帳場に車を乗りつけると、年増の女将が出てきて、「私はその車をよく知っている。お前は日本人だろう。客部屋はもう全部ふさがっているが、帳場の隣にうちの居間がある。そこでよければ泊めてやろう」ということで、居心地のいい居間に案内された。その女将はそれから茶菓をもてなしてくれて、夜中まで歓談したが、聞けば昔はその町のある一流のバーの経営者で、多くの日本人観光客が遊びにきたという。そして、そのころの日本人訪客の署名簿を見せられたが、そこで見た多くの著名な方たちには、いまもってひそかに感謝している。

(『毎日新聞』(一九七〇年一月四日)

病気のあとで

この2月はじめごろから、体調がおかしくなりはじめた。といって、どこかが痛いとか苦しいとかいうのではなく、体ぜんたいがどことなく重苦しいのである。かかりつけの医師のところに相談にいったら、なんと血圧が200を越えていた。おどろいたのは私よりも医師のほうで、それからひと月半ほど、種々の著名な降圧薬を試していただいたが、いっこうに下る気配がなく、3月中旬には250を越えるようになった。

そうこうしているうちに、医師の不安が私にも移ってきて——というのは、それほど上っても私自身にはあまり自覚症状がなかったのである。——ふと、30年ほど前の教え子で、いまある大病院の事務長をしている男のことを思い出した。思い出したというより、その男から今年の年賀状に、自分が事務長をしているあいだに一度入院してみてはどうか? と冗談めかして書いてあったのが心のどこかに引っかかっていたというべきかも知れない。

ともかく、先方に電話して事情を訴え、万一の場合にはお世話になるかも知れないからよろしく、と述べた。万一の場合、というのは、これもやはり30年ばかり前、その大病院に関して悪口めいたエッセイをある文芸誌に書いたことがあり（編注：『三田文學』一九五九年十月号に掲載した「Z病院の憂鬱」というエッセイのこと）、以来、自分の心の中では、自分から進んでその大病院のお世話になることはできない、とひそかに決めていたからである。

私からの電話を受けた先方はびっくりして、緊急の手配をするからすぐに入院するようにしろ、ただし私のわがままな性格を考えると適当な医師を見つけるのに2、3日待ってくれ、とのことだった。その2、3日のあいだにも血圧は上がりつづけ、280になったところで先方から、翌日入院するようにという連絡があった。

安堵したのは私よりもむしろ近所の医師のほうで、翌日は救急車で病院に行けという。だが、ピカピカウーウー大騒ぎして行くほどのことではないと思い、息子に会社を休んでもらって家にきてもらい、息子の運転で病院に出かけた。到着後すぐに診察をうけたが、そのときの血圧が300を越えていて（血圧計の目盛りの最高が300で、それをどれほど越えていたかは計測することができなかった）、待ちかまえていた医師たちをおどろかせた。あとでアメリカの友人から、血圧でギネス・ブックの記録を狙うとはお前らしい、という見舞の手紙がきたが、もし血圧計の目盛りの最高が300以上あったら、ギネスに挑戦できたかもしれない。

入院生活は4週間におよんだが、その間に血圧をコントロールする薬も見つかり、それに平行していろいろな検査が行われたが、心臓その他、私たち素人考えで心配になるところはいずれも異常がなく、ただ、異常な血圧がつづいたために腎臓が萎縮しており、腎機能が低下していることが判明した。

そして、今後は、血圧をコントロールする薬の服用と、きびしい食事管理をつづけるようにと言われた。したがって、外食はいっさいできなくなった。ただひとつ、幸いなことに、好きな自動車の運転は差支えない、ということだった。

しかし、いくら自動車の運転は差支えないからといって、一方で外食ができなくなったわけだから、これまでのように遠出をすることは不可能となり、せいぜい日帰りの短かい旅がやっとといったところである。そうなるとおかしなもので、これまでに走った道路のことがしきりに思い出されて仕方がない。アメリカの本土48州のさまざまな道、本州の日本海側の一部をのぞいたわが国の北から南までのいろいろな道——しかも、それらの道が、やさしい道路と残酷な道路の二色にわけて思い出されるものである。やさしさとか残酷とかいっても、それはきわめて主観的恣意的なものにすぎないことは私自身よく承知しているが、よく整備された道路がやさしくて、そうでないのが残酷だというのではない。たいていはそれが逆になっていて、よく整備された道路ほど残酷だったように思われて仕方がないのである。

たとえば、近頃の鉄道や地下鉄などの駅を考えてみればいい。どの駅もよく整備されてきて、機能的には一見便利そうになっているけれども、それを利用する側からいえば、階段の上り下りは多くかつ長くなり、そんなことが私には残酷に思われるのである。それはお前が年をとったからにすぎない、老人の感情的な悲鳴だ、という声が聞こえてきそうだが、あと2、30年もすれば、確実に老齢化社会がくると予測されている。そういう時代に対応するだけの長期的なビジョンをもって、道路や駅は整備されているのだろうか？　もちろんそれは、車そのもの発達とも関連がある問題だろうが、やさしい道路がもっともっと増えて欲しい、と思うのである。人が歩く道のこととなれば、なおさらである。

（『道路建設』一九八六年九月）

Episode　先生とクルマ

慶應義塾大学の同僚の安東伸介先生から「カーキチノスケ」なる異名を付けられるほど、あるいは日本アメリカ文学会の揺籃期、共にこの学会を牽引された大橋健三郎先生を（お酒をよく召し上がられるところから）「drinking 大橋」と呼ぶのに対し、吉之輔先生は「driving 大橋」と呼び分けられるほど、先生は無類のクルマ好きであられた。アメリカに留学されていた時は、国産車を駆ってアラスカ・ハワイを除く全米四十八州を隈なく回られた他、帰国されてからは特に郷里・広島のメーカーであるマツダのクルマを愛でられ、ファミリアから始まってプレスト、カペラ、ルーチェ、コスモなど、マツダ車を代々乗り継がれた。

そして大橋ゼミに入った途端、私自身も大橋先生のクルマ愛の洗礼を受けることとなったのである。あれは忘れもしない、一九八四年の四月、私が大学三年生となり、大橋ゼミの一員となった時のこと。初めてのゼミで自己紹介をさせられる時、四年生の先輩方が我々新人一人一人に対して「君はクルマを持っていますか」と質問されるので、免許を取り、クルマを買って間もなかった私が「はい、持っています」と答えると、なにやら皆さん安堵されたご様子。後で分かったことだが、大橋ゼミでは毎年夏になると合宿をすることになっていて、それにはどうしてもクルマでの移動が欠かせず、従ってクルマを持っているゼミ生が一定数必要なのだった。そしてその大人数ドライブの先頭を切って走られるのが、大橋先生だったのである。

残念ながら大学三年生の時には、何かしらの都合があって、私はゼミ合宿のドライブに参加出来なかったのだが、大学四年生になった年の夏合宿では、私もカローラ・ハードトップで大橋先生の後に続いた。この頃の私はまだクルマでの遠出に自信がなく、慣れないハンドルさばきで先生のクルマの後を追いかけるのに必死だったことをよく覚えている。その必死さがよほど顔に表れていたのか、合宿先のペンションでの宴会の際、先生は「今日のドライブは、バックミラーで尾崎のクルマがちゃんとついてくるかどうかをチェックするのに忙しくて、景色を見る余裕も無かったよ」と笑いながら皆の前で私を冷やかされた。

*

その後、私が大学院に進学し、先生とそれまでよりも気安い間柄になってからは、私はしばしば、先生のクルマの助手席に乗せていただくようになった。私が出会った頃の先生の愛車はカペラで、しかも新型が出る度に買い替えておられたので、先生のクルマはいつも真っさらであり、新車特有の香りがたまらなかった。そしてクルマが新しくなる度に先生は自慢されるのだが、ガンメタリックのカペラに乗っていらした時には、「黒っぽい色のクルマは汚れが目立たなくていいぞ」と言っておられたのに、次に白いカペラに乗り換えられた時には「白いクルマは案外埃が目立たないんだ」と、矛盾することを平気で言われたりするのが可笑しかった。

そして、それだけクルマがお好きだっただけに、先生の運転の腕前には素晴らしいものがあった。また道をよくご存じであることにかけてはベテランのタクシー運転手にも引けを取らなかったのではないかと思う。特に都内の抜け道についてはまさに自家薬籠中のもので、例えば大通りの渋滞を避けて抜け道に入られた後、その抜け道も渋滞していたりすると、「じゃあウルトラC、行くか」などとつぶやきながら右へ左へと舵を切り、それこそクルマ一台が辛うじて通れるような小道や、これはよその家の敷地ではないのか?　と思われるような場所をも経めぐって、いつの間にやら見事渋滞をすり抜けられるのが常だった。また車幅感覚もすごくて、道路脇に駐車している車を通り過ぎる時など、向こうのクルマとこちらのクルマのドアミラーが触れ合う寸前、それこそ両者の間隔が数センチあるかどうか、というような感じで通過されるので、助手席に座っている私としては、「あ、ぶつかる！」と肝を冷やしたことが一度や二度ではなかった。あれは多分、私の肝を冷やすために先生はわざとギリギリのところを狙ってやっていたのだと思う。

＊

さて、先生のクルマに乗せてもらうのは楽しいのだが、楽しみには時に苦しみが付きまとう。先生との関係がより親密になるにつれ、何か用事があって先生のご自宅にお邪魔した際など、私はしばしば先生のクルマの洗車やワックスがけを頼まれるようになってしまった。ちなみに当時、先生が愛用しておられたワックスは「レインダンス」というもので、「これでワックスをかけると、雨の日など、水玉が車体をコロコロ転がって、本当にダンスをしているように見えるんだよ」と、その効用を愛でておられたが、実際にワックスがけの作業をしている私としては、ヤレヤレ、という気がしなくもなかった。もっとも、先生に教えられてからは私も自分の愛車をレインダンスでピカピカに磨き上げるようになってしまったのだから、これも師から弟子に伝えられた一つの伝統芸ということになるかも知れない。

＊

私が大学院の博士課程に進学した頃、先生は生来の高血圧から腎臓を悪くされ、病院と縁が切れなくなった。そして毎月決められた日に慶應病院へ行くようになってからは、ご自分のクルマではなく、私のクルマで、私の運転で、病院に向かわれるようになった。ということはつまり、先生の通院の都合に合わせて、私は先生専属の運転手になったということである。練馬にあった先生のご自宅を出て、どこをどう通ったものか、とにかく首都高4号線を使って外苑に出て、そこから信濃町までの道のり。先生が受診されている間、私は病院内で時間を潰し、受診後はお昼をご一緒して、それからのんびりご自宅へ帰るというのが一連の流れであった。

問題はお昼で、先生のお身体の具合と気分がいい時は、上階にあるパレスホテル系の高級レストラン「オアシス」で、またそれほどでもない時は地階にある暗い「木村屋」で食べることになるのだが、オアシスの時は「ラッキー！」という感じがした。何せ一日がかりの運転手なのだから、そのくらいの贅沢はさせてもらってもいいのではないか？　というわけである。

ところで、そんな風に先生の運転手を務めるようになったある日、私のクルマの助手席に乗っておられた先生がふと、「君も運転が上手くなったなあ」とつぶやかれたことがあった。私が、「そうですか？　昔より上達しましたか？」とお尋ねすると、「ゼミ合宿に行った頃を幼稚園時代とすると、今は立派な大学生だ」とのこと。「立派な」と付けて下さったところが何とも可笑しくて、先生と一緒に笑ってしまったことを懐かしく思い出す。

＊

しかし、そんなクルマ好きの先生も、病が重くなって人工透析をしなくてはならなくなると、クルマでの遠出が出来なくなり、ますますご自身で運転されることが少なくなっていった。そして運転の腕にも自信が無くなってこられたのか、永年乗り継がれたカペラを手放し、二回りほど小さいファミリアに替えられた。先生がクルマを替えられた頃、私は既に名古屋にある大学に赴任していたので、そのことは先生からお電話で伺ったのだが、それを知った時、私は先生の気力の衰えを感じ、胸を衝くものがあった。しかし、先生はやはりいつもと同じように、「ファミリアは運転しやすくていいぞ!」と自慢された。

だが、その運転しやすいファミリアも晩年の先生の手には余ったのか、人工透析を受けるために週に三回通われていたクリニックで、クルマをタワーパーキングの入口にぶつけてしまった、などという失敗談を後で伺った。あの大橋先生が不用意にクルマをどこかにぶつけるなど、私には想像も出来ないことで、その話を伺った時、嫌な予感と言うのか、何か冷え冷えとしたものを感じたものである。

先生が発作で倒れられたのは、このことを伺ってからさほど間もない頃であった。

先生の最後の愛車となったファミリアの実物を、私はついに見ていない。

映画三題

強烈な人間臭さ――イタリア映画「道」

聖フランシスの寓話を想起するまでもなく、ありふれたストーリイかも知れない。ジェルソミーナという白痴の女が、軀を許した男――粗暴野卑そのものの、力業を見世物にする旅芸人ザンパノにひたすらなる献心をよせながら、報いられるところなく野垂れ死をする話である。だが、これは寓話ではない。寓話というには、余りにも人間臭が強烈だ。この映画でおどろくべきことは、ジェルソミーナとザンパノと、もうひとりの重要人物――最も重要なる人物というべきだろう――「キ印」の三人が全編を通じてクローズ・アップされつづけていて、ロケによる美しい自然の景物も、三人の人物の「生活」の背景となっているにすぎないことだ。これは、いわゆるイタリア・リアリズムの新方向を暗示するものだろうが、それをこれほどまでに緻密な計算と演出とで高揚させたフェリーニ監督の力倆は凡庸ではない。フェリーニ監督の人間を見つめる眼は、人間性の基底にまで達し、象徴という結晶をえながらも、どこかのチャチな演出家のように奇をてらわず、「人間の生活」を正面から描きつくすことによってその象徴を真実なものにしている。女としての本能的な愛情に眼ざめてきたジェルソミーナが、修道院の物置でザンパノに呼びかけて愛を求める場面も、愛情を表現することを知らない粗暴そのもののザンパノが、ジェルソミーナの死を知って海岸——すばらしい波！——で声なく号泣するラストも、ウソはみじんもない。そして、白痴と野卑の懸け橋になる「キ印」はジェルソミーナとの交渉——二人のラヴシーンの演出は映画史上に残ると思われるほど印象的——を通じて、あるいは芸術を象徴しながら超俗的では決してない。人間臭がプンプンしている。それでいて、心をかきむしるようなメロディも知っている男だ。「キ印」を頂点として、その下で両極にたつジェルソミーナとザンパノとがたがいに接近することを得ないまでも「キ印」のメロディに心を結ばれてゆく「道」は宣伝文句のいうような「全女性を慟哭させる」ものではなく、観客を慟哭以上の感動に誘うものであろう。人間苦難の象徴である「道」が、われわれに号泣の仕方を教えてくれながら、人間性のギリギリの線に脈うつ暖かさを伝えてくれるほのぼのとした映画だ。

（『三田新聞』一九五七年六月二十一日）

身と心で生きている人々――「喜びも悲しみも幾歳月」

睡眠不足であまり気が進まず、それに3時間に近い長篇だということで、尻ごみしながら試写室にいったのだが、いつの間にか3時間が過ぎてしまい、こころよい涙に心も洗われて前夜来の疲労感もすっかりなくなり、反対にいまはすっかり眼が冴えて興奮してしまっている。試写がすんで表に出たとき、築地から銀座にかけてのネオンの灯りや行き交う人々の様子があまりにも空しく感じられ一緒にゾロゾロ出てきた見知らぬ冷笑家たちが、早速いまの映画の値ぶみをはじめだしたのを耳にはさんで、なぐりつけてやりたいような兇暴な衝動にかられ、銀座の角まで人ごみを縫って走ってしまった。だれがなんといおうと、ボクは……としきりに叫びながら。私がこのような興奮におち入るのは、小津安二郎監督の作品と、木下恵介監督の作品にかぎられている。両氏の作品を観ると、私はひどく感傷的になって興奮してしまい、その夜はブロバリンの厄介になってしまう。だから、私には両氏の作品の評を書く資格はないかも知れない。しょせん、ベタボメになってしまうのだから。

いつだったか、婦人公論でこの映画の脚本を読んだときから期待に胸をはずませていたのだが、それが格調の正しい色彩映画になって見ると、もう文句なしに立派だ。上海事変がはじまった25年から現在に至る25年の燈台員の夫婦の淡々たる生活を淡々とえがいたものだが「頭で生きるのではなく、軀と心とで生きている」人たちのユーモアとペーソスが木下氏の詩情にみごとにのっかって、頭で生きている私たちの生活の空しさがしみじみと恥しくなる。しかも、軀と心とで生きている人々に不幸と苦難が訪れて、その人たちから「なにかが狂っている。政治や社会にまちがいがある」と訴えられてはもう一言もない。世相のあわただしい移り変りを説明する字幕が、灯台に生きる人たちの静穏な生活に比べて、なんとコッケイであることか。「二十四の瞳」に似た作風だが、話としてのもり上りもなくただ大部分実話から取材したエピソードを次々に重ねてゆきながら、北から南まで広くロケした効果は充分にあがっている。燈台員の人たちに敬愛と感謝の気持を捧げた一篇だが、これがただ灯台だけの話ではなく、確実な眼がとらええた世相史にもなっている。高峰、佐田以下、いわゆる木下学校のアンサンブルもみごとなものだが、ただ一つだけ、新人有沢正子は拙劣だった。それも「軀と心とで生きていない」演技だからだ。

頭で生きている人々は是非とも見るべき映画だろう。なぜなら、原作、脚本、監督を兼ねた木下氏もいうように、「燈台の人々は、自分は何のために生きているのか、社会や政治の表面に立って生きている人よりも純粋に、自然に、心の底から知っているように思える」からだ。

(『三田新聞』一九五七年十月一日)

リアリズム映画の極限――ポーランド映画「地下水道」

「アウシュウィッツの女囚」以来のひさかたぶりのポーランド映画だが、映画を相当見ているつもりの私も、こんなに息づまるような、胸がしめつけられるような映画ははじめて見た。颯田琴次氏が「これほど凄いものを見たことなし、人間いちどは見ておくべきもの」と評しておられるが、その凄絶さは映画リアリズムの極限ともいうべきものだ。

第二次大戦末期のワルシャワのパルチザン部隊が、ナチス軍の圧力に抗しえず、下水道に活路を求めて生きのびようとするが、ついに下水道から脱出することができず、全員40数名のものが死んでゆくという暗然たる映画だが、どこかの国の全員玉砕などというのとはちがって、女もまじえたその40数名が、集団としてと同時に、個々の性格をもったものとしてみごとに描きわけられ、それぞれの人間が極限状況において「生きる」ことに対決している様を、非情きわまりないリアリズムで貫きとおしている。そして全員が死んでゆくのでありながら、人間の生命の崇高さ、美しさが心に強くひびいてくるのは、その非情なリアリズムの眼の背後に、ファシズムにたいするはげしい憎悪とヒューメインなものにたいする愛情がひそめられているからだろう。それにしても後半分の全部が下水道のなかの描写なのに、どこまでが実景でどこまでがセットなのかわからぬ位であり、しかもそのなかでの多人数の苦悩を克明に描きわけた迫力のある演出（アンジェイ・ワイダ）およびそのスタッフ、ならびにポーランド国立映画アカデミーの学生を主体とする演技陣は、さすがにお国柄を思わせるもので、このようなことについてだけはどうしても羨望の念を禁じえない。デイジーという女性にふんしたテレサ・イジェフスカという女優が、この映画における好演で二十世紀フォックス社に抜擢された由だが、彼女がハリウッドでどのような演技を見せるか、いろいろな意味で、けだし見物であろう。

（『三田新聞』一九五七年十二月十一日）

アメリカの古本屋

わが国でもそうであるが、一口に古本屋さんといっても、いろいろな種類がある。だが、次に述べるような古本屋さんは、ちょっと珍しいのではなかろうか。

長年のあいだ、私はあるアメリカ作家の著作物を探しもとめていた。その作家は1920年前後に活躍した人で、著名だったが、不思議なことに、その著作物は一、二点をのぞいてはほとんど絶版になっており、全部集めることは非常に困難だった。それでも、何年かたつうちに、その大半は集めることができた。だが、いちばん欲しいものが何点か、どうしても手に入らなかった。（もちろん、大学の図書館あたりにいけば、みんな読むことができるのだが、悪い癖で、その作家のものは全部自分のものにしたかったのである。）いろいろ考えて、『サタデイ・レヴュー』誌に三行広告を出すという投資もしてみたが、反応はなかった。いや、反応はあったが、見当ちがいの方面からばかりで、以後、ダイレクト・メールによる宣伝物などがいっそう増える結果になっただけであった。

そういったわけで、あちこちの都市や町を旅行したりするとき、かならずどんな古本屋にも立寄って、その作家のものを訊ねてみることにしていたが、イェール大学のあるニュー・ヘイヴンの町にいったときのこと、例によってふつうの古本屋さんに入っていって、訊ねてみたら、そこの若い主人が、この近くにもう一軒古本屋があるから、そちらへいってみたらと場所を教えてくれた。教えられたところへいってみると、そこは二階建ての、いろいろな店が棟割長屋のように並んでいるコンクリートの建物の一劃(いっかく)で、古本屋であることを示す字が書いてあるドアをあけると、すぐに二階へ階段をあがるようになっていた。

階段をあがってみると、六畳間ぐらいの広さの事務所になっていて、タイプライターののった大きな事務机が一つあるが、本らしいものの姿はどこにもない。人も、事務所の主人らしい中年の紳士がただひとり机に向っているだけで、ほかには誰もいなかった。自分がなにか間違ったことをしたのではないかととまどいながら、おずおずとその紳士に用件を告げてみた。するとその紳士は、微笑をうかべながら立ちあがり、どうぞ、といって隣の部屋へのドアをあけてくれた。

その部屋も、六畳間ぐらいの小さな部屋だったが、こちらにはきれいな応接セットがおいてあり、壁一面の本棚に200冊ばかりの本が並んでいた。どうみても多くの本ではなかったが、タイトルをみておどろいた。おどろいたというより、思わず息をのんだといったほうがいいかもしれない。1920年代、30年代の英米の小説家のうちでも、文学史的にその評価が高い僅かな数の作家の、きれいな初版本の作品だけが整然と並んでいたのである。私が探しもとめていた作品も、むろんその中にあった。私はコーヒーの接待をうけながらすっかり興奮してしまい、前後のみさかいもなく200ドルばかりの買物をその場でしてしまった。そして、自分のよろこびを主人に告げると、主人は値段が高くて申訳ないが、作家の数をかぎり、きれいな初版本ばかりを集めるように努力していると、どうしてもこれくらいの値段になるのだと説明し、買ったものをすぐに日本に送るのなら、荷作りと送料は自分のサービスにしようと申出てくれた。そして私の眼の前で、ボール箱にしっかりと荷作りし、それから、私をつれて郵便局にいった。そして、あちらでは珍しいことだが、わざわざ書留小包にして、送ってくれたのである。

だが、それでも一点だけ入手できないものが残った。思いあまって、その作家の未亡人に失礼をも顧みずに手紙を書き、なにか方法はないだろうかと訊ねたら、たまたま贈った人が死んで送りかえされたのが一冊あるからと、わざわざ送っていただいたのだった。

(『洋書輸入協会会報』一九七一年十一月)

Aを追え

三十年近くも学校の教師をしていると、蔵書といえるほどの大仰なものではないにしても、買い集めた本の数は相当なもので、その置き場所に困っているのが実情である。わが家のどの部屋を見ても、台所を除いて、本が置いてない部屋はなく、近年では二階への階段の片側も本に占領されてしまっている。

学校の研究室のほうも同じような有様で、本や雑誌にすっかり包囲されて人間のほうが小さくなっているといってもいい。それでも、不思議なもので、どの本とか雑誌とか、その置き場所はたいていわかっていて、探し出すのにそんなに苦労はしない。

ただ、困るといえば、まだ、ほとんど毎日のように、増えつづけているということがある。減らす工夫をすればいいじゃないか、と言われるかもしれないが、それがなかなかできない性分なのである。職業柄、持っている本や雑誌の八割は洋書、しかもそのほとんどがアメリカの本で、あとの二割が和書である。

ところで、ちかごろ面白いことに気がついた。洋書や和書の中古書のリストを見ていると、三十年ぐらい前の作品の初版本などに、ずいぶん高い値段がついていることがあるのである。なにも初版本などを集めようという趣味はないのだが、その折々に出版された本を買い集めているのだから、この三十年ぐらいの作品で私が持っているのがたいてい初版本であるのは当然で、リストを眺めながら、私もずいぶん金持になったものだと思うのである。ただし、そのことと、減らす工夫ができないのとは、まったく無関係である。

初版本や限定版の本といえば一九二〇年前後にたいへん活躍し、一九四一年に死んだアメリカのAという作家のものだけは全部集めてみようと決心し、最近になってようやくその望みがかなった。三十年来の願望がどうやら成就したわけである。

そのような願望を抱いたそもそもの動機は、三十年前、大学を卒業するときにそのAという作家の作品を卒業論文の主題に選んだのだが、当時、東大の図書館にもAの作品はたしか一冊か二冊しかなく、そのため、Aの作品を持っていそうな高名な先生の家をあちこち訪ねまわったり、日比谷にあった進駐軍の図書館に日参して、Aの作品をそこで大学ノートに書き写したりして、どうにかAの作品のめぼしいものにはほとんど眼を通すことができたのだが、そんな苦労への仕返しの意味で、Aの作品を全部集めて自分のものにしようと決意したのだった。

だがそれは容易なことではなかった。初版本はおろか、再版されたものも、すでに相当な時がたっていて、あちらの古書市場にもなかなか出まわらなかった。それに、もちろん、経済的な問題もあった。せっかく見つけても、あまりの高額のために、見送らなければならないことも再三あった。それでも、辛抱しながらぽつぽつ買い集めているうちに、初版本、限定版、その他の版など、Aの作品の一つ一つについて、相当数のものが入手できた。二十年以上かかってやっと七割ぐらいのものが手に入った。

だが、残りの三割については、だれに訊ねても至難の業のように思われて、もうここらで観念しようかと考えるようになった。ところが、幸いなことに、そのころAの未亡人にふとしたことから知遇を得るようになり、その未亡人の援助によって、残りの三割についてもだんだん見通しがつくようになった。そして、つい一月ほど前、まったく予期していなかったのに、未亡人から小包がとどいた。その小包には四冊の本が入っていたが、その四冊によって、私の長年の願望はついに成就したのだった。

ただ、それらの本の出所をなまじ知っているだけに、未亡人のお気持はありがたいが、アメリカの学者たちにはなんだか悪いような気がして仕方がないのである。

(『図書新聞』一九七八年十一月十一日)

ニューヨーク・ブック・フェアにて

話がいささか旧聞に属して恐縮だが、昨年（編注：一九七四年）の七月中旬、ニューヨーク市マンハッタンのコロンバス・サークルにあるニューヨーク文化センター（もともとはギャラリー・オヴ・モダン・アート）で、数日にわたって、「ニューヨーク・ブック・フェア」というのが開かれた。

よく晴れた暑い日で、セントラル・パークには人があふれていたが、「ブック・フェア」ともなればゆっくり建物のなかで涼めるだろうとタカをくっていたのに、お昼すぎにそこに着いてみておどろいた。建物をとりまくようにして長い行列ができ、混雑防止のためにガードマンが入口で入場制限をしているのである。炎天下に長い行列をつくっている人々は、いずれも、老若男女の差こそあれ、善良な読書人ばかりのようにみえた。だが、おどろいたのはそればかりではない。まず、よく見ると、「ニューヨーク・ブック・フェア」というのは恒例どころか、それが第一回の催しであったということ。つぎに、書籍の展示をしているのは、米国全土から集まってきたほとんどが無名の出版社ばかりで、その数は百に近く、大手の出版社は一つも参加していない。しかもその大半は、当節流行の反体制を錦の御旗にかかげているだけの泡沫同人誌的出版社で、スローガンばかりがものものしく、かんじんの出版物はパンフレット程度のものが二、三点ずつあるにすぎない。

それでも、何階かにおよぶ展示場を仔細に検討していくと、各階に非力な大学付属の出版社や、秀れた文学の刊行に専念していると思われる小出版社がいくつかあった。そういったなかで、あの『悪夢の光景』という気鋭の現代アメリカ文学論を展開したジョナサン・バウムバックの小説『再上映』(「フィクション・コレクティヴ」社発行)を発見したし、初版とはちがって大きな版にリプリントされたシャーウッド・アンダソンの詩集『中西部アメリカの歌』(「フロンティア・プレス」社発行)を手に入れることもできた。

ところで、その「ブック・フェア」に出かけていった私の魂胆の一部には、そこへいけば、いわゆる「ニュー・ライターズ」と呼ばれている作家たちの作品が見つかるかもしれない、ということがあった。しかし、バウムバックの『再上映』のようなうれしい一、二の発見をのぞけば、探しているものはほとんど見つからなかった。実はそれまですでに版元である出版社や定評のある古書店はしらみつぶしにあたってみて、ニューヨークに関するかぎりその件についてては絶望していたのである。もちろん、「ニュー・ライターズ」といっても、ヴォネガットやバーセルミやブローティガンなどまでに至る、いわば既成の——そして大手のジャーナリズムにうまくのっている——作家たちの作品のことではない。これら以外に、たとえばルードルフ・ワーリッツァア、ジェローム・カリン、ロナルド・スキニック、あるいはロバート・クーヴァアなどのように、その一作か二作は、こちらから注文して取り寄せたり、あるいはペーパーバック版となって普及しているので、すでにその実力のほどを知っておりながら、その他の、出版後二、三年で不思議にもはやほとんど入手できなくなっているかれらの作品を、せっかく渡米したついでに探していたのである。

かれらは、「ニュー・ライターズ」のなかでも、とくに小説手法や文体、言語などにおいて「革新的な小説」といったようなものを標榜しており、その点でなかなか大手のジャーナリズムにのりにくい（といっても、かれらの作品の版元はいずれも大手の出版社であった）のだろうが、それだけに、私の書棚に並んでいるかれらの作品の欠落を埋めたいという思いはますますつのるばかりだった。もちろん、三ヵ月間の今回の渡米の主目的はほかにあって、そのことにばかりかかずらうことはできなかったが、南部の小さな町の小さな公共図書館をたまたま訪れて、ジェローム・カリンのこれまでの全作品が並んでいるのを見たときの興奮（そのためについにその町に二週間滞在することになった）はいまだに忘れることができないし、シカゴで懇意の文学専門の古書店の主人に、探している作品のリストを見せたら、「これらの作品はいま自分が探しているものばかりだ」という答えがかえってきて、入手が至難であることを再確認したりした。結果的には、八方手をつくしたおかげで（全米の名だたる古書店にずいぶん手紙を書いた）、欲しかったものはほとんど入手することができたが、たとえばロナルド・スキニックの短篇集『小説の死、その他』（一九六九）は、発行後数年のうちに値段が二、三倍もはねあがって、十二ドル五十セントという言い値だった。古書界で値段がはねあがるのには、もちろんさまざまな理由があることは承知しているが、かれらの作品が一様に高くなっているのは、一部からかれらの実力が高く評価されているからにちがいない。だが、かれらが一部ではなく一般から正当な評価を受けるようになる日がくるかこないか（やがてくると私自身は楽観しているが）、いまの段階ではとても言明はできない。

しかし、こういった例はなにも最近にかぎったことではない。『視界』の作者ライト・モリスにしても、長年同じように、一部からしか認められていなかった（ちなみに、『視界』の初版本がニューヨークの古書店では十ドルになっていたが、それはたぶんペーパーバック版が現在あれほど普及しているからで、彼の写真エッセイ集には五十ドルの高値がついていた）。そのライト・モリスに、右に述べたような若い作家たちについての意見をもとめたら、「小説家としてのかれらの実力にはすばらしいものがあることを認めるが、ただ、彼らが歩こうとしないのが心配だ」ということだった。モリスのその言葉を思い出しながら、昨夏の収穫をいま少しずつ読んでいるところである。

（『海』一九七五年三月）

さぎそう

　さぎそうが咲いた。どんな花かよく知らずに（私のことをよく花音痴という家内も知らなかった）、二カ月ほど前、深大寺の植物園で買ってきたのが咲いたのである。ほんとうに小さな白い花で、ルーペでのぞいたほうがいいほどだが、造化の妙などという言葉が陳腐に思われるほど、私たちは心を打たれた。万物を創ったのは神だというが、さぎそうの花を見ていると、その神以上のもの、当世流にいえばスーパー・ゴッド、を考えなければ納得がいかないような気がする。早速、百科辞典や花の本などを引っぱりだしてきて、さぎそうの項を見たが、いずれも「日本各地の湿地帯に見られる雑草で……」というまことに無味乾燥な説明しかなく、花の微妙な形状の美しさなどについては何も言及されていない。ものの説明というのは、もちろん常にそういうものなのだろうが、実際に直接的な経験をしてみなければ、そのものを知ったとはいえないことを、改めて思い知らされた。あるいは想像力が直接的な経験に代るものとして考えられるだろうが、その場合にはその想像力が……などと、わかりきったことをこの暑苦しいときにしかつめらしくいうのはよしたほうがいい。

　ともかく、さぎそうの花の前に、私も家内も、三十分ぐらい坐って、ただじっと見つめていた。終戦前には、東京では世田谷区あたりに咲きそい、かつては世田谷区の区花であったというこのさぎそうも、今では絶滅しているという。板橋区の浮間や浦和市の田島原に今も残るさくらそうのことを考えると、世田谷区はいったい何をしていたのか。さぎそうを絶滅させた区として、私は世田谷区を呪いたい。そんなことをぶつぶつ心の中でつぶやきながら、ルーペ片手にさぎそうの前に坐っていたのである。さぎそうの花から受けた快いショックをどのように表現したらいいか、それがわからぬもどかしさからの八つあたりである。家内もどうやら同じ思いであったらしい。三十分ぐらい呆然としていたあとで、私がぽつんと、白さぎに似ているからさぎそうと名づけられたというのはウソで、白さぎこそさぎそうの花を真似てあのような姿態になったのにちがいない、というと、家内が、実は自分も同じことを考えていたのだという。これで、わが家に関するかぎり、ケリはついた。さぎそうが白さぎの生みの親なのである。そう結論すると、やっともどかしさから解放されて、私も家内も花の前をはなれることができた。

しかし、わが家に関するかぎりといったが、それは家内と私に関するかぎりと改めたほうがいいかもしれない。というのは、娘や息子に、「おい、すごいぞ」とさぎそうの花に注意を向けさせようとしたところ、かれらはそれにちらりと目をやって、きれいだというだけで、それ以上の感激を示そうとはしなかった。バカな奴らだと舌打ちしたが、ふと、ある先生が私に、花や木の美しさにショックを受けるようになったら、それは年をとった証拠だといわれたことを思い出した。自分自身のことを思いかえしてみて、なるほどそうかもしれないと思いなおした。若い人たちは、かれら自身が美しいのだから、人間以外のものの美しさにそんなに心を惹かれることはないのだろう。

だが、さぎそうのことで三十分もぼんやりしている余裕は、そのときの私にはなかったはずである。フラナリー・オコナーの短篇の翻訳にそれこそ朝から晩までかかりきりの毎日だからであった。昨年か一昨年だったか、某社の顔見知りの編集者が訪ねてきて、その社が企画している一般読者や主婦層を対象にした全集ものの一巻に、フラナリー・オコナーの短篇をどの作品でもいいから三つほど入れたいので、翻訳してくれないかと依頼された。フラナリー・オコナーの短篇を三つといわれて、私はすぐに「善良な田舎者」と「高く昇って一点へ」と「啓示」と、私がとくに好きなその三篇を思いうかべたが、考えてみると、それらはすでに須山静夫氏の翻訳がある。その旨を編集者に告げて、なにも今さら私が翻訳する必要はなかろうといったのだが、編集者のほうはともかく新しい翻訳が欲しいのだという。かつてキリスト教にたいして血のにじむようなたたかいを挑んだ須山静夫氏に比べて、私などはキリスト教信者でもないし、そんなにキリスト教に造詣が深いわけでもないから、どうしてもあまり気乗りがしなかったのだが、他方で、須山静夫氏がどこかに書いていた一文の一節――「私は大橋氏とはほとんど年がちがわないのだが、大橋氏を先輩と仰いでいる。なぜなら、私にフラナリー・オコナーの存在を教えてくれたのは同氏だからである」――を思い出し、須山氏がキリスト教にたいするたたかいに深く傷ついていたときに、私がオコナーの長篇や短篇を同氏に読むようにすすめた経緯があったので、須山氏にたいする個人的な責任から、須山氏の翻訳にはとても太刀打ちできる自信がないが、ともかく全力投球をしてみようと決心して、その仕事を引き受けたのだった。

その〆切りが6月末日だったのである。実は5月の中旬にその仕事にとりかかり、6月の末にはどうにか目鼻がつくだろうとたかをくくっていた。いつもの私の悪い癖である。ところが、最初にとりかかった「高く昇って一点へ」の前半のある個所で、ひっかかってしまった。翻訳にすればわずか一行ばかりの個所だが、わかっているつもりだったが実はよくわかっていないことに気づいたのである。そうなるともういけない。いつものように、そこからもう一歩も先に進めなくなったのである。もちろん、いろいろ調べてはみた。アメリカ人の大学教授に訊ねてもみた。だが、どうしても自分で納得がいかないのである。あれやこれや悪戦苦闘の末、やっとどうにか納得がつきかけたころには、もう6月末がきてしまっていた。

悪戦苦闘というと、いかにも私が七転八倒していたように聞えるが、表面的にはいささかもその気配はなかった。たまたま起った慶応のスキャンダルに異常な関心をおぼえて、新聞や週刊誌をむさぼるように読み、学校に行っていわば内部的に得られる情報とジャーナリズムから得た情報とのギャップを計ってどちらに軍配をあげようかと思案したり、大庭みな子さんの近作『浦島草』について、大庭さんから求められていた私の読後感を夜中に電話で半時間ちかくも話したり、それに応えて次の夜には大庭さんから電話があってまた半時間ちかくも話したり、雑誌『ニューヨーカー』にのったジョン・アップダイクの短篇を読んで、聖書に出てくる「癩病」が必らずしも今日のハンセン氏病とは一致していないのではないかと思って、OEDその他のLeprosyの項を調べ、また、医学に造詣の深い友人に電話して訊ねてみたり——といったあんばいで、いかにも悠々として優雅な生活だったのである。

ことに大庭みな子さんの『浦島草』については、その作品がすでに大筋でできあがっていた昨年の秋、たまたまある用件で私が大庭さんのマンションを訪ねたら、話がいろいろとはずんで、ついに明け方ちかくまで、私は自分の戦争体験や間接的な原爆体験、また先年の息子の突然の死に触発されて家内と私が行なった四国でのお遍路さんの真似ごと（というのは歩いたのではなくドライヴしたのだから）まで、訊ねられるままに詳しく話したことがあった。そんな話を私が大庭さんにするのはその夜がはじめてではなく、おたがいにときどき話し合っているので大庭さんは私の行状についてはたいていご承知のはずなのだが、その夜は以上の三点について、とくに詳しく知りたかったようで、ノートまでとりながら私の話を聞いてくださった。それから、すでに大筋でできあがっていた作品『浦島草』への書きこみがはじまり、今春やっと出版されたのだった。したがって、できあがった『浦島草』の一部には、大庭さんと私にしかわからない部分があるはずで（もちろん、その夜の私の話が直接的にもりこまれているはずはないのだから）、その部分をもふくめて、私の同作品にたいする感想をはやくから大庭さんは私に求めていたのである。（ここでちょっとおことわりしておくが、「大庭さん」という呼び方は、それしか私に恕(ゆる)されていないからである。私も大庭さんに「大橋さん」という呼び方しか恕していない。）

私のほうから大庭さんにアメリカ人の作品を読んでもらって、その感想を訊ねることもよくある。ご承知のように、大庭さんは英語のものを読むのに、まったく苦労しなくてもすむ人なのである。いつだったか、ぶらりと私の研究室を訪ねてきて、なにか面白いものはないかと訊ねられたことがあった。あれこれと話しているうちに、たまたま私の机の上にシャーウッド・アンダスンの短篇 *The Egg* のゼロックスコピーがあったので、それを読んだことがあるかと訊ねると、読んだことがないという返事だったので、是非読んでみてその感想を聞かせて欲しいとお願いした。その夜のことである。十一時ごろだったか、大庭さんから電話がかかってきて、読んでみろというので家にかえって読みはじめたら、はじめのうちは面白くてゲラゲラ笑っていたが、最後のあたりにくると急に悲しくなって涙が出て仕方がない、どうしても今夜のうちに電話をかけなければ眠れそうにないので電話したのだといって、*The Egg* の読後感を詳しく率直に語ってくださった。また、比較的最近のことだが、やはり電話でいろいろ話しているうちに、話がたまたまジェイムズ・ボールドウィンのことになり、大庭さんが自分はあまりボールドウィンを評価しないというので、私も同感だが、ただ彼の『ジョヴァンニの部屋』だけは異色だと思っていることを告げると、その作品はざっと見ただけでちゃんと読んではいないということなので、それでは私の十数年前の拙訳『ジョヴァンニの部屋』を読んでみてくださいといって、翌日早速お送りした。するとそれから二日後に、拙訳が届いたので早速読みはじめ、それこそ一気に読みとおしたが、正直なところボールドウィンがこれだけのものを書いているとは知らなかった。世間の学者や批評家はいったいなにをしているのだろう、この作品はもっともっと評価されるべきだということだった。私がうれしく思ったのはもちろんである。うれしかったといえば、これも最近のことだが、あちらの *Twentieth Century Literature* という季刊誌に書いた *Sherwood Anderson in Japan: The Early Period.* という拙文の抜き刷りがやっととどいたので、大庭さんに一部お送りしたところ、早速電話がかかってきて、非常に面白かった、いろいろな資料を通じて私がシャーウッド・アンダスンにいわば「乗りうつっている」ような気がする、とお賞めの言葉をいただいた。話半分としても（大庭さんは私にたいしていつも率直なので、そんなことをいうのは失礼かもしれないが）、やはり一人でもわかってくださる人がいるというのはうれしいことである。最近、拙文にたいするあちらでの反響もある別の雑誌を通じて知ったが、それよりも大庭さんの批評のほうがずっとうれしい。

それやこれやで、ひっかかっていたところにもやっと納得がつき（というよりも自分で勝手につけたのかもしれないが）、オコナーの短篇の翻訳にほんとうの意味でとりかかったのは、〆切り日をすぎた7月になってからである。入るものが全集の一巻だから、編集者のほうはもちろん気が気ではなく、ただただ一日も早くと催促してくるばかり、私も申訳ない気持でいっぱいで、それこそ夜を日に継いでその仕事に専念した。といっても、私が家事に立ち入っている部分（ゴミの処理や買い物など）を省略することはできない。それを省略することは、私自身の存在理由を否定することにつながるからである。ともかく、それ以外の時間はすべてその仕事に向けた。ところが、クーラーをかけっぱなしにして部屋の中に閉じこもり、換気もしないで何時間もすごしていれば、体に悪いのは当然で、当然とわかっていてやるのをバカだということから、家のものにバカだバカだといわれながら、ついに夏風邪をひいてしまって二日間ダウンしてしまった。やっと私が少しよくなったと思ったら、こんどは家内がバカになってしまった。あいにく娘はアメリカ人の留学生30人ばかりを引きつれて妙高高原に出かけ、息子はデパートの配送アルバイトで忙しい。旧バカが新バカを看病しながらの、まさに文字どおりの悪戦苦闘となった。

しかしその悪戦苦闘もどうやらあと一週間というところまでこぎつけ、新バカも回復のきざしを見せはじめたころ、さぎそうが咲いたのである。編集者もどうやら胸をなでおろしてくれた。だが、まだ胸をなでおろしていない人がいる。それはこの駄文の編集担当者染井さんである。染井さんにはほんとうに申訳ない。正直に告白すると、オコナーの仕事は一昨昨日に終った。だから、そのすぐあとでこの駄文にとりかからなければならなかった。ところが、とりかかったのは昨夜の夜半からである。なぜかというと、昨夜と一昨夜と、二日つづけて神宮球場にナイターを見にいったからである。プロ野球の観戦というのは何年ぶりかであるが、ご承知のように、今シーズンのわが広島カープはことのほか調子が悪く、現在ビリ、とくにヤクルトとの対戦成績が悪くて一昨日まで2勝11敗4分け、そのカープが神宮に遠征とあって矢も楯もたまらなくなり、野球は始めてという家内をつれて二夜つづけて出かけたのである。その甲斐あって、珍しくも二連勝、昨夜のごときは山本浩二の二ホーマーを見てさすがの家内も興奮した。家内も野球がすっかり面白くなったらしい。この駄文が終ったら、あと一つ、一週間ばかりかけて調べてみたいことがある。それが無事に終ったら、北陸にでもドライブに出かけようと話し合っている。北陸の海岸線をドライブしたら、これで本州、四国、九州の海岸線は、ほぼ全部ドライブしたことになるからである。

二つ咲いていたさぎそうの花の一つは枯れてしまったが、別の茎先に、また新しいのが咲きそうである。

〈『英米文学』〈戸板女子短期大学紀要〉一九七七年九月〉

第四章

晩年の先生

天邪鬼

漫然と馬齢を重ねているうちに、いつのまにか、六十代も半ばを過ぎ、第二の定年も目前になってきた。それに、数年前から人工透析という延命策を講じていると、自分の現在ということが従来になく重みをもちはじめ、想い出すことが非常に多くなってきた。それも、自分が歩んできた道などという大げさで偉そうなことではなく、押し流されるままにがむしゃらに生きてきた自分の過去のなかのあれこれである。また、先般ある雑誌に、「私自身の記憶や想い出のなかでは、すべてが横並びになっている……。すべてがまるで昨日のことなのである」と書いたように、想い出すことに時間的な脈絡はほとんどない。それと、長年アメリカ文学を世渡りの道具としてきたから、この連載コラムでは、アメリカにかかわる話が多くなるかもしれない。もちろん、それも私自身の身勝手なアメリカにすぎず、アメリカ学などというしかつめらしいものではない。

＊

一昨年の春のことである。故郷の広島の新聞社から、突然、電話がかかってきた。李某という韓国人を私が知っているかという問い合わせである。もう五十年も音信不通であったが、忘れようとしても忘れることのできない名前である。よく覚えている、と私は答えた。

今は韓国のソウルに住んでいる李さんは、長い手紙を新聞社に寄せ、自分は原爆直後に韓国に帰り、以来、日本とはかかわりのない生活をしているが、日本人のなかでいますぐにでも会ってみたいと思う人がひとりだけいる、と言って私の名前をあげ、大学は英文科に進んだから、もし元気なら、英語の教師でもしているかもしれない、ともかく探してみてくれ、と言っているのだそうである。

二つ年上の李さんは、私の小学校のときの同級生だった。私たちが通った小学校の裏門のほうには、朝鮮半島出身の人たちが多く住んでおり、同級生にかれらの子弟がいるのは不思議ではなかった。ただ、近年ますます明らかになってきているように、戦前のかれらにたいする日本人の差別はひどいものであった。かれらは一人前の人間とは見なされていなかった。それに、時局ということもあった。私たちのように大正の末期に生まれたものは、まるで戦争の申し子であるかのように、小学、中学、高校、大学（いずれも旧制）と進学するたびに、情勢は逼迫の度を増していた。

李さんと私が同級生になったのは、昭和10年代のはじめのころで、二人は急速に親しくなった。理屈もなにもなく、ただおたがいに通じあうものを感じて好きになったのである。放課後は一緒に川遊びに出かけたり、トンボ釣りをしたり、めんこ遊びに興じたりした。また、私の家に招いてお菓子を食べたりした。親をのぞいて、周囲の人たちは、二人が親しくしているのを奇異の目で見ていた。その点、私はいまでも親に感謝している。

李さんは、私と遊んでいる最中に、ときどき、子供の言葉で、同じ人間であるのに自分たちはどうしてこうまで差別されなければならないのか、と嘆いた。その都度、私は狼狽してしまい、少なくとも自分は差別などしていない、と子供の言葉で必死に相手を慰めようとした。そのようなことをくりかえしているうちに、私はいつしか、自分自身も差別される側に立ってみなければ、ほんとうのことはわからないのではないかと思うようになり、それこそは人生で大事なことではないのかと感じはじめていた。

小学校が終わって、李さんは市内の菓子工場の工員になり、次いでタクシーの運転手になった。私は中学に進み、高校まで広島にいたが、李さんとは年に二、三度しか出会うことがなくなった。だが、おたがいの親しみの気持ちは少しも薄らぎはしなかった。

他方、中学から高校へ、高校から大学へと進学するたびに、私は周囲の人たち、とくに学校の先生方や親兄弟たちの期待や忠告や助言を、ことごとく裏切った。高校に進むときは、理科に行けと言われて文科を選び、大学に入るときは、法学部か経済学部と言われて文学部の英文科を選んだ。昭和10年代後半、事態は悪化の一途をたどり、敵性語である英語を勉強したり、文学をやったりするのは、たいへんに非国民的な行為であるというのが社会一般の風潮になっていた。英文科に入るなどというのは、底なしの真暗な井戸に飛びこむのと同じで、先の見通しなどまったくなかった。ただ、好きなものは好きなのであって、それればかりはどうしようもない、生きる意志があれば何をしてでも生きていけるだろう、というのが天邪鬼の私の論理であった。そして、そのような論理のひとつの支えが、李さんの存在であった。

新聞社からの問い合わせがあって二十日ほどたったころ、今度は直接に李さんから電話があった。大阪まで飛んできて、新幹線で上京し、いま東京駅にいると言う。あまりにも唐突で私はうろたえたが、ともかく、吉祥寺のT百貨店の最上階のエレベーターの前で、待ち合わせることにした。

40分後、二人は会うことができた。幼いころの面影が残っていた。二人は手を握り合った。何か言いたいことがこみあげていたが、言葉にはならなかった。「おたがい、元気でよかったね」と言うのがやっとだった。

(『英語青年』一九九三年四月)

Episode　李さんのこと

「天邪鬼」というエッセイについて、私の知る範囲で若干の補足をしてみたい。

＊

エッセイの中で先生自ら語られているように、李さんと大橋先生は、広島の荒神町尋常小学校における級友同士であった。そして当然、想像されるように、李さんはその出自から校内で激しい差別と迫害を受けていた。大橋先生はそうした状況に憤り、また級長という立場もあって、李さんのことを断固庇（かば）い続け、分け隔てなく付き合った。否、むしろことさらに李さんと仲良くし、自宅に招くことも多かった。

大橋先生と二人だけで遊んでいる時、李さんはしばしば、差別を受ける身の辛さを訴えたという。しかし、所詮小学生のこと、理路整然とした訴状にはならない。ただ李さんが繰り返し口にしたのは、「冷（ひや）い飯食ったって、ぬくいポンポン（うんち）出すぞ」という言葉だった。朝鮮人だって、貧しくたって、人間であることには何ら変わりがないではないか、それなのに何故——。先生は李さんのこの言葉を私に伝えた時、私の前で泣かれた。そして人間の平等を鮮烈に訴えた幼い李さんの言葉は、先生の胸中に同胞への激しい怒りを促し、後に英米との戦争の真っ只中にあって敢えて英文科に進学するという、当時としては反社会的ですらあった道を選ぶに当たって、先生の背中を押す一番大きな力になったと明言された。

またそれに続けて先生は、この先もし自分が小説を書くとしたら、この言葉をメイン・テーマに据えたいと言われた。ただ、力が足りず、単に社会派の作品と見なされる程度のものしか書けなかったとしたら、むしろそんなものは書きたくないとも。

＊

私が先生からこの話を伺ったのは、一九九〇年の三月九日のことである。広島の中国新聞社から電話で「李という人から『最も尊敬する日本人』である大橋という人にもう一度会いたいので探してほしいという依頼が来ているのだが、あなたがその大橋か？」という問い合わせがあり、その結果、李さんと何十年かぶりの再会を果たした直後であった。先生が私の前で泣かれるという、前代未聞のことがあったこともあり、先生の家を辞し、帰宅してから急いで心覚えを付けたので、珍しくハッキリ覚えている。

しかし、今、このことを書きながら改めて胸を衝かれるのは、先生が勢い余ってふと洩らされた「この先もし、自分が小説を書くなら……」という言葉である。ひょっとしてこの頃の大橋先生の心の内には、「小説を書きたい、書いてみよう」という衝動のようなものがふつふつと生じていたのではないか——。

私には、どうも、そのように思えて仕方がないのである。

インディアン

かりに今、アメリカのどこかの町に行って余生を送れ、と命じられたら、私はちゅうちょなくシカゴかニュー・メキシコのサンタ・フェを選ぶ。この二つの町、その周辺の地域も含めて、すべての点でまったく対照的だが、私にはとても甲乙がつけられない。私の気質の分裂的な傾向、度しがたい気まぐれの証左である。もっとも、理想を言わせてもらえば、冬はサンタ・フェ、夏はシカゴで暮すことができれば、この上ない。私の知り合いに、定年まではニューヨークで暮し、定年を迎えると一家をあげてサンタ・フェに移住して悠々自適の生活をはじめた人がいる。羨ましいかぎりの人生である。

しかし、これはサンタ・フェの町の話ではない。30年ほど前の7月の末、ネヴァダからアリゾナを抜けてサンタ・フェに向う道中での出来事である。ネヴァダのミード湖やフーヴァー・ダムのあたりで思わぬ時間を費やしたため、グランド・キャニオンへの入口の町として有名なフラッグスタフの市街を通過したころには、日が暮れかかっていた。そのあたりからサンタ・フェまでの間には、「化石の森」やアコマの山など、日のあたる明るい時間に訪ねてみたい箇所がまだいくつかある。今夜はこの辺で一泊しよう、と私は決めた。だが、なにしろ一面の砂漠のなか、果して宿泊できる場所があるかどうか、残念ながらフラッグスタフまで引き返そうか、などと思いあぐねているうちに、行く手の左側に、ホテルと書かれた薄暗い軒燈が見えた。それはまさに砂漠のなかの一軒家で、古色蒼然とした木造の三階建て、けばけばしいネオンサインなどがないのがいい。屋内の照明は、蛍光燈ではなく電球だった。

昔の帳場といった感じの受付に行ってみると、幸い、空室はあると言う。早速、チェック・インして、二階の一室を割り当ててもらった。シャワーとトイレの付いた部屋だった。なにはともあれ、砂漠の砂を洗い流そうと、シャワーのコックをひねった。すると、キイッと軋る甲高い異音が発生し、部屋じゅうがガタガタと揺れはじめた。出てくるお湯は、そんなに熱くはなく、量も乏しかった。しかし、私の小さい体を洗い流すには充分だった。それまでも、ニュー・イングランドと中西部で、同じような経験をしたことがあるので、別におどろきもしなかった。

さっぱりした気分になって、それから私は下の帳場に降りて行き、そこの椅子のひとつに腰をおろして、備え付けの新聞を読みはじめた。すると、背後から誰かが近づいてきて、私の肩を叩きながら、だみ声で、

「よう、お前ンとこの、ことしの畑の出来はどうだね？」と話しかけてきた。振り向くと、そこには私と同じような顔立ちの見知らぬ男が立っていた。人違いに気がつくと、その男はほころびかけていた口もとを凍らせたまま、そそくさと立ち去って行った。そのときになって、私ははじめて、あたりに漂うどことなく異様な空気に気がついた。帳場にたむろしている他の

二、三の客も、受付の男も、みな私と同じような顔立ちだった。砂漠の夕暮れのなかで宿を見つけることができたよろこびと、炎天下での長旅の疲れとで、私はそこがインディアン専用のホテルであることには、それまで気がついていなかったのだ。私はインディアンのひとりに間違われていたのである。ホテルに辿りついてチェック・インするまで、すべてがスムーズに運んだのも、そのせいだったのだ。おかしいやら嬉しいやら、急に肩身が広くなったような思いがした。

それより少し前、自動車旅行ではなかったが、ワシントンの黒人地区のどまんなかのホテルに、一週間ほど滞在したことがある。そのときは、チェック・インするのに非常に苦労した。私のことを怪しんで、なかなか客として迎えてくれようとはしなかった。やっとのことで泊めてもらい、最初の夜が平穏に過ぎると、ホテル側の私への対応は、掌を返したように親切になった。チェック・アウトするときには、先方からわざわざ握手をもとめて、別れを惜しんでくれた。

ちなみに、このようなホテル、すなわちある人種が専有的に使用するホテルは、皮肉なことに、'interracial hotel'（編注：「異人種混交ホテル」の意）と呼ばれていた。そのように書かれた標識を入口のあたりに掲げることが、法律だか法令だかによって定められていたようである。ようやく騒然となりはじめていた人種問題に、配慮してのことであろう。アリゾナのホテルにも、その標識が小さく掲げてあったが、暗かったので気がつかなかった。ワシントンでは、タクシーをひろって黒人の運転手に、どこかの'interracial hotel'に連れて行ってくれと頼むだけで、話はすぐに通じた。運転手が、ほんとうに泊る気か、と聞き返しただけである。

戦前のわが国でも、鉄道の主要駅の駅前や駅裏の路地のあたりには、そのような標識こそ掲げてはいなかったが、'interracial hotel'と呼んでもいい小さな旅館が必ず何軒かあった。それらのほとんどは、今は、コンクリートのビジネス・ホテルに変身している。

アリゾナでの一夜のあと、車を走らせながら疲れてくると、あるいは、砂漠の異様な情景が目に入ったりすると、私は無意識のうちに、インディアンのような雄叫びをあげていた。

(『英語青年』一九九三年五月)

タイムズ・スクェア

20年以上も前の9月、ブルックリンのS教授宅に10日間ほどご厄介になったことがある。あまり広いお宅ではなく、私に割り当てられたのは三階の屋根裏部屋だった。深夜、天窓や高窓を叩く雨足や射し込んでくる月の光に、妙に感傷的な気分になったことをおぼえている。

勤勉なS家の朝は早かった。朝8時半、目をさまして私が下に降りていく頃には、親はそれぞれの職場に、小さな娘2人も学校に出かけていて、家にはもう誰もいなかった。ただ、みんながあわただしく家を出た証拠は、歴然と残っていた。洗面台の上には、4人の歯磨のチューブが蓋もしないで置きっ放しになっていたし、台所の食卓の上には、朝食が食べっ放しになっていた。さすがにバター類やジュースは冷蔵庫に納めてあったが、使った食器類はそのまま食卓の上に残っている。私は先ず洗面台の上を片付けた。それぞれのチューブに蓋をして、鏡の裏に納めた。それから、食卓の上の食器類を流しに運び、洗って、布巾で拭き、食器戸棚に収納する。次に、部屋の隅にある洗濯物の籠をのぞくと、前夜私が入れておいた私の下着類の上に、みんなの下着類が放りこんであった。それらをまとめて洗濯機に入れ、スイッチをオンにする。次はいよいよ自分の朝食の番だ。パーコレーターを作動させ、ラジオをつけて、軽音楽かニュースを流す。それから、冷蔵庫をあけて必要なものをふんだんに取り出し、思う存分の朝食を作って楽しんだ。私はこのようなことをするのが、うれしくて仕方がなかった。S家では私をまるでお客扱いしないのだ。それが最上のもてなしというものだろう。

　朝食が終って片付けがすむと、ぽつぽつ外出の準備にとりかかる。と言っても、別に改まった恰好をするわけではない。サンダル履きに、長袖のシャツだけでまだ充分の季節だった。写真を撮るのは好きではないので、カメラは持たない。時刻は10時半近くになっていた。戸締まりをして表に出てみると、ゴミの缶だけはきちんと出してあった。

　地下鉄の駅までは、そんなに遠くはない。地下鉄でマンハッタンに出る。そして、たいていはユニオン・スクェアで降りて、その周辺の古本屋や書店を見てまわった。半日かかって、やっと5、6軒の店が精一杯である。思いがけない掘り出し物があったりすると、昂奮してしまい、近所のエスプレッソの店にとびこんで、一息ついた。

　だがその日は、タイムズ・スクェアまで足を延ばした。そのころ簇生していたポルノショップを覗きたかったのである。ブロードウェイと42丁目の角に立って、状勢如何とあたりを見渡した。ポルノショップには間口が狭くて秘めやかなのが多い。するとそこへ、白髪長身で痩せぎすの白人の老女が近づいてきた。杖をつきながら、途方に暮れた顔をしている——

　自分は団体旅行の一員として、オハイオからニューヨーク見物にきたのだが、さきほど仲間にはぐれてしまい、ホテルの名や旅程を書いた紙も失ってしまった。交番や案内所にも行ってみたが、みんな忙しそうで、自分のことなんか構ってはくれない。いったいどうしたらいいのだろう？

と訴えながら、まるで私が最後の頼みと言わんばかりであった。道に迷ったのならまだしも、自分の泊るホテルの名を忘れたのでは始末が悪い、と私もほとほと困惑してしまった。立ち話もなんですから、と私は老女を道端のベンチに誘い、2人ならんで腰をおろした。老女は虚ろな顔になっていた。ふと、前方に公衆電話のブースがあり、そこに黄色い頁の部厚いマンハッタンの職業別電話帳があるのが目に入った。私は一計を案じ、その電話帳を持ってきて、「ホテル」のところを開いた。ぎっしりと細かい字で、ホテルの名がABC順にならんでいる。別枠の広告が各頁に鏤められていて、本文のほうは延々とつづいている。ともかく、私はA－から始めた。声を出して一語読んでは、老女の顔を見る。まるで発音の練習のようだった。B－の終りまで辿り着くのに15分かかった。挫けそうになる気を取り直して、C－に入った。ところが幸運にも、C－の最初の語で老女は積極的な反応を示した。私につづいてその語を発音し、頷いたのである。幸運はさらに重なった。C－のアドレスを見ると、そこから非常に近かったのである。パーク・アヴェニュー・サウスの何番地とある——

「ああ、これは簡単です。このベンチの下を走っている地下鉄に乗って、すぐ次のグランド・セントラル駅で降り、駅の南口に出ます。すると、目の前がパーク・アヴェニュー・サウスです。この番地ですと、何ブロックか南に歩いて、その左手にあるはずです」

私は自分の計画が旨く運んだので、少し昂奮していた。だが老女の顔は、またぼんやりした表情に戻っていた――

「そんなに近いのなら、そこまで私を連れて行ってちょうだい」

と、かぼそい声で言った。仕方がない、乗りかかった舟だ、と思いながら、私は彼女と連れだって地下鉄の駅に降りていった。

タイムズ・スクェアもポルノショップも、遠のいていた。

(『英語青年』一九九三年六月)

Episode

恵泉女学園大学時代

一九五二年、すなわち昭和二十七年に専任講師として赴任されてから三十数年に亘って慶應義塾大学に勤められた大橋先生は、早期退職制度を利用し、一九八八年（昭和六十三年）の四月から恵泉女学園大学へと移られた。

キリスト者・河井道によって創立された恵泉女学園は、当時四年制の大学を新たに作ろうとしていて、その創設メンバーとして大橋先生が招かれたというわけだが、大橋先生がこの申し出を受けたことにはまた別に理由があった。実は先生の奥様の和子さんが恵泉女学園の卒業生だったのである。大橋先生が恵泉女学園大学に招かれた時、奥様は非常に喜ばれたという。おそらく先生は奥様の喜びようを見て、ここへの移籍を決められたのであろう。そして機会があれば、ＯＧである奥様をこの大学に連れていって、喜ばせてあげようと計画されていたのではないだろうか。そのことを思うと、恵泉女学園に赴任するわずか二か月前に奥様が急逝されたことが、何とも残念でならない。

一方、先生と私との関係からすると、私が大学院の修士課程を修了し、博士課程へ進学するのと同時に、指導教授である先生に他大学に移られてしまったことになる。

しかし、これによって先生と私との関係が疎遠になったかと言えば、事実はまったくその逆で、先生の恵泉女学園への移籍によって、私はそれまで以上に頻繁に先生とお会いすることになったのであった。と言うのも、恵泉女学園大学は私の自宅（実家）からクルマでわずか二〇分ほどのところにあったからである。

この利便性を、先生が見逃すはずはなかった。実際、新しい研究室への引っ越しからして、私は先生の後にくっついてお手伝いする羽目になった。そして毎週金曜日の先生の講義日には、私はさしたる用もないのに恵泉女学園大学に赴き、先生が講義をされている間、研究室で待機することになったのである。そもそも部外者である私がこの大学のキャンパス内に居ること自体妙なものであるが、先生は「体調に不安があるので、助手は是非必要」などと説得されたらしく、私がこの大学に頻繁に出没することも黙認されていた。

ところで、この点については一つ面白い思い出がある。

先にも述べたように、恵泉女学園というのは由緒ある女子教育機関であるわけだが、それだけに、と言うべきか、基本的に若い男性を教職員として採用しないという不文律がある。男性教員が皆無というわけではないのだが、それは大橋先生のように功成り名遂げた年輩の大先生が採用されるので、この若く美しき才媛たちの園は、若い男性、とりわけ二十代の男が足を踏み入れる場所ではないのである。

そこへ持ってきて、大橋先生の「私設助手」といういささか曖昧な形で「二十代の男」たる私が、いわば不意打ち的に登場したのだから、これはある意味、恵泉女学園にとって開闢（かいびゃく）以来の椿事であった（らしい）。そのことは、大橋先生に付き従って初めて恵泉女学園大学の事務室を訪れた時、そこで仕事をしていらした大勢の女性職員の皆さんが全員、がばっと椅子から立ち上がり、口をあんぐり開け、あっけにとられたような表情で私の一挙手一投足を見守ったことからも窺われる。私のこれまでの人生で、あれほど一時に沢山の女性たちの注目を浴びたことはなかった。

＊

さて、それでは私が何のために先生の講義日に研究室で待機していたかというと、これは主としてお昼ご飯の都合である。グルメの先生は、この日のお昼はキャンパスの外に出て、どこぞのレストランで食事をしたいのだが、それも一人ではつまらない。そこでお昼ご飯のお相伴をさせるために、私を近くに置いたのである。かくして毎週金曜日の午前中の授業が終わると、先生は私のクルマに乗って、最寄りの小田急多摩センター駅近くに新しく出来たばかりの「そごうデパート」に赴き、その上階にあるレストラン街で食事をするのが習慣となった。

それで思い出すのだが、そごうデパートに昼食をとりに行くようになった当初、このデパートは、オープンしてまだ間がなかったせいか、会計をする場所の表示が「Casher」となっていたことがあった。それで英語にはうるさい大橋先生がこれを気にされて、「キミなあ、ちょっと行って店員さんを捕まえて、『正しくは「Cashier」である』と言って来なさい」と私に命じられたのである。面倒臭いなあと思いながらも、私がその通りにお店の方に伝えると、翌週には見事に表示が修正されていた。このデパートが外国人のお客さんからさほど笑われずに済んだのは、だから、先生と私のお陰である。

また食事の帰りに、先生はこのデパートでよく品物を買われた。特によく覚えているのは、靴を買われた時のこと。先生はもともと小柄であった上、足のサイズが小さいので、紳士靴売り場には先生の足にうまく合うサイズがない。そこで先生は、婦人靴売り場で靴を買われるのである。無論、私も先生にお付き合いするのだが、祖父と孫ほどの年齢差のある男二人が女性靴売り場に陣取り、あれでもない、これでもないと試し履きをしている光景は、傍から見たらどのように映ったか。しかし、先生と二人であれば、私はそんなことも別に恥ずかしいとは思わなかった。

＊

さて、このようにして始まった先生の女子大での新生活であったが、傍から見ている限り、先生はこの新たな環境を相当楽しんでおられたのではないかと思う。

津田塾大学やお茶の水女子大学で教鞭を執られたことのある先生（特に津田塾大学がご贔屓で、津田の女子学生特有の、型に嵌らぬワイルドなところがお好きだった）は、女子学生だらけの教室の雰囲気を苦にされなかった。それに先生は天性、女性にモテるので、恵泉女学園大学の学生さんたちからも慕われていたし、先生の方でもこの学園に集った若いお嬢さんたちのことを「見どころがある」と折に触れて褒めておられた。

また先生は、半径十メートル以内にいる誰の心をもとろけさせる飛び切りの笑顔の持主であり、その魅惑の笑顔でもって新たに同僚となった女性教員の皆さんや事務系職員の皆さんをたちどころに味方につけてしまわれ、私設助手の私など端から必要ないほどに皆さんから大事にされていたので、先生としては非常に居心地が良かったのではないだろうか。その意味で、先生の恵泉女学園大学への移籍は、大成功であった。

しかし、残念なことに、先生の恵泉での教員生活は、それほど安定したものではなかった。と言うのも、この年の八月半ば、先生は急に体調を崩され、十一月末まで長期入院を余儀なくされてしまったからである。そしてその後も頻繁な入退院の繰り返しが続き、慶應時代のようにじっくりと腰を据えて研究と教育に打ち込むことは出来なかった。

そして最初の長期入院の際、後期の授業は担当出来そうもないことが判明し、代講を立てなければならないとなった時、白羽の矢が立ったのは、当然予想されるように、私であった。かくして図らずも私はこの年の九月末から恵泉女学園大学の正式な非常勤講師となり、先生の代わりに教壇に立つことになった。思えば私が大学と名の付くところで教壇に立ったのはこれが初めてで、その意味で私の大学人としてのキャリアはここから始まったと言っていい。そしてこれ以後、先生と一緒に恵泉に行ったり、先生の代わりに恵泉に行ったり、先生が慶應病院に入院したり退院したり、私もお見舞いで慶應病院に入り浸ったりという生活が、一九九二年の三月まで続くことになるのである。

なまえ

ジェイムズ・パーディの作品に、「私を正しい名前で呼ぶな」（'Don't Call Me by My Right Name'）という、表題は長いが本文はわずか7頁の短篇がある。はげしい恋愛の末にめでたく結婚した女性が、ふと自分の姓が「クライン」（Klein、ドイツ語の「小」）に変っていることに気づく。恋愛中は相手の姓のことなど考えたこともなかったが、落着いて考えてみると、なんだかおかしい。自分は、体格も性格も、少しも小さくはないからだ。そのことが気にかかりだすと、いても立ってもいられないような気持になり、夫に改姓してくれと頼んだりするが、夫は笑うだけで取り合ってくれない。そのうちに、その気がかりが次第に嵩じてきて、ついにノイローゼになってしまう、という話である。

20数年前、私はこの作品を「なまえ」という邦題にして、ある文芸月刊誌に訳出した。するとまもなく、ある大出版社で日本の文学を担当しているという青年が、突然、私を訪ねてきた。その用件というのは、先ず、この作品は翻訳の形を借りた私の創作ではないのか、もし翻訳だとすれば、アメリカにこのような小説があるということ自体が自分にはおどろきであり不思議である、近頃のアメリカ小説について少し話を聞かせてほしい、ということであった。私は自分の翻訳が褒められたような気がして悪い気はせず、パーディの原文を取り出してきて、自分の創作ではないことを証明し、「なまえ」と同じような作品をパーディは他にも多く書いていることや、このような傾向はパーディひとりに限らないことを、具体例をあげて説明した。その青年は、アメリカ文学についての従来の自分の考えを少し改めなければならない、と呟きながら帰って行った。このようにして、私はアメリカ小説の味方をひとり増やした。ただし、これは1ドルが360円だった頃の話である。

人名や地名というのは、普段は記号ないし符号として用いられることが多いので、あまり深く考えることをしないが、それだけに、ひとたび考えはじめてみると、その呪縛にとり憑かれてしまい、身動きできなくなるようなことが少なくない。たとえば、アメリカは世界中が集まっている国だから、世界中の人名や地名があるのは当然だろう。地名で言えば、パリもあればモスコーもあり、ロンドンもあればベルリンもある。北京もあればローマもあり、アテネもあればリスボンもある。それに、原住民のインディアンやアメリカ社会の歴史に由来する地名まで加わって、まるで地名のオン・パレードである。困惑してしまうほど面白い。

困惑と言えば、ほんとうに困惑するのは、それらの地名や人名がアメリカにきて英語圏内に入り、綴字や発音に変化を生じていることである。そのような現象を、英語学の先生方には叱られるだろうが、私は心ひそかにアメリカナイズという語で整理することにしている。また、アメリカはまだ生成をつづけている国だから、そのアメリカナイズの度合いに応じて、発音などは一筋縄ではいかないことがある。

たとえば、10年以上も前、ある筋からの要請で、アメリカ某大学の教授でBeauchampという先生に応待することになり、空港でお迎えしたとき、私は、「ようこそ、ビーチャム先生」と声をかけた。すると先方はにっこり笑って、自分の家はフランスから移住してきて、自分で三代目だが、まだ意識の上ではアメリカ人になりきっていないので、どうか自分のことはボーシャンと呼んでくれと言われて、面食らったことがある。

また、どちらもニューヨークに住む親日家で、わが国にも知己の多いアメリカ文学の先生に、Arthur WaldhornとJack Salzmanがいる。名前からみて、両人とも明らかにドイツ系ユダヤ人である。ちなみに、前者は現在70歳台、後者は50歳台である。ところで、わが国でこの二人を呼ぶとき、前者はためらいもなくウォールドホーンであるのに、後者はザルツマン、あるいはサルツマンになったりして、あまり歯切れがよくない。前者をウォールドホーンと呼ぶのなら、後者はソールツ（あるいはズ）マンと呼ぶのが発音の常識と言うものだろう。ウォールドホーンをヴァルトホルンと呼ぶ人はまずいない。だが、彼が来日したとき、冗談半分に彼の印判を日本語で作ろうという話が持ち上がり、ああでもないこうでもないと議論した末に、彼が選んだのは「森角」という印判だった。これは明らかに「ヴァルト」＋「ホルン」だが、彼はそれをウォールドホーンと読むのだと言って笑っていた。今でもときどき、手紙のあとの署名代りに、この印判を使っている。

他方、Jack Salzmanのほうは、アウシュヴィッツの災厄を危うく免れてアメリカに移住してきた一家の息子で、ジャックの父まではザルツマンの呼び名に固執し、どこまでもユダヤ系の伝統に従った生活をしようとした。だが、ジャックの代になると、一家の歴史をよく知らないアメリカ人一般からは、当然のようにソールツマンと呼ばれ、彼自身も意識や気持の上では、すでにソールツマンになっているのである。と言っても、元の血や伝統がそんなに簡単に断ちきれるものでないことはもちろんで、二人の娘はきちんとシナゴーグに通わせていた。だから彼は、日本人からザルツマンなどと呼ばれても、いちいち訂正はしないのだと言っていた。人に自己紹介をするときは、もちろんソールツマンである。

（『英語青年』一九九三年七月）

なまえ（続）

過日、新聞広告で、渡辺利雄さんがNorman Macleanの*A River Runs through It*を訳出されたことを知り、早速訳本を買い求めると同時に、自分のよろこびを直接渡辺さんに伝えたりした。たとえ、ロバート・レッドフォードの手によって映画化されたとは言え、この地味な秀作が邦訳されることはまずあるまい、と考えていたからである。それが渡辺さんのような良心的な人の手によってわが国に紹介されるのは、大慶至極のことである。ただ、邦訳されたものは、マクリーン作『マクリーンの川』となっているが、そのことについて、渡辺さんは訳書のあとがきで、また私への私信のなかでも、Macleanはスコットランドに多い名前だから、マクレイン作『マクレインの川』とするほうが正しかったのではないか、映画の試写を見てもマクレインと呼んでいるように聞き取れたのだが、ともかく出版社側の強い要望に押し切られてマクリーンとしたのは不本意である、と述べている。私はこの不本意を、いかにも渡辺さんらしいと思い、すがすがしささえ感じた。万事がこうでなければならない、と教えられたような気にもなった。Kenyon & Knottの『米語発音辞典』を調べてみても、Macleanにはマクレインという発音しか与えていない。もっとも、近年の英国系の辞典などには、マクリーンという発音が付与されているが。

ただ、渡辺さんの不本意に水をさすつもりは毛頭ないが、私の内ではそのことでひとつの混乱が起った。私がこの作家や作品のことを知ったのは、シカゴに滞在していたときだったが、そのときは、みなさんがマクリーンと呼んでいたように記憶していたからである。原作者は長年のあいだ、シカゴ大学英文科の英文学の名教授と謳われた人で、その弟子の数は多く（ソール・ベローやフィリップ・ロスなどもその教室に出ていた）、したがって英文科の同僚であってまだ存命中の人も少なくない。この作品は、同教授が退職してから書かれたもので、老教授の処女作として有名になったばかりか、その内容の秀逸さに世間はおどろいたのであった。私は、シカゴ大学のかたたちから、この作品のことを教わったのだが、そのときみなさんは、原作者の名をマクリーンと呼んでいた。だがこのたび、渡辺さんの不本意を知り、私は早速、再三にわたって、これはと思う人たちのところに電話をして、訊ねてみた。だが、これまでに得た返事はいずれも、マクリーンであった。思うに、マクレインのほうが正しいのであろうが、ご本人はマクリーンと呼ばれても、意に介さなかったのではないだろうか？　ご本人がすでに死去されているので、そのことを確かめるすべはないが、名前の問題はつくづくむつかしいということを、渡辺さんの不本意から、改めて思い知ったのだった。レーガン政権の閣僚のひとりに、同じ綴りでリーガンと呼ばれる人もいた。

また、シカゴ大学と言えば、やはり長年のあいだ英文科の米文学関係の名教授であったウォールター・ブレア氏も、昨年ついに世を去られた。一昨年の夏、シカゴを訪れたとき先生にお会いする機会はあったのに、こちらの都合でそれが実現せず、心残りで仕方がない。先生には、ずいぶん可愛がっていただいたものだった。

話はがらりと変るが、アイオワ州中南部の平原を走りまわっていたとき、What Cheerという町に行きあたった。ちょうど食事時だったので、その町でひと休みすることにし、地元の新聞を買い求めた。その新聞を読むともなく見ていると、見出しのひとつに、"Funeral in What Cheer"というのが目にとまった。地名が、いくら記号か符号の機能しかもっていないとしても、外来者の私にはこの取り合わせが不気味に思われ、What Cheerの由来を調べてみることにした。What Cheerというのは、言うまでもなく、「やあ、今日は」とか「ご機嫌よろしゅう」という意味の言葉である。ロード・アイランド州のあたりには、かつてはWhat Cheerという地名が何か所かあったと言われ、その由来は、そのあたりに植民者が上陸してきたとき、原住民のインディアンがそれを出迎えて"What Cheer"を連発したからだと言う。だが、アイオワの場合は少し違うらしく、そのあたりを鉱山師が歩きまわっていたとき、鉱脈を探しあてて"What Cheer!"、すなわち「うれしい！」と叫んだので、その地名がはじまったと言うのである。

前にも述べたように、地名や人名には呪縛的な魅力があって、考えはじめると身動きができなくなるほど面白い。わが国の場合もまさにそうで、たとえば北海道の旭川がそうであった。六、七年前まで、旭川の市内は空港も含めて「―カワ」なのに、鉄道駅の構内だけは「―ガワ」であった。いくら現地で訊ねてみても、納得のいく返事は得られなかった。最近、これはどうやら国家と道庁のあいだのギャップが原因らしいとわかったが、念のために旭川駅に電話して聞いたところ、まるでマニュアルのなかの文言を暗唱するかのように、平成元年、JR改組とともに「—ガワ」は「—カワ」に変りました、と言っていた。また日本語には、漢字、平仮名、片仮名と三通りの表記があるので、事態はますます複雑である。たとえば、私の母は「ヒロシマ」で死亡し、「広島」の菩提寺で眠っている。その中間に、旅情を誘う意味でも、近頃は「ひろしま」がよく用いられるようになっている。

(『英語青年』一九九三年八月)

Episode　入院中の先生

先にも述べたように、一九八八年の一月に大橋先生は奥様を亡くされたのだが、そうしたこともあってか、その年の夏頃から先生は頻繁に体調を崩されるようになり、しばしば信濃町の慶應病院に入院された。

思い出すのはこの年の八月十六日のこと。急に先生から呼出しがかかり、何事かと思ってご自宅に伺うと、朝方から具合が悪く、これから救急車で慶應病院に行き、そのまま入院するので、入院の準備を手伝うと共に、そのまま一緒に病院まで付き添ってくれ、とのこと。勝手知ったる先生のご自宅とは言え、入院準備となると何をどうしたらよいものか、とにかく小さなボストンバッグに肌着、寝巻、湯呑み茶碗、箸など、当面必要になりそうなものをあたふたと突っ込む作業に没頭した。

そして、あらかた用意が出来た段階で先生が救急車を呼ばれたのだが、それからふと思い出したように、「おい、俺はちょっと、ご近所さんにしばらく留守にする挨拶をしてくるぞ」と言い置いて、ご近所回りに出かけてしまわれたのである。

「え、そ、そんな……」と思っているところへ、案の定、救急車が到着。ドアが開いて隊員の皆さんが飛び出してくるや、玄関先で先生の帰りを待っていた私を取り囲み、「大丈夫ですか！　立っていられますか?!　今の具合は?!」と矢継ぎ早に尋ねられる。そこで私が「あ、ああ、私じゃないんです。具合が悪いのは私の先生なのですが、先生は今、ご近所回りをされておりまして……」と告げると、隊員の皆さんの顔に何とも言えない失望の色が浮かんだ。それはそうだろう。ご近所回りが出来るくらいなら救急車なんか呼ぶな！　というわけである。

しかし、その後車上の人となった先生は、慶應病院に到着するまでの間に容態が急変、呼吸が苦しくなられ、救急隊員の対応にも緊張が走った。酸素吸入を必要とするような状態の先生を見たことのなかった私は、隊員たちのテキパキとした処置を無言で見守りながら、青梅街道を赤信号無視で突っ走る救急車がそれでもノロく感じられ、早く着いてくれ、早く着いてくれ、と何度も心に念じたものである。

＊

もっとも今から思えば、この頃の先生の頻繁な入院生活は、まだしも気楽なものであった。慶應病院の個室に入院されていた先生はまだまだお元気で、しかも他にやることがないものだから、話し相手となる見舞客が来るのを心待ちにし、来ればなかなか帰さなかった。一方私はと言えば、大学院の授業がある日は、大抵帰りがけに先生の病室に立ち寄って先生の傍に侍らされていた。だから、お見舞いにいらっしゃる方々（その大半が名のある大学の先生方であった）は、見舞いに来る度に先生の傍らに私が居るもので、私のことを先生の秘書か何かだと思っていらしたかも知れない。

もっとも、見舞客が帰られた後は、私は「秘書」から一段格下げされて「使いっ走り」となる。そして使いっ走りにはそれ相応の、大変な仕事が待っているのだ。

まずは食い物の調達。病院の食事などというものは、とりわけ先生のように腎臓が悪い場合、味気ない淡白なものになりがちで、それこそ焦げ目一つなく白々と焼かれた白身魚であるとか、味の薄い青菜のお浸しとか、味噌汁とか、そんなものが連日配膳されることになる。それに飽き飽きされていた先生は、私を使いに出し、近所の弁当屋からアツアツのトンカツ弁当などを買ってこさせるのである。無論、それを食べるのは先生で、味気ない病人食を食べるのは私の方である。

そして食後の一服。先生は「いいか、看護師さんが来たら合図するんだぞ」と言い置いてベランダへ出られ、おいしそうに煙草をふかされるのだが、その間私は個室の外の廊下に出て、看護師さんが来るのを見張っているのである。まるで中学生か高校生の合宿風景のようであるが、これも「使いっ走り」の重要な仕事なのだ。そして先生が煙草を喫い終わると今度は先生と二人して室内に入りこんだ煙草の匂いを、新聞紙などを使ってバタバタと扇ぎ出す。そして看護師さんが食事を下げに来る頃には、二人共何食わぬ顔をしているのだが、しばしば「ああ！　大橋さん、また煙草喫ったでしょ！」とバレたものだ。だが、そんな時先生は、誰にも抵抗出来ないほど魅力的な満面の笑顔を向けられ、たちまち看護師さんをも共犯にしてしまうのだった。

＊

慶應病院の見舞客の退室時間は、確か夜七時と決められていたように記憶しているが、私が先生の病室を後にするのは、大抵十時を越えていた。先生は淋しがり屋だったから、長い夜をお一人で過ごされるのが嫌だったのだろう。だから私が「そろそろお暇を」と言って席を立とうとすると、「そう言えば……」などと面白い話を持ち出しては、三十分、また三十分と、私に帰宅のタイミングを失わせるのであった。

そういう時の「面白い話」というのは何だったろうか。何しろもう三十年近くも昔の話なので、夜の病室で先生から聞かされた話の大半は忘れてしまった。アメリカ文学の話は案外少なく、むしろ先生が入院生活の無聊を慰めるために読まれていた日本の小説の読後感などを聞かせていただくことが多かったような気がする。例えば池波正太郎の『鬼平犯科帳』などは、こういう時に読む本としては先生のお気に入りであった。そして、『鬼平』のところどころで言及される食べ物の話が実にリアルで、本当にそれを食べてみたいような気にさせるのだ、ということをよく言っておられた。また土屋隆夫の『盲目の鴉』という推理小説にいたく感銘を受けられていた時期があって、私にも盛んに読め読めと勧められ、読んだ私が「それほどでもなかった」などと感想を言うと、呆れたような顔をされて、「キミは――、駄目だな」などと仰るのだった。今から思えば、『盲目の鴉』は、『オリンポスの果実』で名高い小説家・田中英光が重要なモチーフとして登場する話で、その田中英光の熱烈なるファンであった大橋先生のメンタリティを補助線にしなければ、なぜ先生が『盲目の鴉』をあれほど賞玩されたのか、分からないのではないかと思う。

また堀田善衛氏のことを激賞されるのを聞いたのも、確か先生の入院中のことだった。ただし、その作品を褒めるというよりは、堀田氏の生き方そのものに共鳴されていた部分が多いように見受けられた。ゴヤに魅せられ、スペインに魅せられ、矢も楯も無く現地に行ってそのままそこに居着いてしまうような、そういう無鉄砲なまでに一途な熱意と探求心を持った堀田氏は、確かに大橋先生の最も好むタイプの人物であったような気がする。

*

「最も好むタイプの人間」と言えば、先生と二人だけで差向いになっている時など、私はしばしば人物評を聞かされた。

良い方の例としては、亀井俊介先生が挙げられる。先生は東京大学の亀井先生のお人柄やお仕事ぶりを高く評価されていて、「亀井君がやっているような仕事は、いいよなあ」と常々言われていた。亀井先生の原点とも言うべきホイットマン論にせよ、名著『サーカスが来た!』や『アメリカン・ヒーローの系譜』、あるいは『マリリン・モンロー』のような秀逸なるアメリカ文化論にせよ、亀井先生のご研究は、異国アメリカの文学や文化に触れた時に先生ご自身の中に自然に沸き起こってくる感動や驚きというものがまずあって、その感動や驚きの根源を旺盛な好奇心でもってどこまでも追究していくという形で展開されるのを常とするが、そんな自然体の研究スタイル——亀井先生ご自身の言葉を借りるならば「浴衣がけの文学論・文化論」とでも言おうか——を、大橋先生は大変好ましく感じておられたのである。そしてそのことを私に向って何度も述べられたのは、「お前も亀井君の研究の仕方をよく見て置け」という、先生流の目くばせでもあったのだろう。

逆に悪い方の例としては、例えば「あいつは、上を見てモノを言う奴だから用心しろ」というような言い方をされる時がある。それは「身分が上の者にこびへつらう奴」という意味で、要するに、人によって物言いを変えるような奴は信用するな、ということなのだ。

先生は、一言で言って、人間に対して好悪の激しい人である。好きな人物に関しては、その人の欠点をも大目に見た上で徹底的に好きになったし、嫌いな人物——例えば本書五一—三頁「厨川先生のこと」に登場する「文芸批評家」の江藤淳氏など——に関しては、まさに蛇蝎のごとく忌み嫌った。総じて裏表のある人、腹に一物ある人、二心のある人、出世欲のある人はこの蛇蝎の方に分類されたが、それは先生が素朴で一途な人を好かれたことの裏返しである。

そういう具合に、私は長い時間、先生と二人で過している間に、先生が誰をお好きで、誰がお嫌いだかの長いリストを叩き込まれることになったのである。先生が嫌いな人のリストの中には、私も存じ上げている方が何人かおられたが、そんな時、「大橋先生は大橋先生、私は私」と思っても、やはり若干の偏見が自分の中に植え付けられたことを意識することもあった。

いずれにせよ私は、先生の入院期間中、無為に病室で時間を浪費していたように見えながら、その実、この期間にこそ徹底的に大橋先生の価値観、「大橋イズム」を、注入されていたのかも知れない。

第五章

最後のエッセイ

編注：前章に掲げた幾つかのエッセイもそうだが、大橋先生は一九九二年頃から精力的にエッセイをものされるようになった。それは一九九一年の夏、先生にとっては第二の故郷とも言うべきシカゴを再訪されたことがきっかけとなって、ある種懐旧の念が沸き起こってきたせいかも知れないし、あるいはまた体調が少しずつ悪化していくのに伴って、どうしても書きたいこと、書いて置くべきことを今のうちに書き残して置きたいという焦りにも似た強い思いに駆られたせいかも知れない。

いずれにせよ、当時『三田文學』の編集長であった作家の坂上弘氏から慫慂(しょうよう)されて同誌に寄稿した「シカゴ再訪」というエッセイが好評であったことから、シリーズもののように書き綴られた一連のエッセイは、回を追う毎に熱を帯び、いつしか「エッセイ」という言葉の曖昧な定義を飛び越え、ほとんど私小説と言ってもいいようなものになっていく。

私がこの一連のエッセイを書かれていた時期の先生に接していて感じたのは、この『三田文學』の連載に対する先生の異様なまでの執着である。文学研究者であれば誰しも、その人生のどこかで一度は「作家への転身」の野心を抱くであろうし、大橋先生もまた若い時に作家になりたいと思った時期があったと私に告白されたことがあったが、この一連のエッセイを書き継いでいた頃の先生は、この調子ならいずれ小説だって書けるかも知れない、いや書けるに違いないという確固たる手応えを感じておられたのではないかと思う。仮にそうでなかったとしても、少なくとも先生は、エッセイという文学形式の中に、ご自身の「声」を発見されたのではないか——。

特に絶筆となった「エピソード」というエッセイを読む度、私はそのことを確信するのである。

シカゴ再訪

去年の夏二ヵ月間、シカゴに滞在した。今の世の中、海外旅行など珍らしくもないことだが、私には不安にみちた大冒険だった。というのは、五年前から、一日おき週三回、一回四時間の人工透析を受ける体になり、内外を問わず、旅行などはできなくなったと固く決めていたからである。それに、普段の透析は近所の透析センターで受けているが、たびたび体調に不具合を生じ、信濃町の病院のお世話になることが多くなっていた。血液を体外に取り出し、浄化と除水をくりかえすのが透析だから、体内のバランスが微妙に狂い、その調整を病院にお願いするのである。その都度、病院は私をやさしく抱えこんで、検査と治療をくりかえして下さった。佐藤朔先生から、病院の牢名主と呼ばれるくらい、入院していることが多くなった。

昨年の一月も、やはり入院中だったが、シカゴ大学の先生からお手紙をいただいた。久しぶりにシカゴにきて暮してみないか、透析はシカゴ大学の病院で受ければいいのだから、というお誘いの手紙である。どうせ駄目だと思いながら、それを主治医の先生に見せたところ、短かい滞在なら感心しないが、一、二ヵ月の長期滞在なら行ってみるのもいいかもしれない、というご返事だった。一番おどろいたのは、もちろん私自身である。早速その旨を先方に伝えたところ、まもなく先方の病院から、私に関するさまざまな資料を要求してきた。それに応じて、こちらの主治医の先生は、過去四年にわたる詳細な私の病歴書を認め、服用している薬のリスト、レントゲン写真、心電図なども用意して下さった。それらを一括して先方の病院に送ったところ、まもなく受入れ可能という返事がきた。

いよいよ行ってみる気になって、出国の準備は機械的に進んだが、出国の日時が近づくにつれて、果してほんとうに出国できるのかという不安は増大した。それまでの四年間で、旅行らしいことをしたのは、死去した家内の墓参に故郷の広島に出かけた一度だけだった。主治医の先生も、出国が近づくと、ほんとうに大丈夫かな、と首をかしげられたことがあった。行けば行くで、さまざまな期待が思い浮ぶ。だが、それらとは裏腹に、不安にみちた大冒険という思いはつのった。

しかし、予定どおりシカゴの空港に降りたった途端に、思いもかけぬ不思議な感慨におそわれた。それまでの不安は吹きとんでしまい、その代りに、本来自分の属すべき場所に戻ってきたという、いわばホームカミングの気持にとり憑かれてしまったのである。

指折り数えてみると、最後にシカゴを訪ねたのは十数年前、住民票まで移して二年も滞在したのは、六〇年代後半の二十数年前である。けっして短かい留守ではない。その間に、建築物や交通機関など、風景の変化もずいぶん起っていた。だが、そういったことは、殺到するさまざまなメディアを通じて、常に折り込みずみであった。

ホームカミングといえば、テネシー州K市の郊外に、一泊の予定で四十年来の友人宅を訪ねたときもそうだった。そちらのほうは、風景の変化もほとんどなく、私専用の手作りのロッキング・チェアが、ポーチの同じ場所で私の帰りを待っていた。明朝は、例によって夫人お得意のビスケット（小さなパン）を焼いてくれと所望するのが、挨拶代りだった。

結局、去年の夏のシカゴ行きでは、期待していたことはすべて果すことができ、予想以上の成果があった。唯一の違和感といえば、透析をはじめるときの穿刺の仕方が、それぞれのお国柄を反映していて、最初はちょっと戸惑ったということだけだった。

だが、あのホームカミングという気持だけは、いまだにもやもやと考えあぐねている。もしかしたら、今の私がホームレスであるということの証左かもしれないとも考えたりするが、そうでもないらしい。だが、そういうもやもやのなかで、唯一つ確かだと思えるのは、私自身の記憶や思い出のなかでは、すべてが横並びになっているということである。指折り数えて十年前、二十年前などといったりするが、その実、すべてが横並びで、すべてがまるで昨日のことなのである。その横並びを、少しは縦に整理してみようとするとき、個人史としての私の小説が書けるのかもしれない。

（『三田文學』一九九二年四月）

Episode

シカゴへの旅

一九九一年七月十三日から同年九月十四日までの二か月間、大橋先生はシカゴ再訪の旅に出た。先生の生涯で最後となるシカゴへの旅である。高血圧から腎不全となり、既に人工透析なしには生きられない身体になっていた先生にとって、長期に亘る旅行、それも海外旅行となると、相当な覚悟が必要であったはずだが、その辺りのことについては先生ご自身の手になる「シカゴ再訪」という文章（本書二八七―八九頁）に詳しい。ただ、この文章には一言も出て来ないものの、この先生最後の大冒険には、お供として家来が一人、随行していた。何せ人工透析というのは一日置きに行わなければならず、シカゴでも先生を透析センターに送り迎えする人間が必要なのであって、私がくっついて行くことは先生の最後のシカゴ行の必要条件なのだ。かくして私はまるまる二か月の間、べったりと「先生番」を務めることとなったのである。

＊

人生最後のアメリカ旅行に際し、大橋先生がシカゴをその滞在地にされたことには幾重もの必然があった。まず一つは、シカゴこそ先生が生涯追い続けたシャーウッド・アンダスンゆかりの地であること。またそのアンダスン研究のために一九六六年九月から二年間、ACLS（American Council of Learned Societies）のリサーチ・フェローとしてシカゴ大学に留学されたことも、シカゴを先生にとってアメリカで最も身近な町にした大きな要因であった。

しかし、先生がお身体のご不調を押してまでシカゴ再訪の決断をされた最大の理由は、シカゴ大学名誉教授マーリン・ボウエン先生と、先生の奥様のルースさんにもう一度直に会いたいというところにあったのではないかと思う。

ボウエン先生ご夫妻と大橋先生のご縁は、一九七〇年代半ば、シカゴ大学を定年退職されたボウエン先生が、交換教授として筑波大学と慶應義塾大学の教壇に立つことになったことがきっかけで始まった。そしてそのボウエン先生のお世話係となった大橋先生は、ご夫妻の日本での生活をサポートするうちに、お二人の飾らない人柄に急速に惹かれていき、いつしか家族ぐるみのお付き合いになったのだった。大橋先生が書かれた感動的なエッセイ「宇和島へ」（本書三二六―三二一頁）を読むと、その辺の事情がよく分かる。

ボウエン先生ご夫妻……いや、ここからは親しみを込めて「マーリンさん」「ルースさん」とお呼びしたいのだが、このお二人には私自身もシカゴで大変お世話になった。本当に、本当に素敵なご夫妻で、大橋先生が生涯の友としてお二人と深いお付き合いをされたことも、私には容易に頷ける。

マーリンさんは著名なメルヴィル学者であるが、孤児院に育ち、筆舌に尽くしがたい苦学の末、名門シカゴ大学を卒業して、母校で教鞭を執るようになった苦労人である。順風満帆なエリートではなく、孤軍奮闘して自らの人生を切り拓いてきた人。それでいて苦労自慢など微塵もすることなく、その苦労を朴訥なユーモアにくるんで隠し、表に出さない人。マーリンさんは若い頃、黒人作家のリチャード・ライトと親しかったのだが、ライトが人種の壁を越えてマーリンさんを信頼し、生涯の友としたことも、マーリンさんの人柄を物語る逸話と言えるだろう。

そう言えばリチャード・ライトが代表作『アメリカの息子』を執筆していた頃、その結末部の書き方に悩み、マーリンさんに相談してきた、という話をマーリンさんから伺ったことがある。その時マーリンさんは咄嗟に「ヘンリー・ジェイムズを読んだら参考になるのではないか」と示唆したそうだが、ライトはこのアドバイスを素直に受け容れ、それであの畢生の大作に無事結末をつけることが出来、そのことでマーリンさんに礼を言いに来たという。そんなアメリカ文学史上の特大エピソードを私に語った時も、マーリンさんは少しも自慢するようなところを見せず、淡々と「そう言えばそんなこともあったなあ」といった調子で語られた。むしろシカゴの高架鉄道のホームで電車を待っていた時、車内から飛び出してきたスリにパンチを食らわして見事ノックアウト、逮捕に一役買ったというエピソードを語った時の方が、マーリンさんはよほど得意げであった。

そしてそのマーリンさんは、シカゴ郊外のエバンストンにある名門ノースウェスタン大学を出た才媛、ルースさんと出会って大恋愛の末ご結婚、ジョンさんとジェフさんのお二人のお子さんにも恵まれ、幸福なご家庭を築かれたのである。

私が大橋先生のお供で初めてお二人のお住まいに上がった際、廊下に飾ってあった数多くの絵画の額の中で、私の目は一枚の素描に吸い寄せられた。貧しさに打ちのめされたかのように目を伏せてうずくまるお祖母さんの傍らに、幼い男の子が途方に暮れたような顔をして立ち尽くしている、そんな場面を描いた鉛筆画で、一度見たら忘れられないような絵であった。私が初対面の挨拶も早々、じっとその絵に見入っていると、ルースさんがやってきて、「これはケーテ・コルヴィッツという画家の絵で、マーリンと結婚した頃に買ったものだけど、当時貧しかった私たちにはとても買えないような値段だった。買うべきか諦めるべきか、絵の前を二人で何度も往復しながら逡巡した末、思い切って買ってしまった。そのためにしばらくは生活が苦しかったけれど、でもやっぱり買って良かった。これは今でも二人の大切な宝物なの」と教えてくれた。生活費を切り詰めてでも、一枚のケーテ・コルヴィッツを買う。それがマーリンさんとルースさんの新婚時代だった。そういうご夫妻なのである。

そしてそんなマーリンさん、ルースさんご夫妻と親しくなった大橋先生は、お二人がアメリカに帰られてからも週に一度は国際電話で互いの近況を知らせ合い、また文学研究上の疑問が生じる度にマーリンさんに質問をしたり、相談をしたりするようになって、その生涯で最も親しい友人同士となられたのであった。だからこそマーリンさんが八十一歳、ルースさんが八十歳となられ、大橋先生も人工透析をする身となって、面と向かって会えるのはおそらくこれが最後のチャンスであろうとなった時、先生がお二人にもう一度会うためにシカゴに行こうと決意されたのも、当たり前のことだったのである。

＊

シカゴまでの道のりは実にスムーズであった。何しろ大橋先生は人工透析をするようになって「一級身体障害者」と認定されていた（「尾崎、俺はな、ついに一級の身体障害者になったぞ。だから仮に銀座の大通りのど真ん中にクルマを停めたとしてもお咎めなしだ」というのが先生ご自慢のフレーズであった）ので、成田で飛行機に乗る時も、シカゴのオヘア空港で降りる時も、どこからともなく車椅子と係員がやってきて、通常とは別のルートを使い、混み合う入管だとか税関だとかを全部すっ飛ばしてしまうのである。無論、先生に随行している私も同じ扱いなので、通常は海外渡航に際してどのような手続きを踏むのかまったく分からぬまま、あれよあれよという間にオヘア空港で出迎えに来られていたマーリンさん、ルースさんの懐に転がり込むこととなったのであった。そして大橋先生はそのまま五五番街にあったボウエン先生ご夫妻のアパートに居候の身となり、私は私で五七番街に借りたアパートに身を落ち着け、そこから毎朝二ブロック歩いてボウエン先生のアパートまで通う、という日々が始まった。

＊

シカゴにおける私の仕事は、まず第一に先生の病院への送り迎えである。何しろ先生は人工透析を受けないと生きていけない身となっておられたので、この仕事は非常に重要である。

「人工透析」という言葉を知っていても、その実態をご存じない方も多いだろうと思うので、ここでそれが何を意味するか、簡潔に記しておこう。

人工透析を受ける患者というのは、腎臓の機能がストップしているために、身体に蓄積されていく老廃物を尿として体外に排出することができなくなっている人を指す。ゆえに、このような状態になった患者は、一日置きに透析センターで人工透析を受けなくてはならない。手術によって人為的に太くした腕の血管（シャント）から血液を体外に出し、特殊な機械で老廃物と余計な水分を濾過し、きれいになった血液を再び体内に戻すという作業を行なうのである。透析患者が横たわるベッドには体重計が仕込まれており、その体重計によって充分な量の水分を排出できたかどうかが分かるようになっていて、これが設定体重まで落ちれば透析終了となる。ちなみに一回の透析にかかる時間はおよそ五、六時間、これを一日置きに行なわなければ死んでしまうのだから、人工透析を受けるとなった時点で、その患者は残りの人生において相当な時間的ロスを覚悟しなくてはならない。

先生が人工透析を始めたばかりの頃、私は先生が通われていたクリニックに透析中の先生を見舞ったことがある。そこは人工透析専門のクリニックで、十床ほどずらりと並んだベッドの上に一人ずつ、患者さんが横になられていた。そしてそれぞれのベッドのヘッドボードのところに大きな機械が据え付けられていて、患者さんの腕から取り出された血液が赤いチューブを通ってこの機械の中に入っていくのが見えるので、なるほどこの機械で血液を濾過するのだな、ということは素人目にもすぐに分かった。

素人目に分からなかったのは、この「赤いチューブ」の正体である。

私は最初、患者さんと濾過用の機械をつないでいるチューブの色が赤いのだと思っていたのだが、実はそうではなかった。よく見ると、チューブ自体は透明なのだが、そこを通る血液ゆえにチューブ全体が赤く見えたのである。そしてそのことに気づいた上で周囲を見渡し、患者さんたちのチューブを観察すると、人間の血の色がいかに個性豊かなものであるかがよく分かる。フェラーリのように鮮やかな朱色をした血もあれば、反対にフルボディの赤ワインのようにどす黒い血もあるのだ。どちらの方向を見ても血、血、血。その見事なまでのヴァリエーションというかグラデーションを成す血液が、チューブの中をぐるぐると経巡りながら各人のベッドの後ろにある機械の中に流れて行く様を、まるで火焔太鼓みたいだと感嘆しながら見ていた私は、はて、何やら少しずつ視野が狭まり、耳が遠くなってきたのはどうしたことかと思っているうちに、そのまま失神してしまったのだった。

人工透析をするというのは、そういう血の火焔太鼓を十字架のように背負って生きることなのである。

＊

さて、シカゴに到着した翌日から、先生の透析も始まった。透析を引き受けてくれたシカゴ大学附属病院に先生を連れて行き、数時間を置いてまたクルマで迎えに行くというのを一日置きにやるのである。シカゴ大学病院で先生を受け持つことになったのはシャロンという女医さんだったが、大柄でがっしりした体付きに世にもいかつい顔立ち、「愛想笑い」など生れてこの方、したこともないといった風で、日本から遠路はるばるやってきた新しい患者に接してもニコリともしない。そして透析センターでの実働部隊ともいうべき看護師の人たちに対する指示の仕方と言ったら命令調を通り越して喧嘩を売っているのかと思われるほど。まさに火焔地獄で仏ならぬ鬼を見たような心地がしたものである。初めてこの透析センターを訪れた時、私だけでは頼りないというのでルースさんも付いてきてくれたのだが、シャロンが大橋先生を指差して「this man（この男）」と言ったことにルースさんは大層腹を立て、「professor（教授）」と呼ぶべきだと憤慨していた。

だが、後で大橋先生当人に伺うと、「いや、シャロンというのはなかなかの人物だよ」と言って、さして嫌がっている風でもなかった。先生は大変に女性にモテるので、「なあに、この鬼のご面相のシャロンさんとやらも、いずれ手なずけてやるさ」という自信があったのだろう。それどころか、カールという名の陽気な黒人の看護師とは、最初の透析が終る頃までにはずいぶん親しくなってしまったようだった。

だが、同じ透析でも日本とアメリカとでは大分違うところがある。いや、やることは同じなのだが、アメリカの透析は荒っぽいのである。大橋先生の透析後の理想体重は三五・七キロほどなのだが、日によってまだ三六キロ台なのにもうおしまいと言われることもあれば、別の日には逆に水分を引かれ過ぎ、透析後の体重が三三キロまで落ちてしまったこともある。いかに小柄な先生といえども体重三三キロではフラフラになってしまうのも道理で、そんな時はボウエン先生ご夫妻のアパートに戻るやいなや、ばったりとベッドに倒れ込んでしまわれる。そんな辛そうな先生の姿を間近で見るのは私にも辛いことで、アメリカ流の大ざっぱな透析を恨んだものである。

しかし、そのことで大橋先生が泣き言を言ったことは一度もない。日本においてもアメリカにおいても、先生はこの受け容れざるを得ない運命を、まるで他人事のように淡々と受け容れておられるようだった。ただ、日本を発つ時には一回一四〇ドルと聞かされていたアメリカでの透析が、実は一回五〇〇ドルだったと知った時、先生は一言、「これは少しユウウツではありますね……」とつぶやかれた。

＊

シカゴでの私の主たる役割は先生の病院までの送迎、ではあるのだが、透析は一日置きだから、逆に言えば一日置きに先生は自由の身となられる。その短い時間を利用して、先生はシカゴでの生活を満喫され、私はそのお相伴にあずかることとなった。

何しろシカゴは先生にとって第二の故郷とも言うべき場所、自分の掌のように隅々まで知り尽くしているので、行く場所には事欠かない。となれば、まずは古書店巡りである。

この夏の二か月の間、何度先生と古書店巡りをしたことだろう。パウエルズ、オガーラなど、シカゴ大学の近くにはいい古書店が沢山あるのだ。先生と二人でこういう古書店に足を踏み入れる度に、先生は「懐かしいなあ」と言われる。それは、先生が若い頃から読んでこられた膨大な量のアメリカ小説がこれらの古書店にはずらりと並んでいて、「まるで自宅の（あるいは研究室の）書棚を見ているようだ」という意味なのだ。そして私などタイトルはおろか作家の名前すら聞いたことのないような小説を掘り出してきては、「キミ、これ読め」とか、「これは面白いんだぞ」などと言いながら、次々と私に手渡される。「とりあえず買っておけ」ということである。素直な私は先生から勧められた小説はすべて買ったので、二か月の滞在が終って帰国する頃には、とんでもない量の本を日本に船便で送る羽目になってしまった。そう言えば、オガーラ書店では大人のひと抱えほどもある大型辞書、ウェブスターの第二版を、友人の分も合わせて二冊買わされたが、店主のミスター・オガーラから「おお、これはお目が高い。この第二版こそベスト・エディションです」と褒められたことを愉快に思い出す。

それからもう一軒、キアナンズという古書店にも先生と二人でよく行った。マーリンさんからは「あそこはあんまり期待出来ないぞ」と言われていたが、行ってみると、どうしてどうして大した品揃えで、私はここでアースキン・コールドウェルのサイン入りの『神の小さな土地』や、ジャック・コンロイのサイン本を手に入れたりした。またこの店の経営者で、我々ともすっかり馴染みとなった若夫婦は二人共感じがよく、特に奥さんの方は笑うと可愛かった（というのが先生の評）。それで、この店の近くを通りかかる用事があったりすると、先生が「おい、これはことの順序から言ってキアナンズに行かざるを得ないだろう」などと言い出すもので、結局ここへ立ち寄り、その都度何かしら本を買うことになるのだった。そんな時先生は、「今日も奥さんの笑顔が見られたな」などと喜んでおられた。

＊

無論、シカゴに居た間、先生は古書店巡りばかりしていたわけではない。この機を逃したらもう二度と会えないであろう方々との再会が、先生のこの旅の主たる目的であっただけに、先生は時間と体調の許す限り、友人・知人の方々との再会を楽しまれた。

例えば先生がACLSでシカゴ大学に滞在していた時にお世話になったというジェームズ・E・ミラー教授にも再会されたし、ニューベリー図書館でアンダスン・コレクションを管理されている旧知のダイアナ・ハスケル女史にもお会いして旧交を温められた。またコロンビア大学教授のジャック・ソールツマンさん（本書二六二―六五頁「タイムズ・スクェア」というエッセイに登場する「S教授」というのはこの人のこと）と奥様のセシリーさんは、わざわざニューヨークから大橋先生に会うためにシカゴまで飛んできて下さった。また当時シカゴ大学で教鞭を執られていた池田孝一先生には、シカゴに滞在している間、何くれとなく面倒を見ていただいた。そして、一度などは大橋先生が米軍通訳時代にお世話になったロバート・ティリーさんと奥様のアイリスさんに会うために、シカゴから空路テネシー州はノックスヴィルのティリーさんのご自宅まで行ったこともある。

また思いがけない邂逅という意味では、先生が永年に亘って研究されてきたシャーウッド・アンダスンの次男で画家のジョン・アンダスンさんに会うことが出来たのは、先生の今回のシカゴ行の一つのハイライトを成すものだった。ジョンさんは、大橋先生が父親であるシャーウッド・アンダスンの全集を本国アメリカに先駆けて編纂・出版されたことに対し、一言お礼を言いたいと、わざわざ先生を訪ねてきてくれたのである。大橋先生はこのジョンさんのお気持ちにいたく感動され、アンダスン研究一筋にやってきたことが報われた、冥利に尽きると、言葉少なに語られた。この時のことについては、本書に収録したエッセイ「ジョン・アンダスンのこと」（三一〇―一五頁）及び「シェリーかシャンペンか」（三二五―三〇頁）に先生ご自身が書いておられるので、それを読んでいただきたい。なお、この時のことについては私も拙著『ホールデンの肖像』の中で少しだけ触れている。

＊

シカゴ滞在中、私にはもう一つ重要なミッションがあった。食糧の調達である。

先生はボウエン先生ご夫妻のアパートにお世話になっているのだから、三度の食事はルースさんの手料理ということになる。しかしルースさんも八十歳、しかもマーリンさんとの二人暮らしの中、ベーコンを焼くとか、スクランブルド・エッグを作るといった簡単な食事を用意すれば事足りていたところへ、二か月間もの間、客人用の食事を用意しなければならなくなったのだから大変である。もちろんルースさんも一生懸命料理を作ってくれるのだが、ルースさんの手料理は、その、正直に言えば、抜群に美味しいというほどのものではなかった。それに手際も良いとは言えず、例えばブドウの葉で何かを巻いた、ルースさんのいわゆる「ギリシヤ料理」を作った時など、凝り過ぎて完成までに三日ほどかかり、その間、食事時になっても食べるものがない、などということもあったりして（この時はルースさんもすっかりしょげてしまって、「私は料理の腕をどこかに置き忘れてきちゃったわ……」と嘆いていた）、食糧の調達というのは、どうしてどうして、切実な問題なのである。

大橋先生は、口では「俺はアメリカの食事で何の問題もない。日本食が恋しいなどと思ったこともない」としばしば仰っていたが、その割に私が密かに隠し持っていた日本のカップ麺を食べたがった。それも、大上段から「カップ麺が食べたいから作ってくれ」と言ってくるのならまだ可愛げがあるのだが、そうではなくて、私に向って「あのな、キミ、カップ麺あったろ。あれな、キミ、食べろ食べろ」と、まるで私がカップ麺を食べたがっている風を装うのである。それで仕方なく私がお湯を沸かしてカップ麺を作り、「先生も一口食べられますか?」と尋ねると、「じゃあ、一口」とか言いながら、しっかり半分食べられる。かくして私の秘蔵のカップ麺は、二か月間のシカゴ滞在中、先生の日本食への秘めたる渇望を癒してくれたばかりでなく、先生と私は「同じ釜の飯」ならぬ「同じカップの麺」を啜った者として、近しさを増すのに大いに役立ったのである。

ところで、シカゴで私が作ったのはカップ麺ばかりではない。私もまた、ルースさんの手料理にいささか参っていたので、時に自ら申し出て夕食を作らせてもらうことがあった。カレーライスを作った時も好評だったが、更に好評だったのは、ルースさんの誕生日に私が腕を振るったディナーである。この時はコーン・ポタージュ・スープ(キャンベルの「クリーム・オブ・チキン」という缶詰スープにみじん切りの玉ねぎを炒めたものやコーンを加えてアレンジしたもの)から始まって、メインはビーフ・ステーキ、そしてグレイヴィー・ソースとしてキッコーマンのステーキ・ソースに赤ワインと玉ねぎのスライスとマッシュルームのスライスを加えて煮詰めたものをかけ、付け合せとして茹でたジャガイモを軽くソテーしたもの、面取りをした人参をバターと砂糖で柔らかく煮たグラッセ、それに彩りとして緑鮮やかなインゲンを添えた。こんなものを作るのは私にとっても生まれて初めてのことだが、とにかく、完璧なコース料理を作ってしまったのである。これにはルースさんも感激して「今までで一番素敵な誕生日ディナーだった」と褒めて下さり、マーリンさんもすっかり喜ばれて「お前はフランスに留学して、連中に料理を教えてこい」と私の背中を叩いた。そして大橋先生はと言えば、「どうだい、俺の弟子はこんなことも出来るんだぞ」と言わんばかりにご満悦で、実際、先生ご自身もいつも以上に沢山召し上がられたのであった。

*

人工透析というのは、それ自体、患者の体力を奪うものであるし、また急な吐き気や心臓の動悸、血圧の乱高下など様々な副作用を伴うものでもあるから、二か月間のシカゴ滞在が先生にとって大変な冒険であったことは言うまでもない。しかし、それでも総じて言えば、透析を始められて以来、この時ほど先生がリラックスして日々の生活を楽しまれた期間はなかったのではないかと私は思う。

真夏のシカゴはもちろん暑いけれど、空気は乾燥しているので、日陰に入れば涼やかな風が吹いてくる。ボウエン先生ご夫妻のアパートの裏のベランダは眺めもよく、夏の午後を過すには恰好の場所で、そのベランダで私と差向いに椅子に坐り、何とはなしに話をしている時など、先生はよく「ホームカミング」という言葉をつぶやかれた。「こうしていると、『ホームカミング』という言葉が頻りと頭の中に湧き上がって来るんだよ」と。帰ってきた、ここが俺の故郷だ、という感覚。先生はシカゴという町に対する愛着を、この感覚によって確かめられていたのである。そしてこうも言われた。「このところずっと考えていたのだが、俺が死んだら、遺灰をここに撒いてくれないかな。俺はシカゴの土になってもいいと思うようになったよ」。

先生が亡くなるのは、このシカゴ再訪のわずか二年半後である。もちろん先生がこの言葉をつぶやかれた時、先生に残された時間がもうそれほど長くはないということは、私には分からなかったし、先生ご自身にもはっきりとは分からなかったであろうけれども、しかし、あの静かで満ち足りた夏の午後、愛するシカゴの町の片隅で「俺が死んだら」とつぶやかれた先生の心の中に一体どのような思いが、覚悟が、あったのか。それを思うと、私は今なお絶句してしまう。

先生がシカゴで自らの死に触れた時、私はどうお答えしたものか、返事に窮し、黙っていた。と、その時、ルースさんが家の中からふと顔を出され、ベランダで寛いでいる私たち二人を見つけてニッコリと微笑まれた。「いつも二人で話をしているけど、何を話しているの？　私も日本語が話せたら、二人の内緒話に参加出来るのに」。

＊

シカゴに滞在していた二か月の間、それこそ朝から晩まで大橋先生に張りついていたわけだが、この時間が先生と私をそれまで以上に親密にさせたことは間違いない。

だがその反面、と言うか、それだからこそ、と言うべきか、大橋先生と四六時中一緒にいるということがいかに大変なことであるかということも、私はシカゴ滞在中に思い知ったのであった。

まず先生は人使いが荒い。それは前から分かっていたが、何せシカゴに居た間、傍に居て気軽に使うことの出来る人間は私しかいないのだから大変である。病院への送り迎えにしたって、送り迎えすればこと足りるわけではなく、病院のベッドに無事送り届けた後も、「おい、ちょっと喉が渇いたからコーラを買ってきてくれ」から始まって、ピーナツを買ってこい、新聞を買ってこい、それからこれはルースには内緒だが、こっそり煙草を買ってこい、と、リクエストは延々と続く。

無論、病院に入っていない時は、これに輪をかけて大変である。クリーニング屋に行ってこの間出したシャツを取ってこい、手紙を書くからシカゴ大学の生協に行って便箋と封筒を買ってこい、それからついでに郵便局に行って切手を買ってこい、などというのは序の口で、シカゴ一の繁華街「マグニフィセント・マイル」にあるランドマクナリーの店に行って地図を買ってこい、とか、世話になった人へのお土産にするから、シカゴの有名なデパート「マーシャル・フィールズ」か「カースン・ピリ・スコット」に行って革の財布を六個と女もののスカーフを買ってこい、とか、まあ様々なところに使いに行かされたものである。おいしい氷が食べたいから、ボウエン先生のアパートから数ブロック離れたところにあるバーに行って氷を買ってこい、と命じられたこともあった。バーで氷を買う？　氷というのはバーで買うものなのか？　と、半信半疑のままそのバーに行って、強面の店主に恐る恐る「氷を分けて貰えるか」と尋ねたところ、二重にした紙袋にどさどさと氷を入れて、「はい、一ドル」とこともなげに言われたので、ひどく感心したこともある。

お使いの中で一番凄かったのは「キミな、俺の代わりにオハイオ州クライド（シャーウッド・アンダスンの名作『オハイオ州ワインズバーグ町』のモデルになった町）に行って、アンダスンの母親のエマさんのお墓参りをして来い」と命じられたことで、私はシカゴからクライドまで片道数百キロの道のりを、クルマを飛ばしてお墓参りをする羽目になったのであった。しかも、それだけではない。クライドの町に「ワインズバーグ・イン」というレストランがあるので、そこの店主のロバート・グッドという男に会ってこいとか、同じ町にノリコ・ベルという日本人の戦争花嫁がいるから会ってこいとか、グレン・ギッフェンという地元の郷土史家がいるから、その人の家に泊ってこいとか、附随する注文がどんどん積み重なっていく。無論、これは私にアンダスン文学の舞台を見てこさせようという先生の親心であるし、実際、私にとって非常に良い勉強になったことは事実だが、まるで土地鑑のないところに行かされ、まったく見ず知らずの人に会ってこいと言われるのは、極端な方向音痴にして、人見知りの激しい私にとっては、なかなか気の重いことではあった。もっともこの時の冒険では、なかなか面白いこともあったのだが、それについてはいずれまた別な機会に書くこともあろう。

そう言えば、日本人の手先の器用さを示すために、持参した千代紙で鶴を折らされたこともあった。そして私の折った鶴がどこへ持って行っても賞讃の的となったことから、私は先生に命じられ、この二か月の間に一生分と言っていいほどの鶴を折る羽目になった。そして折った鶴に糸を通して、千羽鶴的なオブジェまで作らされたのだが、夜遅く、自分のアパートに帰ってからひたすら鶴を折り、それらを糸で綴りながら、一体自分はシカゴで何をしているのだろうと自問自答したことも一度だけではなかった。

*

もっとも先生の人使いの荒さは前から身をもって体験していたし、シカゴでの先生の生活全般のサポートが大変なのは最初から分かっていたことで、それを承知でお世話を引き受けているのだから、そのこと自体は別に構わないのである。実は先生の面倒を見るのが大変になってくるのには、もっと別な要因があるのだ。

問題は、先生の「計画好き」なところである。

私自身はどちらかというとのんびりした性格で、何をするにも「その時が近づいて来たら考えよう」と先延ばしする方なのだが、大橋先生はとにかく「前もって計画する」のがお好きなのだ。しかもただ大ざっぱに決めるのではなく、細かいところまで周到に手順を決めて置かないと気が済まない性質なのである。

例えば、二か月の滞在がようやく半分ほど過ぎた頃、先生のお気持は既に帰国準備の最終段階に入っておられた。滞在中に買った土産物などは、スーツケースには入りきらないだろうから、別送品として送らなくてはならない。だから今のうちに郵便局に行ってそのための書類をもらって来なさい、沢山買ってしまった本は郵便局から送るよりシカゴ大学生協の本屋に頼んで送ってもらった方がいいから、キミ、そこへ行って話をつけて来なさい……と、先生の撤退準備には余念がない。私が「先の話ですから、まだいいのではないですか?」と言うと、先生は「そんなこと言ったって、キミ、レンタカーの返却期限があるだろう。レンタカーがあるうちにやっておいた方がいいじゃないか」と仰る。だが、そのレンタカーの返却期限も、まだ遥か先のことなのである。

しかし、私にとって更にきつかったのは、このようにして前もって立てた周到な計画を、先生がしょっちゅう変える、ということなのだ。

例えば「今週の土曜日に、シカゴ郊外にあるオーク・パークというところに行こう」という思いつきが先生の頭に浮かんだとする。そこから先生の計画好きが存分に発揮され出して、とりあえずルースさんのクルマで行くことが決定され、ルースさんとの間で詳細な打合わせが行われるのだが、しかしどういう理由からか次の日になると、ルースさんではなく私がレンタカーを運転して行く話に変わっている。しかし、それならそれで私なりに心の準備をし、地図と首っ引きで道順などを頭に叩き込んでいると、その次の日には、これまたよく分からない理由で、「やっぱり別の人のクルマで行くことになった」と更なる計画変更が告げられる。しかも、そうかと思って当日を迎え、朝も早くから先生のアパートに出向くと、結局、都合が悪くなったので、その日は行かないことになった、ということになったりするのだ。

また別の日には、「知人の誰々から夕食に誘われたが、体調が悪いので俺は行かない。キミ、代理で行ってきてくれ」と言われ、そうかと思って心構えをしていると、後から「やっぱり義理があるから俺が行くことにした。キミは、今日は一人で飯を食え」などと言われる。

更にまた別の日には、先生ご自身に頼まれて数日前から買い物に行く予定を立てていたのに、いざ私が「それでは行って来ます」と席を立ちかけると、「キミ、それは別の日にして、今日は家に居てくれ」などと言われる。それで、家で何か用事があるのかと思っていると、特にそういうこともなく、ただ無為な時間を過ごして一日が暮れてしまう。

無論、こういうことも一度や二度ならあり得ると思うのだが、実際にはこれに類することがほとんど毎日のようにあって、その都度、先生の「計画」とその「変更」に振り回されてしまうのだから、振り回される私の側に段々イライラが募ってくるのも当然だろう。私も自分ではこれで結構辛抱強い方だとは思うのだが、周到に立てたはずの計画が風向き次第でコロコロと変更され、それに伴って無為な時間を過ごすことが何度も続くと、さすがに腹立たしくなってきて、それが言葉遣いや態度に出てしまう。

これは今でも後悔していることであるが、二か月間ずっと一緒に居た中で一度だけ、そのイライラが抑えようもなく露骨に表に出てしまったことがあった。その時はさすがの先生もしょげられて、小さな声で「キミが怒るのも無理はない」と仰った。先生らしくないその反省の弁を聞いた私は、先生にそんなことを言わせてしまった自分自身に対する不甲斐なさもあって、私は先生に対して怒っているのか、自分に対して怒っているのか、分からなくなってしまったのだった。

＊

そんな風に先生に振り回されっぱなしの二か月が過ぎ、いよいよ帰国の途につく日がやってきた。だがこの特別の日もやはり例外ではなく、先生の人使いの荒さが存分に発揮されることとなった。

マーリンさん、ルースさん、そして池田孝一先生が見送りに来て下さり、オヘア空港のラウンジで名残惜しく最後のひと時を過ごした後、先生と私は機上の人となったわけだが、マーリンさんもルースさんも、ラウンジの窓から私たちが乗り込んだ飛行機の方をしょんぼりと見つめたまま、いつまでも帰ろうとなさらない。別れが辛いのは、ボウエン先生ご夫妻も同じなのである。そのいかにも寂しそうな様子がこちらからは見えるのだが、おそらく光の反射なのか、マーリンさんやルースさんの方からは、私たちが見えないらしい。

飛行機に乗り込まれてからずっと窓に貼りついて懸命に手を振っておられた先生は、そんなボウエン先生ご夫妻のご様子にたまらず、私に向かって「キミ、ちょっと行って、我々がどこに坐っているか伝えて来てくれ」と言われる。多少は予期していたとは言え、この期に及んでまで面倒なことを言い出される先生にいささか辟易した私は、いくら先生の頼みでも、一度飛行機に乗り込んでしまってから再びラウンジに戻るわけにはいかないだろうという思いもあって、「いや、それは……」と渋ったのだが、先生は聞く耳を持たず、「いいから」と無理強いされる。それで先生と私の間で「行って来い」「無理です」の切羽詰まった押し問答が続いていると、その尋常ならぬ様子にパーサーがすっ飛んできた。そこで先生が事情を伝えると、さすがはファーストクラス、そのパーサーはすぐにフライト・アテンダントの一人を捕まえてラウンジに向かわせ、マーリンさんたちに私たちの坐っている場所を知らせてくれたのである。やれやれ、先生も最後まで手を焼かせる人である。

しかし、マーリンさんもルースさんも、アテンダントが指差す方向を見てはいるのだが、それでもやはり私たちの姿が見えないようで、何度もアテンダントに訊ねている様子が見える。やはりダメか……。

と、その時、私の脳裏に妙案が浮かんだ。飛行機の窓の日よけをバタバタと上下させ、いわば窓に「ウインク」をさせれば、ここが、この窓が、先生と私の坐っている場所だと伝えられるのではないか、と、そう思い付いたのである。そこで私は、我々の座席の窓の日よけをせわしなく上下させてみた。

するとラウンジに居たマーリンさんが、私がバタバタと日よけを上下させるのに合わせるかのように、たまたま持っていた折り畳み傘を開けたり閉じたりし始めた。いかにもマーリンさんらしいユーモアで、こちらの信号に気づいたことを知らせてきたのである。隣に立っていたルースさんもようやくはっきりと焦点を定めて、私たちの坐っている窓に向かって満面の笑みを湛えている。やった！　ついに気付いてくれた！「先生、マーリンさんもルースさんも気付いたんですよ！　我々がここに居ると分かったんですよ！」私もいささか興奮して、すぐ脇にいる大橋先生のことを見た。

先生は飛行機の窓に顔をべったりと押し付けて、泣いていらした。ボロボロ、ボロボロ涙を流し、声にならない声で何事かをつぶやきながら、弱々しく手を振っておられた。

大橋先生と私のシカゴ行は、こうして幕を閉じたのである。

ジョン・アンダスンのこと

『オハイオ州ワインズバーグ』の作家シャーウッド・アンダスンは、生涯に四度結婚をした。したがって、三度は離婚したわけだが、この放浪の作家は、よほどの艶福家だったらしく、いずれの離婚の折も、多少の波風はあったにせよ、恨みや憎しみから破局を迎えたのではなかった。そればかりか、二度目の結婚相手であった女流彫刻家とは、今世紀初頭の当時としてはきわめてモダンなことであったにちがいない別居結婚の形をとり、世間をおどろかせた。

だが、というより、そんなわけで、と言ったほうがいいかもしれないが、シャーウッドには子供は三人しかできなかった。しかもその三人のいずれもが、彼が実業家から作家への回心に苦悩していた最初の結婚のときに生まれている。その最初の妻は、苦悩している彼の心中を察し、演歌風に言えば、作家として人生の再出発をしようとしている彼の足手まといになるのを避けるために、生まれてまもない幼児三人を引きつれて、彼から離れて行ったのだった。一九一〇年代半ばのことである。

その後のかれらと彼との関係には、なかなかに人間臭いところがあって面白い。簡単に言えば、彼は父親として、棄てた子供たちのことが気にかかって仕方がなく、子供たちのほうも、そのような父の気持が以心伝心、親愛の情を感じこそすれ、恨みがましい気持などなかったようである。

それればかりか、一九二〇年代の半ば、彼が五十歳になったころ、放浪の途次にヴァージニア州の山中で、たまたま、やがて四番目の妻になるエリナーという婦人と知り合い、その地を終世の住処と定めて、同棲生活をはじめると、いずれもまだ十歳代であった子供たちをそこに呼び寄せて、できるかぎりの援助をあたえようとした。長男のロバートは、父と同じように文筆での生活を志し、次男のジョンは、画家志望であった。一人娘のマリオンは、やがて隣りの州ノース・カロライナの新聞経営者と幸福な結婚をし、自分もときおり健筆をふるうようになった。先般も、中国を旅行した折にたまたま例の天安門事件に遭遇し、そのときの詳細なルポを地元の新聞に書いているが、これが八十歳を越えた老女の筆かと思うほど見事なものであった。やはり血筋なのかもしれない。

血筋と言えば、アンダスンの家にはもう一つ、画家の血筋があったのではないかと思われる。シャーウッドの兄は、当時としては相当に高名な画家であったし、シャーウッド自身も、何枚かの抽象画を遺している。そして、次男のジョンが画家志望であったことは、先に述べたとおりである。

ともあれ、シャーウッドは一九四一年に死去した。そのあとを追うように、長男のロバートも十年後に夭折するが、次男のジョンはそれより少し前、ひとりヴァージニアの地を離れてシカゴに出、絵画の教師をしながら制作に専念するようになった。そして、未亡人とマリオンとは、シャーウッドの文学的遺産の保全と継承に全力を傾け、おかげで、アンダスン文学に心惹かれる読者、学者、研究者たちは、計りしれないほどの恩恵を、わけ隔てなく受けることになった。

そのなかにあって、独身の画家ジョンだけは、人から父のことを訊ねられるのを大変に嫌がり、とくに、学者や研究者が近づくのを避ける傾向があるという噂がひろまり、私のようなものまでが、彼には近づくな、と耳打ちされていた。孤高の芸術家の狷介さというものだろうと私も思いこみ、機会があって二度ほどお目にかかったこともあったが、通り一遍の挨拶を交わしただけだった。

前置きが長くなってしまった——。

本誌の前号に書いたように、昨年の夏二ヵ月間、人工透析を受けながらシカゴに滞在したが、それは、しかつめらしく言えば、シカゴ大学英文科の名誉教授マーリン・ボウエン夫妻の招待によるものだった。夫妻は共に八十歳を越えており、私などはまだ若造にすぎないが、週に一度は電話か手紙で語りあっている仲である。夫妻の住居は、各階二世帯が四層になった細長い集合住宅の二階にあり、私はそこで我物顔にふるまわせてもらっていた。

八月下旬の土曜日の、よく晴れた暑い日射しの午後のことだった。夫妻が買物に出かけ、私がひとり留守番をしているところへ電話がかかってきた。受話器を取ると先方は、自分はジョン・アンダスンというものだが、そちらにオオハシという日本からの客人がいるはずだが、と訊ねる。私が、自分がそうだが、と答えると、ちょっとお会いしたい、二十分ほどで行けると思うが、これからすぐに伺ってもよろしいか、という老人らしい性急さである。どうぞ、と私は答えた。

そこへボウエン夫妻が帰ってきた。私は電話のことを話し、自分の心当たりとしては、ことし八十三歳になったはずの、シャーウッドの息子の画家だろうと思うのだが、来意はわからない、と報告した。すると夫妻は、あの高名な作家だった人の息子がくるのかと言って、居ずまいを正そうとしはじめたので、私はそれを押しとどめ、せめてお茶の用意に、お湯でもわかしておいてくれと頼んだ。その実、私自身、まるで白日夢でも見ているような気分に陥っていた。

まもなく、来訪を告げるベルが鳴った。私はドアをあけて、二階にあがる階段の上に立った。明るい日射しの中からほの暗い屋内に、パナマ帽を手にした白髪長身の老紳士が入ってきて、階段をあがりはじめた。私のほうを見あげながら、にこやかに笑みを浮かべている。その瞬間、写真でしか見たことのないシャーウッド・アンダスン自身が訪ねてきたのではないか、と私は錯覚していた。実によく似ている。

部屋に招じ入れて向い合うと、私もようやく我に返り、まず、飲みものは何がいいかと訊ねた。すると、冷たい水をご馳走していただきたいとの返事、ボウエン夫人にコップいっぱいの冷水をもってきていただいた。その水をおいしそうに飲みほすと、手にしたパナマ帽で顔のあたりを扇ぎながら、彼は濁声で来意を語りはじめた。よほど私が怪訝な顔をしていたらしい。

意外な言葉が彼の口から出てきた。私に、お礼の気持を述べたいと思って、やってきたのだと言う。そして、私がいつだったかあちらの小さな文学雑誌に書いた彼の父のこと、彼の父の未収録の評論やエッセイを集めてニューヨークの小さな出版社から刊行した本のこと、十年ほど前に、彼の父が生前に刊行したすべての出版物を初版本に基づいて編纂し、二十一巻の『シャーウッド・アンダスン全集』として、京都の臨川書店から洋書として出版していただいた全集のこと、などを具体的にあげて、それらをいずれも大学の図書館で見たが、自分の父の業績をあのように整理していただいて、自分としては大変うれしく思っていたので、たまたま妹から私がシカゴにいることを聞き、ぜひとも直接に会ってお礼を言いたかったのだ、と言うのである。

石の上にも三年どころか、アンダスンの文学と人柄にこだわりつづけて約半世紀、鈍才の自分にも少しは内外の学界のお役にたつことができたと思いながら、他方、私はかねてから自分のことをアンダスン馬鹿と自嘲していた。だが、ジョンの来訪と謝意を聞いた途端に、馬鹿ということばを果報という語に置き替えることにした。同時に、学者とか研究者と称される人たちの一部にある偏狭さ、あるいは足の引っ張り合い、を改めて思い知り、ジョンに近づくな、と私に耳打ちした某教授の顔を思い浮べていた。

それから数日、ジョンとの幸福な交流がつづいたが、そのことはまた別の機会にゆずるとして、最後にひとこと、大学病院での次の透析のとき、中年の気さくな黒人の透析技士が私に近づいてきて、ジョン・アンダスンに会ったんだそうだな、と語りかけてきた。私が頷くと、彼は、あれはいい男だよ、と言ってうれしそうに笑った。

（『三田文學』一九九二年七月）

宇和島へ

本号にもまた書かせていただくことになって、順序としては、前号のジョン・アンダスンとの交流のつづきということになるが、ここでは、ちょっと脇道にそれさせていただく。もっとも、やはり前号に書いたシカゴ大学名誉教授のマーリン・ボウエン夫妻には、ここでもまた出ていただくから、順序をまったく無視するわけでもない。ただし、これはシカゴではなく、わが国での、十五、六年ほど前の話である――。

その頃、ボウエン夫妻は二年間、アメリカ文学の外人教師としてわが国に滞在した。シカゴ大学を定年退職してから、わが国にきて暮してみたいと考え、幸い、生活の支えになる教職が見つかったので、来日したのだった。夫妻はそのときすでに、相当な高齢であり、日本語はまったく操れなかった。ただ、噂に聞く日本を、自分たちの眼で直接に見てみたいという旺盛で純粋な知的好奇心が、二人をわが国に向わせたのだった。

来日すると、仕事の関係もあって、二人は、東京から東に数十キロ離れた田舎町での借家住まいをはじめた。当時は、その田舎町のあたりは、地面のほとんどがまだコンクリートに覆われてはいなくて、昔ながらの素朴な人情や風景がふんだんに残っていた。そんな所へ、言葉もできないのに、アメリカからの見馴れぬ客人が突然とびこんできたのだから、町のほうでも最初は少々周章狼狽したようだったが、非常に短かい期間のうちに、両者は見事に宥和した。これは、夫妻の人柄を、如実に物語る事例と言ってもいいだろう。

その様子を見ていて、私は一つの計画を思いついた。夫妻がわが国に滞在しているあいだに、できるだけ多くの日本を見せてやりたい。日光とか箱根とか、外人の観光客が必ず訪れるような場所は、専門の観光旅行業者に委ねればいい。そんな場所ではなくて、外人の観光客などがあまり訪れることのないわが国の田舎へ、自分の車で、できるだけ多く連れて行ってやりたい、と考えたのである。私自身、アメリカでそれに類似した体験を自分の車で楽しんで、私なりのアメリカがよくわかったような気がしていたからである。ともあれ、そういう私の計画を、ボウエン夫妻も非常に喜んでくれた。

ただ、ドライブ旅行には、正確な旅程がたてられないという難点がある。ことに当時は、今日のようには高速道路が整備されていなかったし、道中の道路事情や天候など、不確定な要素が多々あって、目的地に着くおおよその時間さえ狂いがちだった。それに、おたがいに仕事をもつ身だから、休暇中は別として、普段のときは、せいぜい二、三泊の旅行しかできない。ただ、家内が、英語は話せないが、道路地図を読み取ることにかけては、非常に有能なナビゲーターだったのは大助かりだった。

かくして、私の小さな車の後部座席に、大きな夫妻の体を折り曲げるようにして乗せ、助手席に家内を坐らせて、私たちの田舎遍歴ははじまった。出かける前に、家内とはあらかじめ、どのあたりまで行ってみようと打ち合わせるが、夫妻には、ただ漠然と、北の方とか南の方とか、大体の方向を教えるだけで、それ以上の詳しいことは語らなかった。さきほども述べたような事情で、予定どおりにことが運ぶかどうか、場合によっては、道中が順調すぎて、予定以上に先を欲ばることができないともかぎらない。そういう私たちのやり方を、夫妻は「誘拐」と呼び、いつしか次の「誘拐」を心待ちにしてくれるようになった。

当時、橋もまだ架かっていなくて、四国は、ことに外国からの観光客にとっては、まだ辺境だった。その辺境のさらに西の涯、松山から宇和島にかけての伊予路は、私たち夫婦には格別な道筋だった。松山を出てまもなく、行手を阻むように、高く嶮しい山が重なり合う。感嘆するのは、どの山も、ほとんど頂上近くまで蜜柑の木が整然と植え付けられているか、あるいは段々畑になっていることである。人の勤勉を証明する光景は、いつ見ても感動を誘う。嶮しい山道も、そんな光景のなかでは、あまり苦にはならない。

さすがの山道もやがて下りになり、旧い町並みの残る内子の町を過ぎると、城下町の大洲の賑わいになる。その大洲から、少し回り道をして夜昼峠を越えると、八幡浜の港に出る。八幡浜は、ダダ詩人高橋新吉の故郷である。町の入口にある彼の母校（旧・八幡浜商業、現・八幡浜高校）の校庭の一隅には、彼の有名な詩、〈留守と言へ／ここには誰も居らぬと言へ／五億年経つたら帰つて来る〉を刻んだ詩碑がある。不思議なことに、この有名な詩もここにきて改めて読むと、これまでとはちょっとちがう感慨をおぼえる。

八幡浜から宇和島までは、右手に宇和海を見ながら、のどかで平坦な山裾の道がつづく。宇和島も旧い城下町で、闘牛でも有名だが、この場所が私たちに特別の意味をもつようになったのは、ボウエン夫妻来日の二年前のことだった。その年の秋、大学院でシェイクスピアを専攻していた私たちの長男が、突然、自ら進んで鬼籍に入っていった。二十五歳だった。そのことの委細については、いずれ詳しく書きつけておこうと考えている。

その事件とほとんど同じ頃、宇和島近郊にある四国四十二番の札所の小さな山寺が、山津波の災害にあって荒廃してしまい、若い住職がその復興に懸命の努力を傾けている、ということを風の便りに聞いた。私たちは特に信心深い仏教徒でもないが、その風の便りを聞いたとき、長男に寄せられた香料の一部を、その寺の復興のために寄進しようと決め、簡単に事情を述べて送金した。翌年の春、寺から報告がきた。無事に復興も完了し、その記念に小さな六地蔵を建立することもできた、その六地蔵のうちの一体は、私たちの長男のつもりである、暇があったら見にきてくれ、とある。私たちは春休みを利用して、宇和島に出かけた。はじめての伊予路だった。

寺に着いて山門を入り、ゆるやかな石段を十数段上がると、その左手に六地蔵はあった。いずれも身長が一メートル二十ぐらいで、真新しい赤い頭巾をかぶり、赤い頭陀袋(ずだぶくろ)を首にかけていた。親切なお遍路さんが、頭巾や頭陀袋が古く色褪せてくると、すぐに着せ替えて下さるのだそうだ。六地蔵のうち、向っていちばん右にいるのが、私たちの長男のようだった。その地蔵の台座の石に、寄進者として私の住所氏名が記してあった。〈おい、来たぞ。変りはなかったか?〉と、私たちは手を合わせる代りに、声をかけた。円満な地蔵顔は、表情を崩さなかった。そのときから、伊予路は私たちにとって格別なものになり、その年の夏休みにも、また訪れた。

ボウエン夫妻とその伊予路を辿ったのは、その次の年の、夏休みもやがて終ろうとする頃だった。どういうわけだったか、その一週間ほどの旅行には、家内が同行できなかったが、夫妻は、いつものように、道中のすばらしさを充分に堪能してくれた。ただ、宇和島の寺のことは、何も語っていなかった。寺に到着して山門を入ったとき、私ははじめてぽつりと、実はこの寺に私たちの長男がいるので逢ってやってくれ、と言った。私たちの子供は、東京にいる息子と娘だけだと思いこんでいた夫妻は、まるで狐につままれたような顔をしたが、それ以上の説明は拒否するような表情を私は浮べていたらしい。押し黙ったまま、私たちは石段を上がっていった。

六地蔵の前にくると、私はいちばん右にいる地蔵を指差して、あれが私たちの長男だと言った。夫妻は一瞬、きびしい顔付きになって、その地蔵を凝視していたが、不覚にも私が涙を流しているのを見ると、夫人のルースは体を寄せてきて私を抱きかかえるようにし、ハンカチを取り出して、涙を拭ってくれた。マーリンは、上着の内ポケットに手を入れて、札入れを取り出し、何枚かの紙幣を引き抜いて、ティッシュペーパーにくるんだ。そして、それを私に手渡しながら、これは、お前の息子がお世話になっていることに対する自分たちからのお礼の気持だ、寺に差上げてくれ、と言った。

（『三田文學』一九九二年十月）

Episode

私の就職問題

一九九一年の三月末、私は途方に暮れていた。大学院博士課程は出たものの、就職先が決まらなかったからである。

それはまったく計算外の状況であった。博士課程の二年に進んだ時から八王子の方にある某大学で非常勤講師を務めていた私は、博士課程修了後、そのままその大学に専任として採用されることが口約束で決まっていた。だから私としては、大学院を出た後の就職先は既に決まったものとして、安心しきっていたのである。

ところが博士課程の在籍期間が残り少なくなってきた頃になって、突然、その大学から「来年度ももう一年、非常勤講師のままで居て欲しい」と言われたところから、歯車が狂い出した。向こうには向こうの都合があったのだろうけれども、口約束を一方的に反故にされた私は、大いに驚き、かつ大いに立腹し、そういうことならこちらから縁を切ると啖呵を切ってしまった。と同時に慌てて就職活動を開始し、大橋先生にもお力添えを願った。先生の顔で何とかならないか、という甘えが、当然のことながら私にはあった。

ところが、これが更なる大誤算だったのである。ご自身の体調がますます悪化していくことからくる不安もあって、大橋先生は、鞄持ちの私が遠くの大学に就職することを望まなかったのだ。

例えば、北関東にある某国立大学の教官公募に応募し、最終面接まで行った時、面接の際、私は居並ぶ面接官の方々に対し、「(大橋先生の面倒を見るため)毎週末、必ず自宅(=実家)に戻ること」をこちら側の条件として申し伝えなければならなかった。そうするよう、大橋先生から強く念を押されていたからである。そしてそのことを私が口にした途端、面接官の方々の顔がさっと強ばったのを私は感じた。それはそうだろう、「本務校の都合より、恩師の都合を優先するが、それでいいか?」と申し出たようなものなのだから。結果、私が選に漏れたことは言うまでもない。そういうことは、一度や二度ではなかった。

それだけではない。実は大橋先生を経由して、いくつかの大学から私に対する引きがあったらしいのだが、それらも皆、大橋先生は断ってしまわれた。後でそのことを聞かされ、啞然とする私に、「なーに、あの大学は、キミが行くようなところではない」と、さも当たり前だと言わんばかりのことを先生は仰るのだが、私としては「そんなぁ……」というところである。

かくして一九九〇年の冬は終わり、一九九一年の春が来て、私の就職浪人が決まった。それが決まった後、何かの手続きをする必要があって母校の大学に行くと、入学試験の狭き門を突破したと思しき若者が、ご両親を連れてキャンパスを闊歩しているのとすれ違った。四月からの新生活に胸を弾ませているその若者と、誇らしげなご両親の様子を横目で見ながら、私には四月になっても行くところがないのだという思いが募ってきて、楽天家の私にしては珍しく気が塞いだことを今も鮮明に覚えている。

こんなことを続けていたら、いつまで経っても就職など出来はしない。また就職して独り立ちしなければ、ずっと先生の鞄持ちで終わってしまう——。そのことに気づいた私は、もはや先生に相談することもなく、東京近辺のみならず、日本中どこであれ、教員公募をしているすべての大学に応募した。そして数えきれないほどの残念な通知を受け取った。大学の教員公募というのは、一見公明正大な公募に見えて、実は多くの場合、採用する人は最初から決まっていて、公募はその「一本釣り」を隠すための方便に過ぎない、ということは後になって知ったが、そんな裏事情を知らない当時の私としては、落選の通知を受ける度に大いに失望した。

そうこうしているうちに一年が過ぎ、また来年度も就職浪人かと思い始めていた矢先の一九九二年二月半ば、ついに名古屋にある愛知教育大学から採用決定の通知が来た。これは嬉しかった。

が、その知らせにホッと胸を撫で下ろしたのも束の間、これは大橋先生に怒られるかなという恐れが私の脳裏をよぎった。東京から新幹線で一時間半とは言え、東京・名古屋間の三百キロという隔たりは大きい。そう毎週、先生のところに顔を出すため、実家に戻るわけにもいくまい。それが就職ということであり、自分も就職せねばならぬ身だと頭では分かってはいても、やはり先生に申し訳ないという気持ちは拭えなかった。

しかし、こうなった以上、報告をしないわけにもいかない。後ろめたい気持ちを隠しつつ、意を決して先生のところに電話で報告したのだが、意外にも先生はご機嫌だった。「そうか、それは良かった。愛知と言えば、県立大に野村達朗先生というアメリカ史の偉い先生がいらっしゃる。あの人のところで二、三年勉強してくればいい。それに日吉にAという先生がいるな。あいつも若い時は県立大で修行したもんだ」。どうも先生は愛知教育大学と愛知県立大学をごっちゃにしているようだったが、その言の葉の端々から「とりあえず今はそこに就職するとしても、二、三年もすれば東京に戻ってくるだろう」と思っていらっしゃることは明らかだった。否、「戻ってくるつもりでおれ」という念押しだったかも知れない。

とにかく、このような経緯で、私はついに大橋吉之輔という大きな後ろ盾から離れ、巣立ちの時を迎えたのだった。

シェリーかシャンペンか

昨年の夏、シカゴ滞在中に、思いがけなく、シャーウッド・アンダスンの息子の画家ジョンの来訪を受けて、ひどく感激したことは、前々号に書いたとおりである。

私たちの歓談は約三十分つづいた。その間、ジョンは問わず語りに、少なくとも私にとっては非常に興味のあることを、いくつか話してくれた。彼はけっして饒舌ではないが、その語り口は誠実そのものだった。目が悪くなって、一週間ほど先には白内障の手術を受けることになっている、とも言う。それは大変ですね、と私が慰めると、彼は、友達や仲間が大勢いるから、全然心配なんかしていませんよ、と笑っていた。別れぎわに、長いこと心にわだかまっていたことが、口を突いて出た。あなたの作品を拝見したいのですが？　するとジョンは、いいですよ、いつでもどうぞいらっしゃい、と言ってくれた。彼が白内障の手術を一週間先に控えていることや、私自身の透析や帰国日程などを考え合わせると、翌日の日曜日の午後が、性急だが好都合だった。その旨を言うと、結構です、待っています、と答えてくれた。

ジョンの家は、二世帯が入っている独立家屋で、入口のドアが二つある。右側のドアをあけると、そこからすぐに二階にあがる階段があり、その階段の上がジョンの住居兼アトリエである。アトリエの採光のために、壁面にはガラス窓が余分にはめこんであった。ちなみに、階下にはラテン系らしい中年の夫婦が住んでおり、ジョンが病気になったりしたときには、何くれと無く世話を焼いてくれているふうだった。

前日とは逆に、今度はジョンが階段の上に立って、私を迎えてくれた。階段の右側の壁面に、二十数点の版画が貼ってあった。三、四点の色付きをのぞいて、あとは全部白黒、一番大きなもので三十×二十センチくらい、その半分の大きさのものもある。ジョンはそれらを指差して、いずれも比較的最近のものだと説明してくれた。私はそれらの版画を見て、内心非常におどろいていた。そのほとんどが、デフォルメされた人物や村落の風景だったが、ジョンの父シャーウッドが僅かに描き遺している油絵や水彩画のデフォルマシオンと、そのタッチがよく似通っているように思われたからである。また、村落の風景のなかには、私がヴァージニアの山中で見かけたことのある、その土地の画家が描いた精密なペン画に似ているものもある。もちろん、そのような印象は、シャーウッドやジョンに対する私自身の勝手な思い入れからきたものであろうが、それでも、私にはそのように思われて仕方がなかった。

ところが、アトリエのほうに請じ入れられて、様子は一変した。そこには、すでに完成した何点かの大きな油絵や水彩画が、壁に立て掛けてあった。ジョンはその一枚一枚の覆いをとって、見せてくれたが、そのいずれもが、主として婦人の肖像画で、デフォルメされているようなものは一枚もない。現に、画架の上にある制作中の絵も、婦人の肖像であった。思いなしか、それは先年物故したシャーウッドの未亡人エリナーの姿に思われた。ともかく、アトリエのほうの絵に、私はシャーウッドの兄カールのエコーを強く感じた。前にも述べたように、カールは今世紀初頭には相当に有名な画家であったたし、現に彼の作品のいくつかは、今でもあちこちの美術館に展示してある。そのほとんどが婦人の肖像画である。

私は帰国の際に持ち帰ることを考えて、版画のほうの何点かを、分けていただけるだろうかと申し出た。ジョンは、結構だ、気に入ったものを遠慮なく言ってごらんなさい、と愛想よく答えてくれた。少し多いかとも思ったが、私は版画のなかの七枚を選んだ。するとジョンはその七枚を壁から取りはずして、アトリエの台の上に運び、一枚一枚を丁寧に優しく、まるで慈しんできたわが子を旅立ちさせるかのように、二つに折ったケント紙のなかにそっと挟みこみ、最後にそれらをまとめてクラフト紙の袋に入れ、これでよろしいか、と私に手渡してくれた。私は早速、ボウエン夫妻から聞いてきたように、いくらお払いしたらいいか、と訊ねた。するとジョンは首を横に振りながら、お金はいらない、自分のお礼の気持として受けとってくれ、と言った。私はひたすらに恐縮しながら、彼の厚意を受けることにした。

だが、収まらないのは私の気持だった。ジョンに対するこちらの感謝の気持を、何か形のあるもので表わしたいと考えたが、なかなかいい知恵は浮かばない。目の手術を控えているので、花でもあるまい。ところが、翌朝の新聞を見ていたら、近所の酒店の広告が目にとまった。そこには、ワイン・リストなるものが掲載され、主としてシェリーとシャンペンがずらりと並んでいた。ここで私は自分の恥を告白しなければならない。体質なのかどうか、私の体は昔からアルコール分の入ったものは一切受けつけず、奈良漬やボンボンに至るまで駄目だった。それが恥かしくて、いろいろと修業をし、努力も重ねてみたが、改善のきざしは一向に見られなかった。いつしか、酒は自分には縁のないものとあきらめるようになっていた。だから、シェリーやシャンペンと言っても、どちらがどのような味わいのものなのか、まったく見当がつかない。だが、そのワイン・リストを眺めていて気がついたのは、シェリーのほうもシャンペンのほうも、その値段はピンからキリまであり、なおかつ、シェリーの最高の値段のものより、シャンペンの最高のもののほうが十ドルも高いということだった。

私の心は、最高の値段のシャンペンに傾いた。こちらの謝意を表わすのに、それくらいの値段なら失礼には当らないだろうと考えたのである。だが、ボウエン夫妻にそのことを相談したところ、私のせっかくのアイデアも一笑に付されてしまった。シャンペンと言うのは、独り者のところに贈るものではない、贈るのならシェリーのほうだ、と言うのである。そう言われればそうだと、私は自分の不明をここでも恥じたが、値段の点から言って、シャンペンのほうに、どうしても未練が残った。そのあげくに、恥の上塗りは承知の上で、ジョンに直接電話して訊ねてみることにした。

絵をいただいたお礼に、ワインをお贈りしようと思っているが、如何なものであろうか？また、今こちらが考えているのはシェリーかシャンペンだが、どちらがよろしいだろうか？

するとジョンはしばらく考えてから、シャンペンのほうをいただくと答えた。やはり訊ねてみてよかったと思いながら、早速酒店に、いちばん高値のシャンペンを手配した。

想像するに、目前に迫っている白内障の手術が無事に終ったら、仲間や友人たちをアトリエに呼んで、快気祝にシャンペンを抜こうと考えていたのではないかと思う。前にも書いたように、ジョンには仲間や友達が大勢いるらしい。それも画家仲間とか、そう言ったしかつめらしいものばかりではなく、彼の人柄に惹かれて集まっている近所近辺の普通の人たちらしい。酒店にシャンペンを手配したその日の午後、大学病院の透析室で、中年の気さくな黒人の透析技師が、私に近づいてきて、ジョン・アンダスンに会ったんだそうだな、あれはいい男だよ、とうれしそうに頷いたことは前に書いたが、その黒人の透析技師など、ジョンの仲間の一人であるにちがいない。ジョンと私とのやりとりを、間接的に見聞きしていたボウエン夫妻までが、ジョンの人柄に魅せられたらしく、私の帰国後も、私に代ってという口実で、折にふれ、ジョンと電話で語り合うようになっている。

このように、普通の人々の自然発生的な集まりを見ていると、ジョンたちが住んでいる地域の土地柄というものを、どうしても考えたくなる。シカゴ大学の東、ミシガン湖畔までのそんなに広くはない地域を、ハイド・パークと呼ぶが、ここには大学の教職員ばかりでなく、多くの人種や階層の人たちが平和に静かに共存している。ここからダウンタウンに通勤している人も少なくない。この地域社会が出来てから、百年ほどになるが、その間、そのたたずまいはほとんど変っていない。今世紀初頭、シカゴを中心に新しい文学運動や芸術運動が盛んであったころ、この地域には多くの新しい作家や芸術家が出入りして、談論風発の態であったらしい。その当時、絵画ばかりでなく新しい文芸の提唱者としても活躍していたカール・アンダスンも、ここに出入りしていたし、オハイオから出てきた弟のシャーウッドを、みんなに紹介した場所でもある。だが、ハイド・パークのほんとうにいいところは、そういった事実を仰々しく言挙げしないで、いつまでも静かに暮していることである。あちこちに見られるような化石にはまだなっていないのである。

シカゴ大学の東、さらには西、のことを別の機会にもうちょっと書いておきたいと考えている。

（『三田文學』一九九三年一月）

Episode 大橋先生と松元寛先生

大橋先生が最後に郷里・広島に帰られたのは、一九九〇年の六月十四日のこと。既に人工透析を始められていた先生には体力的にきつい、二泊三日の強行軍であった。

恐らくはこれが最後の帰郷になるであろうと予想された先生には、この機会を利用して広島に住む御妹弟に会い、ある程度の生前贈与もしておきたいというお考えがあった。そういうこともあって先生はこの広島行に相当な額のお金を持参されたのだが、同行した私に任されたのはそのお金のガードマン役である。このバッグの中に大量の万札があるのだと思うと責任重大、羽田空港や広島空港で行き交う人の誰もがひったくりに見えて仕方がなかったことをよく覚えている。

またこの旅では、大橋先生の先生に当る先生方、例えば桝井迪夫(みちお)先生であるとか、吉田弘重先生に再会するという目的もあって、私のような昨今の駆け出し者は、そういう大先生方を前にして小さく縮こまっている他なかった。

*

ところで、この旅には更にもう一つ、重要なイベントがあった。それは大橋先生の古くからの御学友で、シェイクスピアの研究者として広島大学、及び広島修道大学で教鞭を執られた松元寛先生との再会である。

大橋先生と松元先生は、広島高師附属中学校と、東京帝国大学で机を並べられた仲。特に東大時代は、広島出身者がお二人だけだったこともあり、松元先生の言葉を借りれば、それこそ「弥次喜多道中」のように始終ご一緒に居られた由。そういう若い時からの付き合いなので、お二人は互いに「大橋」「松元」と呼び合われる。それはもちろん当然のことなのだが、それまで大橋先生のことを「大橋」と呼び捨てにする人を見たことがなかったので、私にはそのことが妙に新鮮であった。

しかし、大橋先生と松元先生との関係に関して、互いに名前を呼び捨てにすることに加えてもう一つ、私が感銘を受けたことがあった。

実は、今回の大橋先生の広島行には、松元先生との間で何ごとか相談事があって、それをお二人の間で協議することが目的の一つとしてあったのである。

ところが、そのお二人の相談事は、一瞬にして終った。大橋先生と私が広島空港に降り立ち、出迎えた松元先生とお会いした時、まず第一声として大橋先生が「アレ、どうなった?」とお尋ねになり、それに対して松元先生が「うん、アレはもう片付いた」と答えられて、このふた言でこの件は終ってしまったのだ。

お二人の間にどのような相談事があり、それがどのように解決されたのか、私は知らない。しかし、ともあれそれがたったふた言で片付いたのを見た時、男同士の相談事とはかくあるべし、ということを強烈に悟ったのである。それは長い友情と深い信頼によって結びついた男同士の、美しい一瞬の所作であった。

*

松元寛先生は、色々な意味で大橋先生とは異なっていた。まず小柄な大橋先生とは違って、松元先生は背がお高かった。また時に辛辣な物言いも辞さない大橋先生とは対照的な松元先生の穏やかな言葉遣いや物腰は、その微笑と共に、先生の柔らかなお人柄を十二分に顕していた。柔らかな、と言うのは、無論、弱いという意味ではない。松元先生には松元先生のしなやかな強さというものがあって、それは私にも感じられたが、それは大橋先生の強さとはまったく性質の異なるもので、だからこそお二人はぶつかることなくいられるのだろうと思った。そして二泊三日の広島滞在中、私は何度となく松元先生にお目にかかり、また大橋先生と松元先生が、それこそ「弥次喜多」のように二人並んで心地良さそうにリラックスしておられるのを見る度に、私は嬉しくなってしまうのであった。

そして滞在三日目、いよいよ広島を後にする時、空港まで見送りに来て下さった松元先生は、私のことをわざわざ近くに招いて、真直ぐに私の目を見ながら、大真面目に「大橋のこと、よろしく頼みます」と言われた。それは東京までの道中、という意味ではなく、これから先ずっと、という意味であった。私は松元先生にそう頼まれた以上、今後ますますしっかりと大橋先生の面倒を見なければ、と思った。それは「東京にいるうちは、私が松元先生の代わりを務めるのだ」という心意気でもあった。

＊

私がこの後もう一度、そして最後に松元先生にお目にかかったのは、このことがあってから三年半の後、大橋先生のお通夜の席である。

急を聞いて広島から駆けつけてこられた松元先生は、しかし、どうしてもその日のうちに広島に帰らなければならないご用事があった。それで大橋先生とのお別れも長くは出来ず、お通夜の途中で退席されることになった。

帰り際、松元先生は大橋先生のご遺族に挨拶をされていたのだが、その途中、ふと思い付いたように、「この場に、尾崎君は居ますか?」と尋ねられた。私はその声を聞き、またご遺族にも招かれて、松元先生のおそばに行った。

松元先生は、私のことをじっと見つめられると、ただ一言、「大橋のこと、今までありがとう」と言われた。大橋先生が亡くなられたという知らせを聞いてからこの時まで、私は一粒の涙すらこぼしてはいなかった。しかし松元先生にそう声をかけていただいた瞬間、私は万感の思いが胸にこみ上げてきて、「大橋先生には大変可愛がっていただきまして……」とお答えするのが精一杯、後は滂沱の涙と共に崩れ落ちた。

この人の前では、そうしてもいいと感じたからである。

感謝祭の七面鳥

今から百年ほど前、当時はまだ郊外であったシカゴ市の南で、あの歴史的に有名な起死回生の万国博が開催され、その跡地にシカゴ大学が創立された。したがって、この大学は、昨年百年目の誕生を迎えたわけだが、はじめからユニークな特色を持っていた。それは、法学部や経済学部はあっても商学部や経営学部はなく、理学部はあっても工学部はなく、原子の火はここで点ったが原子爆弾は作っていない、といった具合に、純粋に高度な学問の府として存立してきていることである。他にもちろん、文学部や医学部はあり、出色の東洋研究所もあるが、資料や情報の宝庫としての巨大な図書館も、目を瞠(みは)るもののひとつである。三十年以上も前に書き散らかして、当の本人がすっかり忘れてしまっていたわが国の雑誌を、この図書館の片隅で見出したとき、私はひそかに驚愕し狼狽した。まるで、尻尾をつかまれているような気がしたからである。

　この大学の東側に、優しく人なつこい雰囲気を保持しているハイド・パークという地域があることは、前号で述べたとおりである。土地の古老に言わせると、それでも近頃はずいぶん変ったと嘆くが、一昨年の夏、三十年ぶりに訪ねてみても、新しいいくつかの建物を除いては、私にはほとんど変っているようには思われなかった。この地域の保持に、大学側のひそやかな努力もよく言われるが、たとえ風光明媚なミシガン湖を控えているとはいえ、大学と生成発展を共にしてきたのは、東側のこの地域だけだったのだろうか、西の方はどうであったのだろうか？　ミシガン湖に代って、西は、果てしなくひろがる中西部の平野である。地図を開いて見る。すると、大学の西にある小さな公園を隔てて、ガーフィールド・ブールヴァードという広い道路が西へ西へと一直線に延び、その行く手には、現在でも一部が機能しているシカゴの旧空港がある。かつてのシカゴ名物であった大屠殺場も、この道路の北、それほど遠くはないところにある。これだ、と私は推測した。この道路も、大学の生成と共に発展してきたのではなかろうか？　東西に走る道路に、ブールヴァードという名を付けるのは、シカゴではそんなに多いことではない。大学を中心にして、東にハイド・パーク、西にガーフィールド・ブールヴァードとくれば、バランスもいい。

だが、このガーフィールド・ブールヴァードに、みんなの制止を押し切って私がはじめて足を踏み入れたのは、六〇年代だったが、そのとき、そこはすでに廃墟と化していた。広い通りの両側には、妍を競うように飾り立てた中層高層の石造りの建物が櫛比し、往年の殷賑を極めた商業地区の俤が残っていて、花の都大路の成れの果てという日本語を、私は思わず呟いていた。どの建物も空虚で、吹き抜ける風も荒んでいる。裏通りに住んでいる人たちが、通りに出てきて三々五々屯し、高笑いを発したり罵り合ったりしていたが、その喧噪も舞い飛ぶ紙きれと同様に、淋しかった。都市再開発指定地区と書いた当局の大きな看板が、目についた。

ところで、六〇年代の一年半、家内がくるのを待つあいだ、私はシカゴ大学の付属施設であるインタナショナル・ハウス、通称I・ハウス、に寄宿していた。I・ハウスはハイド・パークの南西端にあたり、十階建て、石造りの堂々たる建物で、常時百人以上の宿泊者がいた。当節、この種の設備は少なくないが、純正のI・ハウスは全米に三箇所だけで、シカゴのはそのひとつだと言う。部屋はほとんど全部が個室で、当時は男女のきびしい区画があった。アメリカ人が五割、あとは諸外国人というのが一応の目安だが、宿泊期間は短期、長期を問わず、シーズンによっては部屋がなかなか取りにくかった。カフェテリア、喫茶、図書室、読書室、文具店、それに小間物屋まであり、一階の広いロビーは、楽しくゆったりと寛げる社交の場だった。宿泊者はシカゴ大学の学生や関係者だけに限らず、市内の他の大学の学生や、ダウンタウンの美術館で陶芸を教えている人もいた。また、独りであれば、身分や年齢は問われなかった。諸経費は、外に比べれば相当に安かった。

それにまた、当時はメイド・サービスがあった。五、六人の黒人のメイドさんが、たいていは午前中、各室を代わる代わる清掃し、寝具を整理してくれたのである。土曜日には、シーツや毛布の交換もあった。各室は適当な広さで、ベッド、机、書棚、クロジットなどが作り付けになっていて、独り住居には充分であった。一年半のあいだに、私はそこで多くの友人や知己を得たが、懐かしい人たちばかりである。私の部屋は八階の角、エレベーターのそばにあった。そして、どういう経緯であったか、いや、そもそも経緯などはなかったように思うが、いつしか、私の部屋の清掃や整理は、ルーシーという一番年輩のメイドさんが、独占して担当するようになっていた。

ルーシーはよく肥えていた。これ以上肥えると皮膚が弾けてしまいそうだった。そのくせ、その動作は、機敏とまではいかなくとも、鈍重ではなかった。両切りの赤ラベルのフィリップ・モリスしか喫わない、ぎょろ目で寡黙な女だった。毎日、お昼過ぎの十二時五十分、ルーシーは大きな体を縮めるようにして、忍び足で私の部屋に入ってきた。午前の清掃は済んでいるので、その日の二度目の訪問である。たとえ私が不在でも、ルーシーはマスター・キイを持っている。入ってくると、私の小さな椅子に大きな体を窮屈そうに沈めた。それから手を延ばして、机の上のポットの湯で、インスタント・コーヒーを淹れる。次に、机の上のカートンから赤ラベルのフィリップ・モリスを一箱抜き取り、一本つまみ出して火をつける。それから、テレビのスイッチを入れた。午後一時から、どこかのチャンネルの連続テレビドラマがはじまった。よその社会の絵空事なのだが、ルーシーは三十分間、それを食い入るように見つめていた。私も、部屋にいるときは、ベッドの端に腰をおろして、一緒に画面を見つめた。ドラマが終ると、私は手を振って、机の上のコーヒー・カップなどはそのままにしておくようにと合図する。ルーシーは頷いて、部屋から出て行った。このルーシーの就業違反の行為を、他の若いメイドさんたちは見て見ぬ振りをしていた。それどころか、彼女たちが私に向ける目差しに、急にあたたかい親しさが浮かぶようになっていた。ルーシーのこの日課は、いつのまにか私の日常生活の一部になっていた。

ところが秋のある日、ルーシーはこなかった。午前の部屋の清掃は、他のメイドさんがやってくれた。次の日もそうだった。三日目の朝、部屋にきた若いメイドさんに、どうしてルーシーはこなくなったのかと訊ねた。すると、ルーシーは風邪をひいて発熱し、寝ているらしい、と言う。見舞いに行こう、と私は決心した。ルーシーの住所はわかるだろうか、と訊くと、ちょっと待って、と彼女は答え、階下のオフィスまで降りて行って、まもなく、ルーシーの住所を書いた紙きれを持ってきてくれた。場所はガーフィールド・ブールヴァードだった。私はキャンベルのチキン・スープを半ダースと、赤ラベルのフィリップ・モリスを一カートンと、それに小さな花束を車に積み込んで出かけて行った。

教えられた所番地は、すぐに見つかった。大通りに面しているので、人に訊ねて確かめる必要もなかった。そこは石造りの四階建ての集合住宅で、壁面のあちこちには浮き彫りの飾りが施してある。宏壮な建物だった。だが、そのときはすでに、他の建物と同じように廃墟になっていた。人が住んでいる気配はまったくない。窓という窓はほとんど打ち破られ、建物全体が埃におおわれて、生彩がなく、くすんで見えた。

硝子が抜け、頑丈な蝶番がひん曲げられて、壊れかかっている重厚な扉を、私はこじあけるようにしてなかに入った。右手に、階上に通じる幅の広い階段がある。その階段の下まで行き、私は上に向って、大きな声でルーシーの名を呼んだ。だが、なんの反応もなく、私の声ががらんどうの屋内を一巡して戻ってきただけだった。いっそう静まりかえったように感じられた。私の体ほどもある二匹の野良犬が、居眠りから覚めたのか、階段をのそりのそりと降りてきた。怖かった。だが、別に危害を加えてきそうにもなかったので、もう一度、胸いっぱいに空気を吸いこんで、ルーシー！　と叫んだ。すると今度は、私の叫び声の谺と一緒に、上の方からなにやら物音が聞えた。私は階段を駆け上った。三階への階段を上ったところから二つ目の部屋には、まだまともなドアが入っていて、閉まっていた。ここだ、と私は思って、軽くノックした。ドアには鍵はかかっていなかった。毀れていたのだ。

　ルーシーが大きな体をベッドに横たえて、うす暗い光の中で息をひそめていた。私の顔を見ると、ばつが悪そうにニヤリと笑った。ルーシー、どうした？　と声をかけると、風邪をひいて熱が出たのよ、と言う。ベッドに近づいて、うっすらと汗ばんでいる額に手を当ててみると、なるほどまだ少し熱い。薬は飲んでいるのか？　と訊くと、ルーシーは頷いた。窓には部厚い黒いカーテンが張りめぐらされ、裸電球がひとつ天井からぶら下っていた。人の気配を外に悟られぬためらしい。ベッドが部屋の大半を占め、そばに丸いテーブルと椅子が二つあった。私はテーブルの上に、スープの缶と赤ラベルのフィリップ・モリスとをおき、牛乳の空き瓶に小さな花束を差し込んだ。

　ビニール引きの間仕切りのカーテンの向うから、ものの煮え立つ音が聞えた。そちらの方に顔を向けると、ルーシーが追いかけるようにして、低い声で、

「明日は感謝祭でしょう、息子に七面鳥を買ってきてもらっているのよ。そうだ、ちょうどよかった。あなたも、あたしたちと一緒に夕食を食べていかない？　アップル・パイもあるし、あなたがもってきてくれたスープもあるし」

それから、カーテンの向うにむかって、

「ジョン、こちらにきて、お客さまにご挨拶しなさい」

カーテンの向うから、愛くるしい目をした十二、三歳の少年が現われ、口もとをほころばせながら、私に向って軽く会釈した。スマートな体つきで、母親のように肥えてはいない。ゴムのサンダルを履き、シャツの袖をまくっている。私が持参したスープの缶を三つ取って、カーテンの向うにまた消えて行った。

夕食をことわる理由はなかった。私は丸いテーブルをベッドのそばに寄せて、ルーシーが上半身を起せば食事ができるようにした。やがて晩餐の準備がととのった。ジョンは先ず、どこからか大きな蠟燭を一本持ってきて、テーブルの真中に立て、灯をともした。空き瓶に差した花をそのそばにおいた。それから、各自の席の前に紙ナプキンをおく。次はいよいよ料理の番だ。カーテンの向うから、ジョンが、調理したものを次々とテーブルまで運んできた。スープ、パイ、七面鳥、それにコール・スローまで添えてある。

ルーシーがお祈りの言葉をつぶやいて、晩餐がはじまった。七面鳥にかけるソースも、おいしく出来ていた。談笑もなければ音楽もない、静かな晩餐だったが、目と目でしきりに語り合う言葉は賑やかで、豊かな晩餐だった。食事が終ると、ジョンはコーラを飲み、ルーシーと私はインスタント・コーヒーを飲んだ。

秋の日は暮れるのが早い。いつのまにか、外は真っ暗になっていた。ぼつぼつ辞去しなければならない時間だ。私は手を差しのべて、ルーシーと別れの握手をした。ルーシーの手を強く握り締めると、ルーシーはその倍の力で握り返してきた。ジョンが蠟燭の灯をかざして、私の足もとを照らし、下まで送ってきてくれた。おたがいに手を振って、別れた。風が冷たかった。

四日後、ルーシーは職場に復帰した。いつものように、私の部屋へのお昼過ぎの訪問も、再開した。だが、それから十日ほど経った頃、いつもとちがう神妙な顔つきで、ルーシーは部屋に入ってきた。そして、先日の病気で、先のことを考えると心細くなってきた、デトロイトにいる弟が一緒に住まないかと誘ってくれているので、行ってみようかと思っている、と切り出した。考えてみれば、ルーシーは私より十歳ぐらい年上で、そのときはもう五十も半ばを越しているはずだった。

行くのか？　車でデトロイトまで送って行こうか？　デトロイトはシカゴからだと、ゆっくり走って五、六時間、それもすばらしいハイウェイの連続だ。だがルーシーは、いいのよ、荷物もあるし、バスで行くことに決めているから、と私の申し出を断わった。いつ行くのだ？と訊ねると、明後日だと言う。私はルーシーの小さな巾着に、残っていた赤ラベルのフィリップ・モリスを、全部突っ込んだ。

その次の日から、ルーシーは現われなくなった。まもなく、無事にデトロイトに着いた、どうにかやっていけそうだから、安心してくれ、という手紙が届いた。

折しも、公民権運動が各地で熾烈になり、暴動や放火が相次いで勃発するようになった。デトロイトも例外ではなく、むしろそういう騒ぎの中心のひとつになった。

私はルーシーの身を案じ、手紙を書いた。

だが、それに対するルーシーからの返事は、まだこない。


(『三田文學』一九九三年四月)

Episode 絶筆

大橋先生の奥様、和子さんは、本当に穏やかで、にこやかで、口数の少ない、控え目な方だった。

先にも述べたように、大橋ゼミでは毎年ゼミ生が計画を立てて信州の方に合宿に行くのだが、その際、先生は必ず奥様をお連れになった。それゆえ我らゼミ生は、その時点で一人一人奥様に紹介されることになるのだが、そんな時ですら、私たちは先生の奥様の声をあまり聞いたことがない。奥様が何か仰るときは、いつも小声で大橋先生に伝え、それを先生が私たちに伝えるという感じなのである。だから我らゼミ生は、奥様の声というよりもむしろその穏やかで絶えることのないやさしい笑顔で、奥様のことを覚えているのである。

覚えていると言えば、私は先生の奥様がお好きな色のこともよく覚えている。私が四年生の時のゼミ合宿中の夜の宴会でクイズ大会が催された時のこと。「先生の奥様が一番お好きな色は何か?」という問題が出され、解答者の一番バッターに指名された私が当てずっぽうに「青」と答えると、奥様は破顔一笑され、小さな声で「あたり」と仰ったのである。つまり、奥様の一番お好きな色と、私の一番好きな色は一緒だったのだ。

そしてその合宿の時、先生は奥様に私のことを「これは尾崎君と言って、なかなか優秀なんだ。今度大学院に進むんだよ」と紹介された。そしてその時、奥様が無言で、しかし「ああ、そうなの、がんばってね」という明確なメッセージを託しながら私に微笑かけて下さったのだが、その瞬間、私は奥様に、そして先生に「認められた」ような気がして、何だか誇らしい思いがしたのだった。

「エピソード」というエッセイの中で先生ご自身がお書きになっておられるように、先生の奥様は足がお悪かった。だからこそ、と言うべきか、先生はことある毎に奥様を旅行に連れ出された。ゼミの合宿に奥様を同伴されたのもそうだが、日本アメリカ文学会の全国大会が地方の大学を会場として開催される時など、先生は必ず奥様を助手席に乗せ、クルマでその地方に向かわれた。それも学会が始まる何日か前に家を出られて、途中、何泊もしながら、長距離ドライブをご夫婦で楽しまれるのである。

そんな時、先生は生来の茶目っ気からか、時折、ホテルや旅館ではなく、敢えてラブホテルに奥様と宿泊されることがあって、そのため東京から遠く離れた地方に馴染みのラブホテルがある、という話を聞かされたことがある。田舎町のラブホテルゆえか、経営者も年輩、先生ご夫妻も年輩ということで妙に気が合い、そちらの方角に向かう時はいつもそのラブホテルに宿泊するようになったのだとか。どちらかと言えば若者向けのその種の施設で、経営者と客が年輩同士、久闊を叙するという光景、想像するだに楽しくなってくる。私もいつか先生の真似をして、そういう夫婦旅行を楽しんでみたいものである。

*

だが非常に残念なことに、私が先生の奥様に直接お目にかかった機会は、数えるほどしかない。と言うのも、ゼミ合宿で先生の奥様に初めてお目にかかった時から二年あまり後、私が大学院の修士二年目の冬に、奥様はくも膜下出血の発作で倒れられたからである。

奥様が倒れられた時、私は修士論文の仕上げに手こずっており、目前に迫った提出期限を睨みながら七転八倒していた。そしてそのことをよくご存じの先生は、控え目な言い方ながら、「キミなあ、修論が片付いたら、ちょっと家に来て色々手伝ってくれないか」と、私に頼まれた。そう言われて、先生がいかに困窮しているか私にも痛い程分かったが、しかし修士論文を期日までにどうしても書き上げなければならないという焦りもあって、私はどうにも身動きが取れなかった。

そして一九八八年一月二十九日の朝、前日からの徹夜の末に私は修士論文を書き上げ、大学に提出した。そしてその直後、晴れ晴れとした気分で大学のキャンパスを歩いていた時に、たまたまお見かけしたイギリス文学の髙宮利行教授から、大橋先生の奥様が亡くなられたことを聞かされたのだった。「修士論文が片付いたら、色々手伝って欲しい」と先生から頼まれていたのに、結局私は奥様のお通夜と告別式において、最寄り駅から先生のご自宅までの道の端に立って、弔問に訪れる人たちのための道案内をすることしか出来なかった。そのことが、何とも情けなかった。

＊

ところで、先生の奥様のご葬儀に関して印象に残っていることが一つある。それは私が直接見聞きしたことではなく、先生のことをよく知る方のお一人で、「インターナショナル・ライブラリー・サービス」という洋書輸入業をされていた黒田輝三郎さんという方から伺った話なのだが、奥様のお通夜の時も、また告別式の時も、大橋先生は一度も泣かれなかったというのである。あれほどの愛妻家であられた大橋先生ゆえ、きっと先生は泣き崩れられて大変なことになるだろうと思いきや、そんなところは露ほども見せず、それどころか先生は奥様のご葬儀を通して、涙一つ落とされなかったというのだ。そのことが意外であったと黒田さんは言っておられ、それを伺った私も、よく分からないながら、不思議な気がしたのだった。

＊

だが、それから何年かして、先生が生前に書かれた最後の文章である「エピソード」というエッセイを読んだ時、私には、何となくではあるが、奥様のご葬儀に際して先生が泣かれなかった理由が、少しだけ分かったような気がした。

「分かった」と言うといかにも僭越であり、また間違っているかも知れないので、どのように分かったのか、あまり明らかには書きたくない。それは「エピソード」を読まれた方がそれぞれに考えればいいことだろうと思う。しかし、敢えて私が思い付いたことを少しだけ言うのであれば、奥様とご結婚された時、先生は奥様の人生に土足で踏み込んだ、という風に感じておられた。そして土足で踏み込んで、奥様の人生を左右した以上、最後まで責任を果そうと決意された。そして実際、先生はその責任を最後まで果された。そして長い間先生が背負ってきたその責任が、奥様の死によってふっと消滅した時、誤解を恐れずに敢えて言葉にするならば、先生はなによりもまず、ほっとされたのではなかったろうか。

＊

だが、無論、ほっとしたからといって、すべてが終わるわけではない。

先生はその最晩年たる一九九二年頃から、ご自身のご生涯を振り返るような一連のエッセイを書き始められるのだが、その頃、私は何度か先生が「和子のことは、いつか書かなければならないと思っている」ということを口にされるのを耳にした。それがいつになるのか、どんな内容になるのかはお話し下さらなかったが、その時の先生の表情の硬さから、何か私が想像もしないような激越な内容になるのではないかという気がして仕方がなかった。そして実際に「エピソード」というエッセイが書かれ、発表された時、それを読んだ私は、否、先生のことを知る誰もが、息を呑み凍りついたのだった。

＊

一九九三年六月二十日の夜、私は慶應病院に入院中であった大橋先生の容態が急変したとの連絡を受け、深夜の東名高速を飛ばしに飛ばして名古屋から急ぎ帰京し、翌日の早朝、お見舞いに伺った。しかしその時、先生は既に植物状態となっており、目が合っても焦点が定まらず、私を認識しているようには見えなかった。先にお見舞いに来られていた近しい方々から伺った話によると、そのような状態になられてもなお、先生は頻りに何かを書くような仕草をされるので、試みにペンを握らせるのだが、先生が紙に綴るのは文字にならない文字でしかなく、また平仮名の五十音が書かれたボードを示し、先生に文字を指してもらおうと試みても、その種の筆談も無理であるようだ、とのこと。

その後、私は勤務先の名古屋から実家に戻る度に先生を病院に見舞ったのだが、先生の意識が戻ることはついになかった。

病室で私と二人きりの時、ぼんやりとした目で私を見つめる先生に向って、私は「先生、こんなになってまで、まだ生きていたい？　先生を苦しめているチューブやら何やら、全部外してあげようか？」と問いかけたことがあった。しかし、その問いかけに先生は明確な意志をもって答えては下さらなかった。もっとも、仮に先生が「尾崎、やってくれ。もう十分だ」と目で訴えられたとしても、本当にそれをやれたかどうか、私には分からないが。

先生はそのような状態のまま、その年の十一月二日に亡くなられた。

＊

後に私は、先生が発作を起こされた夜のことを聞いた。

おそらく激しい発作だったのだろう、看護師さんが発見された時、先生はベッドから床に転げ落ちていたという。そして床に倒れていた先生の脇には、赤ペンと共に校正原稿が散らばっていた。

あれほど沢山の原稿を書き、数多くの翻訳を残された先生が、その生涯の最後に行なっていたのは、奥様のことを綴ったエッセイ、「エピソード」の校正だったのである。

エピソード

一般的に病院の内科では、既往症のことをエピソードとも言う。そのエピソードがいくつか重なってメイジャーなものになると、ヒストリーとも言う。

二人だけの言葉を囁いてから、久しぶりに妻と交わった。快感も昂奮もあった。だが、ことが終って体を離し、胯間に手を延ばしてみたが、交わったあとは微塵もない。おや、と思って上半身を起し、左に横たわっているはずの妻のほうに腕を差し延べて、カズコと妻の名を呼んだが、返事はない。スタンドの灯りをともし、ベッドから起き出て、書斎を横切り、窓を開けてベランダに出た。そして、真夜中の闇に向って、カズコ、カズコと声にならない声で呼びながら、とうとう自分は狂ったのかと思った。カズコがそこにいるはずはないのだ……。

だが、私の狂気がはじまったのは、五十年以上も前のことだった。敗戦前の社会を蔽っていた狂気には、正当化できないものが多かったが、ちょうど多感な青年時代にさしかかっていた私は、そういう狂気に楯突くつもりで、自分なりのささやかな抵抗を試みたりした。しかし、敗戦後の数年のあいだは、解放こそが、生きることのすべての局面において、もっとも人間らしいことであり、真っ当なことであると思い込むようになった。それは、新しい意味の狂気であり、溺れてみる価値のある狂気のように思われた。

カズコは、部屋の片隅に、密やかに踞(うずくま)っていた。面長の浅黒い顔立ちに、大きな瞳を光らせながら、頼まれものの洋裁や、人から教わった木目込人形の製作に夢中になっていた。手先が器用で、どの指も細長く、白魚という言葉さえ不充分なほど魅力的だった。子供たちがそれぞれ成長し、自分も中年になってから、カズコは急に思い立って点字を習得した。それも、子供たちには気づかれず、一年でマスターしたのだった。私はその一年、アメリカに滞在していたので、知る由もなかったのだが、カズコは点字を習得すると、私の翻訳書の一冊を点字本にして、点字図書館に寄贈した。そして、点字図書館から私宛てに礼状がきたので、点字の件が判明したのだった。

指先が疲れてくると、カズコはラジカセにイヤホーンをつけて、外に音が洩れないようにしながら、モーツァルトに聴き入っていた。カズコは、ＦＭ放送から自分で録音したモーツァルトのテープを百本以上も持っていた。

カズコはまた、別室にあるピアノをよく弾いていた。家に誰も聞く人がいないことを確かめると、ピアノに近づいて、ショパン、モーツァルト、それに讃美歌をよく弾いていた。だが、私や家のものが物陰に隠れて聞いていたりするのを知ると、すぐに弾く手を止めてしまった。そして恥しそうな顔をした。カズコには、自分の表現を人に悟られてはならぬと思いこんでいるところがあった。だが、それは、自分の行為や考えることに自信がないからではなかった。むしろ、苦悩の果てに早くから自分なりの確信に到達し、自分は人並みの悦楽の人生を送ってはならぬのだと覚悟しているところがあった。幼児の頃、骨膜炎にかかり、左膝下を切断して、生涯、義足を装着しなければならなくなっていた。キリスト教系の旧制女学校を卒業したが、家族のものや教師や友人から同情を受ければ受けるほど、それに応えるだけの感覚や知性を磨き、精神の強化を図った。そして、自分は人より一歩退いたところで、人に迷惑をかけたり注意を喚起しないようにしながら、生きられるだけ生きてみようと決めていたのである。聡明で鋭敏でありながら、それを人に悟らせないようにするのが、彼女の生きるための戦略であった。多くの自己主張や自信を持ちながら、それらはいつもフレクシブルな資質にもあふれていた。たとえば、子供たちがクラリネット、フルート、サックスなどでジャズを演奏するようになると、カズコの音楽に対する理解や鑑賞は、モーツァルトなどばかりではなくなっていた。

私はカズコが踞っていた部屋の片隅に、土足で踏み込んでいった。そして、矢庭に彼女の手を摑み、部屋の真ん中に引っ張り出そうとした。だが、意外にも、予想していたような抵抗を彼女は示そうとはしなかった。私の意のままになろうとした。たとえ瞬時の欺きであっても、その欺きに身を委ねることによって、自分の青春を自分の体で体験してみたかったようである。だが、私の言い分はその反対であった――。

ここに一人の女性がいる。男性とは縁のない密やかな生涯を覚悟しているらしい。この女性を部屋の真ん中に引っ張り出して、自分と夫婦になれば、この女性は体が悪いために、貰い湯とか洗濯とか焜炉での煮炊きとか、普通女性に割り当てられている日常の仕事を、自分が分担しなければならなくなる。それこそ、たとえエゴイスティックであれ、自分の救いではないか。敗戦の前後に、自分はすでに人生の大冒険とも呼んでもいいようなことを充分に楽しんできた。もうぼつぼつ年貢の納め時がきているのではないか。そのためには、自分にはこの女性が是非とも必要である……。

このような考え方が、いかにひとりよがりの傲岸不遜なものであるか、夫婦生活に関するかぎり、自分の独善性を悟ることが、生涯の私のヒストリーになろうとは、当時知る由もなかった。私が二十二歳で、カズコは十九歳だった。

カズコの家族のものは、私たちの所業をただ啞然と眺めていた。私は事後報告の形で、父に長い手紙を書いた。（母は原爆の時以来、行方不明になっていた。）すると、まもなく父から返事がきた。「お前が将来カズコさんを棄てるようなことがあったら、カズコさんにはこちらの家に入ってもらい、お前とは縁を切る」。

その父が、それより四、五年前、私が上京するときに、自分が大事にもっていた英国製高級洋服地をくれた。上京して、もし金に困るようなことがあったら、それを利用しろという、いわば餞別であった。ふと思いついて、駅前の闇市で、その服地を金に換えた。そしてその金で、カズコを伊豆旅行に連れ出した。伊豆に関心があったわけではない。田舎者の私は伊豆しか知らなかったのである。大仁、修善寺、熱海と、三泊四日の温泉めぐりだった。最初の大仁の旅館で、二人だけの言葉が生まれた。最後の熱海の宿では、一日中、部屋の雨戸を締め切って、二人だけの言葉を囁きつづけていた。私はもちろん、カズコも嬉しそうだった。

　このようにして、私たちの野合の所帯がはじまった。

　S区の畑の中にある農具の納屋を借りた。土間に茣蓙（ござ）を敷き、突っかい棒で木の窓を開けたてしたが、農具を洗うために手押しのポンプが屋外にあり、屋内には裸電球が一個ついていた。所帯道具と呼べるようなものは、リンゴ箱が一つあるだけなので、空間は充分にあった。駅前の魚屋で、安い鰯をたくさん買ってきては、焜炉に粗朶（そだ）で火を熾し、焼いて食べた。一円玉の多寡に一喜一憂する生活の波風が、このようにしてはじまった。私たちの生活上の波風は、けっして人後に落ちるものではなかった。ことに、私の場合、職業上の必要から、毎月多くの書籍を買わなければならなかったが、それの出費が生活費に食い込んではならず、翻訳や非常勤講師をやって、余分に稼がねばならなかった。それは予想外に辛いことだった。だが、その辛さに馴れ、生活の波風にも慣れ親しむようになると、私はときどき不しだらな妄想にとられるようになった。カズコの気持を裏切るようになった。だが、聡明なカズコはそれと知りながら、私を決して責めようとはしなかった。責めてくれたら、どんなに気が楽であったかもしれない。結局、どんな場合にも、私はいつも負けて、後悔した。

二人だけの言葉を囁やかないで、体を合わせたことが一度だけある。それは、二十五歳の長男の自殺屍体が発見された夜のことであった。警察の取り調べや事情聴取が終り、カズコも私も深い悲しみにおそわれて、ベッドの上に並んで横たわった。深い悲しみと同時に、長男の勇気を讃えたいような羨やましさを感じていたことも確かである。ふと気がつくと、カズコと私は固く抱き合っていた。そのうち、抱き合っているばかりでは充分でなく、手数をかけて体を合わせていた。男と女の肉体的行為には、そんな場合もあることにはじめて気がついていた。

一九八八年の一月、松の内が明けて二日目は、きびしい寒さの一日だった。その日、カズコはいつになく機嫌がよかった。嬉しそうだった。というのも、その日の午後、府中に住む娘から電話があり、二月はじめの札幌の雪まつりに、カズコを誘ってくれたのだった。幼い子供たちに雪を見せてやりたいので、札幌の雪まつりがちょうどいいと思うが、一緒に行かないか、札幌のことはカズコのほうがよく知っているし、看病疲れの骨休めもかねられるので、いいのではないかと言うのである。看病疲れというのは、その一年ほど前から人工透析を受けはじめていた私への看病のことである。四、五日のことなら、自分一人でどうにでもなるから、行ってこいよと私は勧めた。娘はよろこんで、すべての手配は自分のほうで早速やっておく、と約束してくれた。ところで、旅行といえば、体が不自由で世間を狭くしていたカズコのために、それになによりも私自身のために、暇をみてはドライヴ旅行を楽しんでいた。本州、四国、九州の主要な町や田舎はほとんどドライヴしたし、アメリカ本土の三分の一も、二人で踏破した。いずれの場合も、地図さえあれば、カズコは非常に秀れたナヴィゲーターだった。ただ、北海道だけは、往復の時間が勿体ないので、飛行機で重点的に、札幌、函館、旭川などと、一年に一個所ずつ訪ねることにしていた。

夕食が済むと、カズコは札幌を訪ねたときに持ち帰った地図や食堂のチラシ広告などを取り出してきて、テーブルの上に並べ、娘や孫たちを案内してやりたいところを、嬉しそうに息をはずませながら、語りはじめた。私の意見ももとめた。いつのまにか、深夜に近くなっていた。その頃は、私たち二人だけの所帯だったので、どんなに夜が遅くなってもよかったのだが、カズコはふと風呂を沸かしていたことを思い出した。

お風呂に入ってくる、と言って、カズコは浴室に行った。数分後、浴室のドアをはげしく乱打する音が聞えた。それが、カズコがこの世に残した最後の音だった。

（『三田文學』一九九三年夏季号）

あとがき

本書の成り立ちについては「序」に記した通りで、当初、この本は大橋先生の文章のみで構成し、私は編者として黒子に徹しようと考えていた。ところが先生が新聞・雑誌に書き散らされた文章を集め、それを書き写しているうちに、そう言えばあの時あんなことがあった、こんなこともあった、と、記憶が次々と蘇ってきて、結局、黒子の役割はどこへやら、編者が舞台袖からやたらに顔を出すようなことになってしまった。まったく面目ない次第である。とは言え、実のところを告白すると、こうして恩師の文章と自分の文章が背中合わせに並び、今時の言葉を使うならば、両者が「コラボ」しているのを見れば、思わず顔がほころんでしまうのを自覚せざるを得ない。まったく自己満足もいいところだが、最早こうなってしまった以上、そんな編者の自己満足的な出しゃばりが、読者諸賢にとって、多少なりとも大橋先生の文章の脚注となり、あるいは大橋先生の人となりを伝えるよすがとなることを願うばかりである。

だが、心楽しい編集作業の末に完成したこの本を世に出すとなると、それはさほどたやすいことではなかった。出版不況が叫ばれる中、いかに傑出した学者であったとは言え、二十年以上前に亡くなった一人のアメリカ文学者のエッセイ集の商業出版を快く引き受けてくれるところは、なかなか見つからなかったのである。この本の原稿がほぼ完成してから、七年の歳月が無為に経過してしまったのは、主にそうした理由による。それだけに、半ば断られることを予期しながら打診したトランスビューの高田秀樹さんから、思いがけずこの本の出版を引き受ける旨のお返事をいただいた時は嬉しかった。高田さん、本当にありがとうございました。この場を借りて御礼申し上げます。

そしてもうお一人、大橋先生のご息女である谷上伸子様には、本書を仕上げるに当たって、生前の先生について私の知らなかったことを教えていただいたり、先生のお写真を提供していただくなど、様々な面でご協力をいただいた。それに加えて谷上様にこの本の出版を心待ちにしていていただいたことが、七年もの間、諦めずに出版社を探し続ける原動力になっていたように思う。心より感謝申し上げます。

また本書巻末に掲げた大橋先生の著作目録を作成するに当たって、私の勤務する愛知教育大学附属図書館の司書の皆さん、とりわけ島村瑞穂さん、近藤裕美さん、福井千都さん、高瀬菜津さんには大変なご助力をいただいた。ありがとうございました。

かくして多くの人に支えられ、完成したこの本を、今は亡き我が師・大橋吉之輔先生に捧げます。願わくば不肖の弟子の精一杯の贈り物として、ご照覧あらんことを。

令和三年九月七日

尾崎俊介

1977年12月26日号。(S・ベロー著『フンボルトの贈り物』上・下への書評)。
●「感動的な青春の総括　坂上弘『故人』」『群像』第35巻第3号(1980年3月号)、320‐321頁。
●「楽しく読める発達の歴史　アメリカ的な直截さが一種の爽快さを生む」『週刊読書人』1982年7月12日号。(アメリカ連邦交通省道路局編『アメリカ道路史』への書評)。
●「未公刊書簡集　Charles E. Modlin, ed.: *Sherwood Anderson: Selected Letters*」『英語青年』第130巻第8号(1984年11月)、406‐407頁。
●「習作文集」と「妻への恋文集」—— Ray Lewis White, ed.,: *Sherwood Anderson: Early Writings*、及び Charles E. Modlin, ed.,: *Sherwood Anderson's Love Letters to Eleanor Copenhaver Anderson*」『英語青年』第136号第3号(1990年6月)、157‐158頁。

■参考

●「追悼:大橋吉之輔氏」『英語青年』第139巻第12号(1994年3月)、614‐620頁。[小伝(山本 晶)/弔辞(大橋健三郎)/大橋吉之輔を悼む(松元 寛)/大橋君、ありがとう(橋口保夫)/涙(須山静夫)/ Ohashi of Keio Calling (Arthur Waldhorn)/連なり合うもの(大庭みな子)/シカゴでのこと(浜本武雄)/哀惜(安東伸介)/大橋さんのこと(岩崎春雄)/思い出(海保眞夫)/熱く、やさしい先生像(黒田輝三郎)]
●小島信夫「忘却ということ」『日本経済新聞』、1985年3月17日号。
●大庭みな子「連なってひき出されるもの」『日本経済新聞』1985年4月14日号。
●尾崎 安「巨木倒る——大橋吉之輔教授を憶う——」『恵泉女学園大学　人文学部紀要』第6号(1994年1月)、1‐2頁。
●山本 晶「静かに持続する堅忍不抜の精神——大橋吉之輔先生の生涯——」『三田評論』第955号(1994年2月)、104‐105頁/「金星堂とのえにし」『金星堂の百年』(2018年)、34頁。
●大橋健三郎「学会と私」『心ここに　エッセイ集』松柏社(1998年11月)、100‐102頁。
●松元 寛「一人の師と一人の友と(2)—大橋吉之輔のこと—」『英語青年』第145巻第5号(1999年8月)、331頁。
●森 邦夫「大橋吉之輔先生の思い出」『東北学院英学史　年報』第40号(2019年3月)、75‐80頁。

●「不条理の中の人間　夜の闇につかみかかるような絶望」（ウィリアム・スタイロン著『ロング・マーチ』への書評）『週刊読書人』1969年7月7日号。

●「ハワード・M・ハーパー著　渥美昭夫・井上謙治訳『絶望からの文学』――良質で一般性ある文学論」『英語研究』第58巻第10号（1969年10月）、58‐59頁。

●「都会生活の危機と絶望」『群像』第24巻第12号（1969年12月）、220‐222頁。（J・アプダイク著　鮎川信夫訳『アプダイク作品集』への書評）。

●「〝悪疫〟の時代を糾弾　作家としての自己の態度を壮大に吐露」『週刊読書人』1970年2月16日号。（ノーマン・メイラー著『人食い人とクリスチャン』への書評）。

●「生の受容と挫折語る　喜劇的な効果意識した鮮かな小説技法」『週刊読書人』1970年5月25日号。（ソール・ベロー著『現在をつかめ』『モズビーの思い出』への書評）。

●「「進歩性」への諷刺　アップダイクの『ベック』」『朝日新聞』1970年7月4日号。

●「心憎いストーリー　巧みに語ってゆく方法が」『日本読書新聞』1970年8月10日号。（A・コールドウェル著『悲劇の土地』への書評）。

●「青春の率直な記録　純粋な抒情性と乾いたユーモアで」『週刊読書人』1971年2月8日号。（フランク・コンロイ著『彷徨』への書評）。

●「奇想天外な面白さ　エリクソン（ママ）以後の黒人文学の才能」（「エリクソン」とあるのは「エリスン」の誤り）『日本読書新聞』1971年5月24日号。（W・M・ケリー『あいつら』への書評）。

●「神にとり憑かれている世界」『文芸』第10巻第6号（1971年6月号）、243‐244頁。（F・オコナー著　佐伯彰一訳『烈しく攻むる者はこれを奪う』への書評）。

●「死を想定しない倫理」『海』第3巻第11号（1971年10月）、214‐215頁。（フィリップ・ロス著『ポートノイの不満』への書評）。

●「感動的な日本の先覚者のアメリカ研究の足跡」『週刊読書人』1972年10月30日号。（斎藤真／S・スカード編『世界におけるアメリカ像　研究と展望』への書評）。

●「一種の古典的な大作　広い視野に立ったユニークな小説論」『週刊読書人』1973年3月19日号。（イーハブ・ハッサン著『根源的な無垢―現代アメリカ小説論―』への書評）。

●「美しく感動的な〝愛〟の物語　フィッツジェラルド解明のための重要な手がかり」『週刊読書人』1973年9月3日号。（シーラ・グレアム著『愛しき背信者』への書評）。

●「小市民社会の日常　精密画のようなヴィジョンとイメージ」『日本読書新聞』1974年1月14日号。（J・アップダイク著『帰ってきたウサギ』I・IIへの書評）。

●「夢と挫折、世代の断絶と継承」『サンデー毎日』1974年7月7日号、86‐87頁。（W・モリス著　武藤脩二訳『視界』への書評）。

●「数々の決定的な「事実」　考えうるありとあらゆる厳密な考証」『週刊読書人』1975年2月24日号。（カーロス・ベーカー著『アーネスト・ヘミングウェイ』への書評）。

●「類稀な想像力の偉大さ　フォークナーの弟による興味深い回想録」『週刊読書人』1975年9月8日号。（マリー・C・フォークナー著『ミシシッピのフォークナー一家　マリー・C・フォークナーの回想録』への書評）。

●「哲学的感情旅行　パーシグ著『息子と私とオートバイ』」『波』第10巻第10号（1976年10月号）、27‐28頁。

●「〝一人の怪物〟を検討　メイラーを妥当に評価する試み」『週刊読書人』1976年10月11日号。（ロバート・F・ルーシッド編『ノーマン・メイラー』への書評）。

●「大橋健三郎著『フォークナー研究1』」『英語青年』第123巻第8号（1977年11月）、371頁。

●「現実的な語り口の巧みさ　知性の重みと微妙なバランスを保ちつつ」『日本読書新聞』

載紙不明。記事内容から1961年頃と思われる)。
●「固定観念を破る　普遍性ある〝抗議″へ脱皮」(早川書房　黒人文学全集11　橋本福夫・浜本武雄編『ニグロ・エッセイ集』への書評)『圖書新聞』1962年3月17日号。
●「はじめて英英辞書を使う人のための　最新アメリカ語辞書」(*Basic Dictionary of American English* への書評)『新刊展望』1963年3月号、17頁。
●「具体的でわかりやすい　新版・ウェブスター・カレッジ辞典」『新刊展望』1963年6月号、17頁。
●「アメリカ的ユーモアの一つの成果　手に汗にぎる後半　遺作の名にふさわしい〝めでたい″作品」『週刊読書人』1963年8月26日号。(W・フォークナー著『自動車泥棒』への書評)。
●「正反対の位置に立つ　E・コールドウェル著『黒い情婦』　B・マラムード著『もうひとつの生活』」『圖書新聞』1963年8月31日号。
●「ウィリアム・フォークナー著　高橋正雄訳　『自動車泥棒』」『米書だより』1963年10月号、4‐7、33頁。
●「「英文法」を楽しく学ぶために　Oxford版　PRACTICAL ENGLISH GRAMMARを」『新刊展望』1963年10月号、17頁。
●『ピピン四世うたかた太平記』J・スタインベック著　中野好夫訳(掲載誌不明。記事内容から1963年頃と思われる)。
●「〝私たちの現代″を感じる　一見さりげない物語の中に」(J・D・サリンジャー著『九つの物語』への書評)『週刊読書人』1964年1月27日号。
●「ヒロインに寄せて:女性——この不可解な存在」『三田新聞』1964年4月29日号。
●「兄への美しい愛　幼年時代からのエピソード」『圖書新聞』1964年5月9日号。(ジョン・フォークナー著『響きと怒りの作家〈フォークナー伝〉』への書評)。
●「世評高い画期的労作　多くの示唆と大きな刺戟受ける」『週刊読書人』1964年7月27日。(A・ケージン著『現代アメリカ文学史』への書評)。
●「元田脩一著『エデンの探求——アメリカ小説の一特質』」『英文學研究』1964年8月号、104‐105頁。
●「有益な触発作用として」(雑誌『20世紀文学』〈創刊号〉への書評)『週刊読書人』1964年11月23日号。
●「Steinbeckと現代アメリカ文学」『英語研究』第54巻第1号(1965年1月)、4‐5頁。
●「ヘンリー・ミラーの最近の翻訳本」『英語青年』第111巻第7号(1965年7月)、460頁。
●「J. D. サリンジャー　— Jerome D. Salinger —」『英語研究』第54巻第9号(1965年9月)、22‐23頁。
●「マーカス・クライン著　『疎外以後——現代アメリカ小説論』」『藝文研究』第20号(1965年11月)、129‐131頁。
●「ノーマン・メイラー著　山西英一訳『彼女の時の時』」『英語研究』第57巻第12号(1968年12月)、60‐61頁。
●「アメリカの戦後作家と作品」『英語研究』第58巻第3号(1969年3月)、6‐7頁。
●「稀有の人間臭さ—— B・マラマッド著　邦高忠二訳『魔法の樽』」『群像』第24巻第3号(1969年3月)、186‐188頁。
●「アップダイク著　河野一郎訳『農場』——断絶のなかの必死な走行」『文芸』第8巻第5号(1969年5月号)、199‐201頁。
●「良質な感傷と愛情　アメリカの土壌への信頼が」(J・スタインベック著『アメリカとアメリカ人』への書評)『日本読書新聞』1969年6月30日号。

●「スタインベックの初期の作品——『黄金の盃』と『天国の牧場』——」『アメリカ研究』第5巻第2・3号（1950年3月）、32‐39頁。
●「「持つことと持たざること」——転換期に立つ作品——」『アメリカ研究』第5巻第8号（1950年8月）、28‐31頁。
●「ロバート・ペン・ウォーレンのなべて王の家来たち」『雄鶏通信』第7巻第4号（1951年4月）、22‐25頁。
●「志賀勝著『アメリカ文學現實主義時代』」『英文學研究』第28巻第1号（1952年3月）、121‐122頁。
●「フォークナー研究への鍵　アメリカ現代社会の一様相描く　フォークナー著　大橋健三郎訳『空の誘惑』」『日本読書新聞』、1955年1月1日号。
●「（はがき書評）室生犀星著　女ひと」『出版ニュース』（1956年3月中旬号）1956年3月11日、16頁。
●「E・コールドウェル著　山下修訳『昇る朝日に跪く』」『英語青年』第102巻第5号（1956年5月）、270頁。
●「虚脱の中の世代像」（堀田善衛著『奇妙な青春』への書評）『三田新聞』、1956年5月21日号。
●「「楢山節考」と日本文学　題材がもつこの〝新奇さ〟」『三田新聞』、1956年12月11日号。
●「第二次大戦版〝失われた世代〟　コリン・ウィルソン著　中村保男・福田恆存訳『アウトサイダー』」『三田新聞』、1957年5月21日号。
●「目新しい作家の代表作　現代アメリカ小説三つ」（『フィッツジェラルド集―楽園のこちら側・夜はやさし・雨の朝巴里に死す他』（『現代アメリカ文学全集3』）、『街の女マギー』（『現代アメリカ文学選集』）、『死の谷（マクティーグ）』への書評）『圖書新聞』、1957年8月3日号。
●「特徴的な文体　新しい文学の担い手アルグレン」（アルグレン著『朝はもう来ない』及びドス・パソス著『ある青年の冒険他』への書評）『圖書新聞』、1958年11月22日号。
●「特筆さるべき完訳　心憎いまでウマイ大久保訳」（ドライザー著『アメリカの悲劇』への書評）『圖書新聞』、1959年2月28日号。
●「石一郎著『崩壊の文学』（不死鳥選書）」『英文學研究』第35巻第2号（1959年3月）、320‐321頁。
●「甲乙ない労作だが　接近の仕方で微妙な差異」（フォークナー著　大貫三郎訳及び佐伯彰一訳『死の床に横たわりて』への書評）『圖書新聞』1959年5月2日号。
●「フォークナー著　阿部知二訳『寓話』　受難週間下敷きに　決して空しくない読後の疲労感」『圖書新聞』1960年10月29日。
●「スタインベック　格調ある典型をたもつ　映像を歪んだまま鮮明に捉える」『日本読書新聞』1961年3月6日号。
●「龍口先生のこと」『龍口直太郎編　36年度用 English Highlights（読本）』への書評。『高校英語教育』1961年4・5月号、9頁。
●「黒人文学全集に寄せて　新文学の可能性　R・ライト著　橋本福夫訳『アメリカの息子』全二巻」『圖書新聞』1961年4月8日号。
●「コールドウェルの新作『ジェニイの家』（仮題）について —— Jenny by Nature ——」『學鐙』第58巻第7号（1961年7月）、58‐61頁。
●「ヘミングウェーを思う　世界に親しまれた作家」『南日本新聞』1961年7月5日号。
●「宗教界を痛烈に諷刺　過去のアメリカ生活の一つの縮図」シンクレア・ルイス著　三浦新市・三浦冨美子訳『エルマー・ガントリー』（角川文庫上下二巻）への書評。（掲

●「思い出すこと」(西脇順三郎氏　追悼)『英語青年』第128巻第7号、1982年10月号、417 - 418頁。
●「思いつくままに」『道路建設』418号（1982年11月号)、28 - 29頁。
●「菊池寛のトランク」『英語青年』第129巻第1号（1983年4月)、22頁。
●「広域農道ブドウまつたけライン」『道路建設』428号（1983年9月)、28 - 29頁。
●「いまなぜユダヤ系なのか」『別冊　英語青年』第129巻第8号（1983年11月)、40 - 41頁。
●「日本英文学会第55回大会報告（第八部門）Sherwood Andersonをめぐって」『英文學研究』第60巻第2号（1983年12月)、376 - 377頁。
●「雪道に想う」『道路建設』437号（1984年6月号)、38 - 39頁。
●「日本の英米文学者——学風と方法　高垣松雄(1890 - 1940)」『英語青年』別冊(1984年6月)、14 - 15頁。
●「ヒロシマ・ひろしま・広島　過去と未来の姿結ぶ」『中国新聞』、1984年6月18日号。
●「新著余瀝　『アンダスンと三人の日本人　昭和初年の「アメリカ文学」』」『三田評論』第852号（1984年11月)、58頁。
●「病気のあとで」『道路建設』448号（1985年5月号)、30 - 31頁。
●「アンダスンへの手紙」『群像』第40巻第5号（1985年5月号)、304 - 305頁。
●「ライト・モリスとの出会い」『英語青年』第131巻第8号、1985年11月、402 - 403頁。
●「道路と発見」『道路建設』464号（1986年9月号)、32 - 33頁。
●「師恩」（西川正身先生への追悼文）『英語青年』第134巻第3号（1988年6月)、117 - 118頁。
●「アメリカさまざま（1)」『啓林　高英編』第50号（1988年6月)、1 - 2頁。
●「アメリカさまざま（2)」『啓林　高英編』第51号（1988年7月)、1 - 2頁。
●「アメリカさまざま（3)」『啓林　高英編』第52号（1988年9月)、1 - 2頁。
●「アンダスンからサンドバーグへの手紙」『英語青年』第135巻第6号（1989年9月）294 - 295頁。
●「シカゴ再訪」『三田文學』第29号（1992年春季号)、19 - 20頁。
●「ジョン・アンダスンのこと」『三田文學』第30号（1992年夏季号)、146 - 148頁。
●「『カリフォルニア州ヨコハマ町』」『三田評論』第939号（1992年8・9月)、113頁。
●「宇和島へ」『三田文學』第31号（1992年秋季号)、140 - 142頁。
●「シェリーかシャンペンか」『三田文學』第32号（1993年冬季号)、148 - 151頁。
●「天邪鬼」『英語青年』第139巻第1号（1993年4月)、7頁。
●「感謝祭の七面鳥」『三田文學』第33号（1993年春季号)、174 - 178頁。
●「インディアン」『英語青年』第139巻第2号（1993年5月)、59頁。
●「タイムズ・スクェア」『英語青年』第139巻第3号（1993年6月)、111頁。
●「なまえ」『英語青年』第139巻第4号（1993年7月)、163頁。
●「エピソード」『三田文學』第34号（1993年夏季号)、190 - 193頁。
●「なまえ（続)」『英語青年』第139巻第5号（1993年8月)、240頁。

■書評

●「アメリカ文學の自覺　―キャンビー等の「アメリカ文學史」成る―」『アメリカ研究』第4巻第5号（1949年5月)、28 - 36頁。
●「ミスター・ロバーツ」『アメリカ研究』第4巻第9号（1949年9月)、52 - 56頁。

●「『アメリカプロレタリヤ詩集』とSherwood Anderson（6）」『英語青年』第124巻第12号（1979年3月）、682‐683頁。
●「アメリカ文学へのアプローチ」『Tsurumi Review』第9号（1979年3月）、9‐22頁。(英語英文学大会 第16回講演の内容をまとめたもの)。
●「『アメリカプロレタリヤ詩集』とSherwood Anderson（7）」『英語青年』第125巻第1号（1979年4月）、28‐29頁。
●「『アメリカプロレタリヤ詩集』とSherwood Anderson（8）」『英語青年』第125巻第2号（1979年5月）、73‐74頁。
●「『アメリカプロレタリヤ詩集』とSherwood Anderson（9）」『英語青年』第125巻第3号（1979年6月）、110‐111頁。
●「日本の道路にほしいもの」『道路建設』377号（1979年6月号）、20‐21頁。
●「『アメリカプロレタリヤ詩集』とSherwood Anderson（10）」『英語青年』第125巻第4号（1979年7月）、158‐159頁。
●「『アメリカプロレタリヤ詩集』とSherwood Anderson（11）」『英語青年』第125巻第5号（1979年8月）、209‐210頁。
●「『アメリカプロレタリヤ詩集』とSherwood Anderson（12）」『英語青年』第125巻第6号（1979年9月）、252‐253頁。
●「『アメリカプロレタリヤ詩集』とSherwood Anderson（13）」『英語青年』第125巻第7号（1979年10月）、313‐314頁。
●「『アメリカプロレタリヤ詩集』とSherwood Anderson（14）」『英語青年』第125巻第8号（1979年11月）、351‐352頁。
●「『アメリカプロレタリヤ詩集』とSherwood Anderson（15）」『英語青年』第125巻第9号（1979年12月）、406‐407頁。
●「Three Lives」(追悼　龍口直太朗氏)『英語青年』第125巻第9号(1979年12月)、412‐413頁。
●「『アメリカプロレタリヤ詩集』とSherwood Anderson（16）」『英語青年』第125巻第10号（1980年1月）、443‐445頁。
●「『アメリカプロレタリヤ詩集』とSherwood Anderson（17）」『英語青年』第125巻第11号（1980年2月）、508‐509頁。
●「『アメリカプロレタリヤ詩集』とSherwood Anderson（18）」『英語青年』第125巻第12号（1980年3月）、545‐546頁。
●「省エネと道路渋滞」『道路建設』386号（1980年3月号）、26‐27頁。
●「『アメリカプロレタリヤ詩集』とSherwood Anderson（19）」『英語青年』第126巻第1号（1980年4月）、31‐32頁。
●「『アメリカプロレタリヤ詩集』とSherwood Anderson（20）」『英語青年』第126巻第2号（1980年5月）、89‐91頁。
●「『アメリカプロレタリヤ詩集』とSherwood Anderson（21）」『英語青年』第126巻第3号（1980年6月）、125‐126頁。
●「『アメリカプロレタリヤ詩集』とSherwood Anderson（22）」『英語青年』第126巻第4号（1980年7月）、191‐192頁。
「●『アメリカプロレタリヤ詩集』とSherwood Anderson（23）」『英語青年』第126巻第5号（1980年8月）、236‐237頁。
●「テキストの周辺　アメリカ文学研究II」『三色旗』第396号(1981年3月)、25‐27頁。
●「道路工事の現場で」『道路建設』399号（1981年4月号）、28‐29頁。
●「妄言」『道路建設』408号（1982年1月号）、30‐31頁。

● 「Sherwood Anderson と三人の日本人（9）」『英語青年』第121巻第12号（1976年3月）、579‐581頁。
● 「シャーウッド・アンダスンの文章」『英語文学世界』第11巻第5号（1976年7月）、34‐37頁。
● 「大橋吉之輔のハンドルさばき」（インタビュー記事）『毎日新聞』、1976年7月18日号。
● 「ベローの文学について　時代を超越した正統的な想像力」（掲載紙不明。記事内容から1976年10月頃と思われる）。
● 「ベローの文学　正統な想像力駆使　生活経験を作品に反映」（掲載紙不明。記事内容から1976年10月頃と思われる）。
● 「日米道路の感触」『道路建設』345号（1976年10月号）、28‐30頁。
● 「コスモユーザー訪問　私は8気筒車よりコスモの方がいい。静かだし、レスポンスがいいし」『Auto Tokyo』、1976年10月11日号。
● 「正統で奔放な想像力　ノーベル文学賞のベロー」『信濃毎日新聞』、1976年10月24日。
● 「アンダソン生誕百年記念行事」『學鐙』第73巻第12号（1976年12月号）、36‐39頁。
● 「日米道路の感触」『日刊自動車新聞』、1976年12月16日。（前記『道路建設』の記事の再録か）。
● 「The Sherwood Anderson Centenary」『英語青年』第122巻第11号（1977年2月）、539‐540頁。
● 「アメリカ文学」『朝日年鑑　1977年版』1977年2月、710頁。
● "Sherwood Anderson in Japan: Early Years." In *Twentieth Century Literature: A Scholarly and Critical Journal*. Vol. 23, No.1 (February 1977), pp.115-139. Hofstra University Press.
● 「『ルーツ（根源）』の人気　その点と線」『産経新聞』、1977年5月9日号。
● 「類書ない便利さ有益さ　傾聴すべきスタイナーの批判論文」（アメリカ文学作家論選書『J・D・サリンジャー』への書評）『週刊読書人』1977年5月23日号。
● 「Alex Haley: *Roots* について」『英語青年』第123巻第3号（1977年6月）、98‐99頁。
● 「テキストの周辺　アメリカ文学」『三色旗』第354号（1977年9月）、27‐29頁。
● 「さぎそう」『英米文学』（戸板女子短大英米文学研究会）第30号（1977年9月）、18‐21頁。
● 「学会と私」『日本アメリカ文学会会報』第15号（1977年10月）、21頁。
● 「アメリカ文学」『朝日年鑑　1978年版』1978年2月、612頁。
● 「道路標識のことなど」『道路建設』364号（1978年5月号）、30‐31頁。
● 「『アメリカプロレタリヤ詩集』とSherwood Anderson（1）」『英語青年』第124巻第7号（1978年10月）、342‐343頁。
● 「『アメリカプロレタリヤ詩集』とSherwood Anderson（2）」『英語青年』第124巻第8号（1978年11月）、489‐490頁。
● 「Aを追え」『図書新聞』1978年11月11日号。
● 「『アメリカプロレタリヤ詩集』とSherwood Anderson（3）」『英語青年』第124巻第9号（1978年12月）、540‐541頁。
● 「『アメリカプロレタリヤ詩集』とSherwood Anderson（4）」『英語青年』第124巻第10号（1979年1月）、586‐587頁。
● 「『アメリカプロレタリヤ詩集』とSherwood Anderson（5）」『英語青年』第124巻第11号（1979年2月）、634‐635頁。
● 「アメリカ文学」『朝日年鑑　1979年版』1979年2月、612頁。

6 - 9 頁。
●「フィリップ・ロスの変身物語」『沖縄タイムス』（海外手帳欄）、1972 年 10 月 25 日号。
●「アレゴリカルな手法　ウェルティ『楽天家の娘』　ジョン・バース『胸』」『日本読書新聞』1972 年 12 月 18 日。
●「新・旧気鋭の力作　パーディやコジンスキーの作品」『週刊読書人』1972 年 12 月 25 日号。
●「ゴミとクルマ」『英語文学世界』第 7 巻第 10 号（1973 年 1 月）、19 頁。（妻・大橋和子名義だが、実際には大橋先生ご自身が執筆）。
●「アメリカ文学」『朝日年鑑　1973 年版』1973 年 2 月、703 頁。
●「選後評　すなおに自己を見つめよ」『英語研究』第 61 巻第 3 号（1973 年 3 月）、14 - 15 頁。
●「学生は作家に出会う」『群像』第 28 巻第 5 号（1973 年 5 月）、215 - 216 頁。
●「書物とのつきあい」『三色旗』第 308 号（1973 年 11 月）、19 - 22 頁。
●「ハッサンの評論集二つ　アップダイクの新作の翻訳も」『週刊読書人』、1973 年 12 月 21 日。
●「1920 年代と Chicago Renaissance」『英語青年』第 119 巻第 11 号（1974 年 2 月号）、704 - 706 頁。
●「アメリカ文学」『朝日年鑑　1974 年版』1974 年 2 月、705 頁。
●「ケルーアック再考」『英語文学世界』第 8 巻第 12 号（1974 年 3 月）、6 - 9 頁。
●「新著余瀝　『富めるもの貧しきもの』」『三田評論』第 736 号（1974 年 4 月）、78 頁。
●「疎外の対岸で――アメリカ戦後文学の動向、一つの視点――」『国文学　解釈と教材の研究』第 19 巻第 8 号（1974 年 7 月号）、143 - 147 頁。
●「多くの充実した収穫　研究分野に新しい時代が到来」『週刊読書人』1974 年 12 月 30 日号。
●「アメリカ文学」『朝日年鑑　1975 年版』1975 年 2 月、700 頁。
●「ニューヨーク・ブック・フェアにて」『海』第 7 巻第 3 号（1975 年 3 月号）、208-209 頁。
●「アンダソン評伝への期待」『英語文学世界』第 10 巻第 2 号（1975 年 5 月）、2-5 頁。
●「Sherwood Anderson と三人の日本人（1）」『英語青年』第 121 巻第 4 号（1975 年 7 月）、156 - 157 頁。
●「Sherwood Anderson と三人の日本人（2）」『英語青年』第 121 巻第 5 号（1975 年 8 月）、199 - 200 頁。
●「Sherwood Anderson と三人の日本人（3）」『英語青年』第 121 巻第 6 号（1975 年 9 月）、261 - 262 頁。
●「Sherwood Anderson と三人の日本人（4）」『英語青年』第 121 巻第 7 号（1975 年 10 月）、300 - 302 頁。
●「Sherwood Anderson と三人の日本人（5）」『英語青年』第 121 巻第 8 号（1975 年 11 月）、361 - 363 頁。
●「或国の友へ」『群像』第 30 巻第 11 号（1975 年 11 月）、236 - 237 頁。
●「Sherwood Anderson と三人の日本人（6）」『英語青年』第 121 巻第 9 号（1975 年 12 月）、395 - 397 頁。
●「Sherwood Anderson と三人の日本人（7）」『英語青年』第 121 巻第 10 号（1976 年 1 月）、478 - 480 頁。
●「Sherwood Anderson と三人の日本人（8）」『英語青年』第 121 巻第 11 号（1976 年 2 月）、525 - 527 頁。
●「アメリカ文学」『朝日年鑑　1976 年版』1976 年 2 月、667 頁。

●「ドス・パソスの死　傷つきやすい知識人の一典型」『共同通信』『信濃毎日新聞』他、幾つかの新聞、1970年10月10日。
●「苦悩するアメリカ青年の心理――「いちご白書」を読む――」『三田評論』第699号（1970年12月）、57-59頁。
●「秀作、問題作の飜訳　米小説の今後の動向予感させる」『週刊読書人』1970年12月28日。
●「韓国で読んだ〝軍隊版〟」『英語文学世界』第5巻第10号（1971年1月号）、46頁。
●「名作女人像　ドライサー作　シスター・キャリー　愛欲と物欲の日々」『東京新聞サンデー版』1971年3月7日。
●「横文字〝ポルノ〟続々　性解放の波に乗る　決め手なし？　警察やっき　税関ではフリーパス」『毎日新聞』1971年3月8日号。
●「みられぬ世代の断絶　大学生世論調査の意外な結果」1971年6月4日号。（掲載紙不明。共同通信系と思われる）。
●「日録」『日本読書新聞』1971年7月19日号。
●「日録」『日本読書新聞』1971年7月26日号。
●「日録」『日本読書新聞』1971年8月2日号。
●「日録」『日本読書新聞』1971年8月9日号。
●「アメリカ文学と反戦思想　個人的な発想が原点」『公明新聞』1971年8月15日号。
●「アメリカの古本屋」『洋書輸入協会会報』第5巻第11号、1971年11月、4頁。
●「曲りかどを予感させ　アップダイク『戻ってきたウサギ』　ライト・モリス『火の説法』」『日本読書新聞』1971年12月20日号。
●「新進・気鋭の佳作　アメリカ小説の健在を証明する」『週刊読書人』1971年12月27日号。
●「受ける実証的な伝記物」（掲載紙不明。記事内容から1971年頃と思われる）。
●「世界の新しい作家たち　J・C・オーツ　現代社会への危機意識　リアリズムに感受性を付与し」『日本読書新聞』1972年1月31日号。
●「特集・卒業論文　ヘミングウェイ架空会見記」『塾』通巻51号（1972年2月）、6頁。
●「アップダイクについての断想――戻ってきたウサギ――」『英語文学世界』第6巻第11号（1972年2月号）、6-9頁。
●「ジョイス・キャロル・オーツのこと　―近著 The Edge of Impossibility によせて―」『學鐙』第70巻第2号（1972年2月）、12-15頁。
●「アメリカ文学」『朝日年鑑　1972年版』1972年2月、692頁。（執筆者一覧はないが、執筆内容から見て大橋先生が書かれていることは確実）。
●「卒論と当世学生気質」『読売新聞』1972年2月16日号。（本稿を執筆したのではなく、風変わりな卒論についてのコメントが引用されたもの）。
●「アメリカ社会を知るための邦訳小説」『アメリカ研究振興会会報』第20号（1972年3月）、4頁。
●「南部女流作家の写真集」『高知新聞』1972年4月21日号。
●「最近のアメリカ文学　アイデンティティの探求　疎外以後の真空地帯の中で」（掲載紙不明。記事内容から1972年4月頃と思われる）。
●「世界のベストセラー25　アーウィン・ショー　富めるもの貧しきもの」『読売新聞』1972年5月7日号。
●「谷崎、荷風の作品を評価　来日の米小説家ソール・ベロー」『山陰新聞』1972年6月7日号。
●「現代アメリカ小説についての断想」『英語文学世界』第7巻第6号（1972年9月）、

12月)、26頁。
●「南部の作家が活躍　典型的な〈なまけもの小説〉　ソール・ベロウ「ハーゾグ」」(掲載紙不明。記事内容から1965年末頃と思われる)。
●「Norman Mailer: THE NAKED AND THE DEAD『裸者と死者』」『アメリカ研究』第55巻第2号(1966年2月号)、32 - 35頁。
●「編集後記」『アメリカ文学』(日本アメリカ文学会東京支部会報) 第9号(1966年3月)、38頁。
●「シャーウッド・アンダスンと私」『英語と英文学』1966年4月号、4 - 5頁。
●「編集後記」『アメリカ文学』(日本アメリカ文学会東京支部会報) 第10号(1966年7月)、28頁。
●「フォークナーの南部」『太陽』第38号(1966年8月号)、74 - 80頁。(マーチン・デイン氏の写真を多用しながら、アメリカ南部の黒人たちの暮らしぶりを紹介しつつ、フォークナー作品の南部性について概説している)。
●「フォークナーと南部」『英語研究』第55巻第9号(1966年9月)、10 - 13、23頁。
●「Sherwood Anderson ノート」『藝文研究』第25号(1968年3月)、78 - 92頁。
●「「アメリカ」再考」『現代英語教育』第5巻第9号(1968年12月)、21 - 22頁。
●「アプダイクと恩寵」『群像』第24巻第1号(1969年新年特大号)、312 - 316頁。
●「友への手紙」『アメリカ学会会報』第12号(1969年2月)、1 - 2頁。
●「『長い谷』―西部の地霊への模索―」『英語青年』第115巻第4号(1969年4月)、211 - 212頁。
●「アメリカ文学への一つのアプローチ――第二次世界大戦以前――」『三色旗』第254号(1969年5月)、1 - 5頁。
●「思い出すこと」『学燈』第66巻第5号(1969年5月号)、12 - 15頁。
●「私のふるさと」『慶應通信』、1969年8月1日号。
●「現代を告発する作家たち　スタイロン　南部白人の拭えぬ悪夢　人生はただ存在を選ぶだけだということ」『週刊読書人』、1969年9月1日号。
●「アンダソンの二冊の回想録」『海』第1巻第6号(1969年11月)、175頁。
●「実少いアメリカ小説　のぞみたい慎重な紹介・翻訳」『週刊読書人』1969年12月12日号。
●「国産車の余禄」『毎日新聞』(「茶の間」欄)、1970年1月4日号。
●「事件と文学の間柄」『朝日新聞』、1970年2月20日号(夕刊)。
●「日本英文学会第41回大会報告　第三部門　Faulknerの位置」『英文學研究』第46巻第2号(1970年3月)、290頁。
●「世界文学紀行(49)　オクスフォード再訪」『カラー版世界文学全集　第50巻　サンクチュアリ/アブサロム、アブサロム!　しおり』河出書房新社、1970年3月。
●「作品鑑賞　スタインベックの「エデンの東」」『いづみ』(日本女性文化協会) 第22巻第30号(1970年3月5日)、28 - 35頁。
●「べローとアンダソン」『學鐙』第67巻第4号(1970年4月)、16 - 19頁。
●「アンダソン雑感」『英語文学世界』第5巻第1号(1970年4月)、18 - 21頁。
●「「アメリカ」への関心と無関心」『大法輪』1970年7月号、64頁。
●「名作文庫　W・フォークナー　八月の光」『毎日新聞』1970年7月12日号。
●「われわれにとって外国文学とは何か―「アメリカ文学に対するアジアの反応」会議に出席して」」『群像』第25巻第8号(1970年8月)、176 - 179頁。
●「アメリカ文学への一つのアプローチ　――ジェイムズ・サーバー的なユーモアと諷刺――」『三色旗』第269号(1970年8月)、1 - 5頁。

文研究』第 14・15 号（1963 年 1 月)、306 - 296 頁。

●「現代アメリカ文学の様相　文学と政治　見られぬ思想的対立」『三田新聞』1963 年 5 月 15 日号。

●「John Steinbeck の “Travels with Charley”」『英語青年』第 109 巻第 8 号（1963 年 8 月)、458 - 459 頁。

●「アメリカの自伝文学」『Oberon』1963 年 8 月〈特集・自伝の諸相 IV〉、30-36 頁。

●「編集後記」『日本アメリカ文学会会報』第 1 号（1963 年 10 月)、9 頁。

●「黒人文学の周辺　強いアメリカ人意識　暴虐の歴史に支えられた叡智と情感」『三田新聞』1963 年 10 月 23 日号。

●「散発的で沈滞（翻訳書）　研究は着実な端緒につく」『圖書新聞』1963 年 12 月 14 日号。

●「翻訳研究室　ドライサー『アメリカの悲劇』その 1　原作に接近、忠実で良心的な橋本訳」『圖書新聞』1964 年 1 月 18 日。

●「翻訳研究室　ドライサー『アメリカの悲劇』その 2　珍訳、悪訳、良心訳の違いだけでない」『圖書新聞』1964 年 1 月 25 日号。

●「年齢のこと」『三色旗』第 191 号（1964 年 2 月)、2 - 3 頁。

●「編集後記」『アメリカ文学』(日本アメリカ文学会東京支部会報）第 1 号（1964 年 3 月)、32 頁。

●「随想　女性―この不可解な存在」『三田新聞』1964 年 4 月 29 日号。

●「ジェイムズ・サーバーとその周辺へのアプローチ」『Oberon』第 8 巻第 1 号（1964 年 5 月)、48 - 55 頁。

●「編集後記」『アメリカ文学』(日本アメリカ文学会東京支部会報）第 2 号（1964 年 6 月)、32 頁。

●「現代アメリカ小説における「グロテスク」について」『三田評論』第 631 号（1964 年 10 月)、16 - 21 頁。

●「編集後記」『アメリカ文学』(日本アメリカ文学会東京支部会報）第 4 号（1964 年 12 月)、32 頁。

●「代表的な作家たち」『圖書新聞』1964 年 12 月 19 日号。

●「被圧迫者達の文学　ボールドウィン、メイラー、ベロウ」『週刊読書人』1964 年 12 月 28 日。

●「女子学生を考える」(掲載誌不明、ただし慶應義塾の出版物と思われる。1964 年頃)。

●「スタインベックと現代アメリカ文学」『英語研究』第 54 巻第 1 号(1965 年 1 月)、4-5 頁。

●「世界文学散歩　―アメリカ文学篇　現代の諸矛盾を鋭く追求する文学―人間性の解放をもとめての斗い―」『りいぶる』第 5 号（1965 年 4 月)、39 - 42 頁。

●「編集後記」『アメリカ文学』(日本アメリカ文学会東京支部会報）第 6 号（1965 年 6 月)、30 頁。

●「編集後記」『アメリカ文学』(日本アメリカ文学会東京支部会報）第 7 号（1965 年 9 月)、36 頁。

●期待されざる人間像」『塾』通巻 12 号（1965 年 10 月)、5 頁。

●「アメリカ戦後文学の展開　――社会対個人の視点から――」『世界文学』第 1 号(1965 年 11 月)、2 - 29 頁。

●「アメリカのサルトル」『本の手帖』第 5 巻 9 号（通巻 49 号）(1965 年 11 月)、884 - 887 頁。

●「ソール・ベロウ」『Oberon』第 9 巻第 2 号（1965 年 12 月)、60 - 67 頁。

●「編集後記」『アメリカ文学』(日本アメリカ文学会東京支部会報）第 8 号（1965 年

11日号。
●「リアリズム映画の極限　ポーランド映画「地下水道」」『三田新聞』1957年12月11日号。
●「Theodore Dreiserについての序論」『英文学』（慶応義塾大学創立百年記念論文集『文学』）1958年11月、125‐141頁。
●「「幻滅」よりも〝敗北〞　〝宿無し〞たちの世代」『三田新聞』1959年5月5日号。
●「Kerouacの *The Subterraneans*」『英語青年』第105巻第7号（1959年7月）、358頁。
●「Z病院の憂鬱」『三田文學』第49巻第9号（1959年10月号）、7‐8頁。
●「一度は読んでおきたいもの（1）　―アメリカ文学史の中から―」『英語教育』（開隆堂）第12巻第5号（1960年10月）、8‐10頁。
●「一度は読んでおきたいもの（2）　―アメリカ文学史の中から―」『英語教育』（開隆堂）第12巻第6号（1960年11月）、9‐11頁。
●「Norman Mailer: *The Man Who Studied Yoga*」『英語研究』第49号第11号（1960年11月）、40‐46頁。
●「Faulknerの最近の作品傾向　――一つの杞憂―」『英語青年』第106巻第11号（1960年11月）、579‐580頁。
●「一度は読んでおきたいもの（3）　―アメリカ文学史の中から―」『英語教育』（開隆堂）第12巻第7号（1960年12月）、9‐11頁。
●「負け犬根性」『三田新聞』1960年12月13日号。
●「一度は読んでおきたいもの（4）　―アメリカ文学史の中から―」『英語教育』（開隆堂）第12巻第8号（1961年1月）、9‐11頁。
●「強い『ゼン』への関心　ヘミングウェイも健在」『三田新聞』1961年1月31日号。
●「ドント暴力」『毎日新聞』（「茶の間」欄）1961年8月19日号。
●「Ernest Hemingwayの死」『高校英語教育』第2巻第4号（1961年10・11月号）、60頁。
●「スペインの二大闘牛士　その宿命的な抗争」（E. Hemingway, *The Dangerous Summer*についての新刊紹介）、掲載紙不明、記事内容から1961年頃と思われる。
●「英米文学者の話（17）　ヘミングウェイとフォークナー」『三色旗』第168号（1962年3月）、30‐34頁。
●「John Steinbeck: *The Winter of Our Discontent*」『英語研究』第51巻第4号（1962年4月）、34‐36、63頁。
●「〝ヨクナパトーファ〞への回帰　W・フォークナーの新作　自動車泥棒　彩色は豊富だが影ひそめる激情」『圖書新聞』1962年6月23日号。
●「フォークナーを偲んで」『日販通信』1962年9月号、60‐61頁。
●「William Faulknerの人と作品　―私は人間の終焉を信じない―」『英語研究』第51巻第10号（1962年10月号）、2‐5頁。
●「「怒りの葡萄」の背景」『怒りの葡萄（英和対訳シナリオ・シリーズNo.1）』（龍口直太郎・品田雄吉・岩田一男・大橋吉之輔解説）南雲堂、1962年10月、4‐5頁。
●「翻訳研究室　フォークナー『サンクチュアリ』　丁寧（西川・竜口）　力感（大橋健）」『圖書新聞』1962年11月24日号。
●「貧乏性」『三色旗』第177号（1962年12月）、3‐4頁。
●「出版面は沈滞　『黒人文学全集』完結」『圖書新聞』1962年12月22日号。
●「John Steinbeck: *Travels with Charley* ― In Search of America ―」『英語研究』第52巻第1号（1963年1月）、29‐31頁。
●「二十世紀アメリカ小説の現代的性格について　Ernest Hemingwayのばあい」『藝

●『チャーミング・アメリカン・ショート・ストーリイズ(IV)』金星堂、1966年4月。(Ernest Hemingwayの"Soldier's Home"、Irwin Shawの"Noises in the City"、Jessamyn Westの"The Piknickers"に註を付けたもの)。
●『ザ スノウ オブ キリマンジャロ』金星堂、1967年4月。(鈴木悌二氏と大橋先生による共編で、Ernest Hemingwayの"The Snow of Kilimanjaro"及び"Soldier's Home"が採録されている。巻頭(i-ii頁)に「はしがき」として作品解題がある)。
●『イン サーチ オブ ビスコ』金星堂、1967年4月。(Erskine Caldwellの*In Search of Bisco*からの抜粋で、山本 晶氏との共同編註となっているが、実質的にはすべて山本 晶氏が註を担当している。巻末(119 - 120頁)に「あとがき」として大橋先生による本作の簡単な解題がある)。
●『Other Voices, Other Rooms』英潮社ペンギンブック・1、1968年4月。(Truman Capoteの*Other Voices, Other Rooms*のペンギン版に、英潮社の註釈ブックレットをセットにし、二冊で箱入りの体裁になったもの。冒頭に大橋先生によるintroduction(1-4頁)がある)。
●『アメリカ文学研究II』(慶應義塾大学通信教育教材L-7931・非売品)慶應義塾大学通信教育部、1969年3月。(Sherwood Anderson、"THE EGG"、Albert Maltz, "THE HAPPIEST MAN ON EARTH"、Flannery O'Connor, "EVERYTHING THAT RISES MUST CONVERGE"、Saul Bellow, "SEIZE THE DAY"の四編に大橋先生が註を付けたもの)。

■雑誌・新聞への執筆

●「スタインベックの初期の作品——『黄金の盃』と『天国の牧場』」『アメリカ研究』第5巻第2・3号(1950年2月)、32 - 39頁。
●「Sherwood Andersonについて——その「幻想の世界」と「想像」——」『三田英文学』第3号(1955年4月)、27 - 33頁。
●「〝めでたい〟ということ」『慶應大学新聞』1956年1月15日号。
●「編集後記」『American Literary Review —アメリカ文學評論—』(日本アメリカ文学会)第12号(1956年1月)、12頁。
●「編集後記」『American Literary Review —アメリカ文學評論—』(日本アメリカ文学会)第18号(1957年2月)、12頁。(明治大学教授・吉田甲子太郎氏への追悼文)。
●「スタインベックの文学 —英米作家論・その四—」『不死鳥通信』第11号(1957年5月)、18 - 21頁。
●「スタツフ情熱の結晶 東宝作品「南極大陸」」『三田新聞』1957年6月11日号。
●「強烈な人間臭さ イタリア映画「道」」『三田新聞』1957年6月21日号。
●「正攻法の演出 しかしもり上りに欠ける 独立プロ「異母兄弟」」『三田新聞』1957年7月1日号。
●「見ものは森繁の演技 東宝「裸の町」」『三田新聞』1957年7月11日号。
●「拍手を送る〝アホラシサ〟 東宝・続大番」『三田新聞』1957年8月11日号。
●「ソフトなお伽噺 松竹「挽歌」」『三田新聞』1957年9月11日号。
●「見事に成功した飜案 東宝「どん底」」『三田新聞』1957年9月21日号。
●「身と心で生きている人々 松竹「喜びも悲しみも幾歳月」」『三田新聞』1957年10月1日号。
●「人間的な「笑い」の境地 フランス映画「リラの門」」『三田新聞』1957年10月

●『チャーミング・アメリカン・ショートストーリイズ（I）』金星堂、1959年10月。（Sherwood Andersonの“Nice Girl”、Robert Penn Warrenの“When the Light Gets Green”、William Marchの“The Slate”、John Steinbeckの“Molly Morgan”に註を付けたもの。巻末〔69‐70頁〕に「あとがき」として編者による各作家の紹介がある）。
●『天の牧場（The Pastures of Heaven）』金星堂、1960年5月。（John Steinbeckの同名小説から六章分〔全体の半分〕に、皆河宗一氏が対訳をつけ、大橋先生が脚註を付けたもの。巻頭〔i‐ii頁〕に「はしがき」として作家と作品についての簡単な説明がある）。
●『チャーミング・アメリカン・ショート・ストーリイズ（II）』金星堂、1961年4月。（Frederic Prokoschの“The Flamingos”、Tennessee Williamsの“The Important Thing”、J. D. Salingerの“The Long Debut of Lois Taggett”、Norman Mailerの“The Greatest Thing in the World”に註を付けたもの。巻末〔81‐83頁〕に「あとがき」として編者による各作家の紹介がある）。
●『フラーニイ アンド ゾーイ』金星堂、1962年9月。（J.D. Salingerの“Franny”に註を付けたもの。巻末（49‐52頁）に「あとがき」として大橋先生によるサリンジャー作品についての簡潔な解説がある。
●『チャーミング・アメリカン・ショートストーリーズIII』金星堂、1964年4月。（Katherine Anne Porterの“Holiday”、Herbert Kublyの“The Wasp”、John Updikeの“The Doctor's Wife”に註を付けたもの。巻末〔107‐109頁〕に「あとがき」として編者による各作家の紹介がある）。
●『バラエティ・オブ・ラブ』金星堂、1964年4月。（Herbert Kublyの短編集*Varieties of Love*から“Snow Angeles”、“The Gray Umbrella”、“For Sentimental Reasons”の三篇を選び、“Snow Angeles”は吉田弘重氏が、残りの二篇は大橋先生が註を付けたもの。121‐123頁に編者による「あとがき」がある）。
●『現代アメリカ短篇集（Charming American Short Stories）』金星堂、1964年4月。（Sherwood Andersonの“Nice Girl”、William Marchの“The Slate”、Frederic Prokoschの“The Flamingos”、Tennessee Williamsの“The Important Thing”、J. D. Salingerの“The Long Debut of Lois Taggett”に足立 康氏が対訳をつけ、大橋先生が脚註を付けたもの。巻頭〔1‐3頁〕に「はしがき」として作家と作品についての簡単な説明がある）。
●『イン サーチ オブ アメリカ』金星堂、1964年4月。（John Steinbeckの*Travels with Charley*からの抜粋に註を付けたもの。前半の註を大橋先生、後半の註を金丸十三男氏が担当。67‐68頁に編者による「あとがき」がある）。
●『ビトレイアル』金星堂、1965年4月。（Babette Sassoonの短篇作品“The Betrayal”に佐々木 翠氏が註をつけ、大橋先生が監修したもの。67‐68頁に大橋先生による「あとがき」がある）。
●『ザ ロング デビュー オブ ロイス タゲット』金星堂、1965年6月。（J. D. Salingerの“The Long Debut of Lois Taggett”、及びWilliam Marchの“The Slate”に註を付けたもの。39頁に編者による「あとがき」がある）。
●『ナイス ガール』金星堂、1965年6月。（Sherwood Andersonの“Nice Girl”、及び）Frederic Prokoschの“The Flamingos”に註を付けたもの。35頁に編者による「あとがき」がある）。
●『アラウンド アバウト アメリカ』金星堂、1966年4月。（Erskine Caldwellの旅行記*Around About America*からの抜粋に註を付けたもの。山本 晶氏が付けた註に大橋先生が補筆している。93‐94頁に大橋先生による「あとがき」がある）。

●「創造、現代的とは何か」（大橋吉之輔・若林 真・泉 幸治・吉田武紀・井上輝夫・小椋富士雄・千田知己）『三田新聞』（1963年）。

①「石原の方法とロマン　大江と石原の相違　作家としての態度は?」（2月20日）

②「作品の現代性を規定するダイナミックス」（4月10日）

③「抜きがたい伝統　反省期の文学　アンチ・ロマン」（4月17日）

④「若者のテーマ〝純潔〟　文法がない学生小説」（4月24日）

●「戦後アメリカ文学　―ヘンリー・ミラーとその他の作家たち―」（安部公房・石 一郎・小島信夫・佐伯彰一・高橋正雄／司会：大橋健三郎・大橋吉之輔）『季刊　世界文学』第1号（1965年11月）、138 - 168頁。

●「学習シリーズ16　卒業論文をめぐって」（安東伸介司会／植草 益・大橋吉之輔・林脇トシ子）『三色旗』第293号（1972年8月）、7 - 16頁。

●「学習シリーズ30　ものの見方　―アメリカ人の場合―」（岡田泰男・大橋吉之輔・澤田充茂）『三色旗』第307号（1973年10月）、7 - 17頁。

●「文学にみる一九二〇年代」（大橋吉之輔・常盤新平）『青春と読書』第27号（1973年11月号）、44 - 55頁。

●『大橋吉之輔先生・大橋健三郎先生に聞く　―日本アメリカ文学会の歴史―』（大橋吉之輔・大橋健三郎／聞き手：亀井俊介・渡辺利雄・国重純二）（American Studies in Japan Oral History Series, Vol.21）、東京大学アメリカ研究資料センター、1988年3月（インタビュー自体は1986年12月に行なわれた）、1 - 35頁。

■教科書編纂・註釈

●『Before the Party and P. and O.』（モーム選集4）開隆堂出版、1952年9月。（Somerset Maughamの短編集 *The Casuarina Tree* から表題作二編を抜粋し、註を付けたもの。巻頭（i-ii頁）に無署名の「まえがき」として本作及び短編集全体の簡単な解説がある）。

●『ザ パスチャーズ オブ ヘヴン』金星堂、1957年4月。（John Steinbeckの *The Pastures of Heaven* から数章を抜粋し、註を付けたもの。巻頭〔ノンブルなし〕に「はしがき」として作家と作品について簡単な解説がある）。

●『月は沈みぬ』金星堂、1957年5月。（John Steinbeckの *The Moon is Down* に龍口直太郎氏による対訳をつけ、大橋先生が脚註を付けたもの。冒頭に無署名の「はしがき」〔ノンブルなし、1頁〕あり）。

●『Death in the Woods』金星堂、1958年4月。（Sherwood Andersonの短編集 *Death in the Woods* から "Death in the Woods"、"A Meeting South"、"Nice Girl" の三篇を収録し、註を付けたもの。初版は編註者として龍口直太郎氏の名前だけが記されていたが、1988年版〔第32刷〕では龍口氏に並んで大橋先生の名前も記載されている。巻頭に2頁に亘る無署名の「まえがき」がある）。

●『Triumph of the Egg 1』開隆堂、1958年4月。（Sherwood Andersonの *The Triumph of the Egg* の前半に「はしがき Sherwood Anderson〔1876-1941〕について」〔i-x〕と註を付けたもの。「はしがき」は無署名だが、内容から大橋先生によるものと断定できる）。

●『Triumph of the Egg 2』開隆堂、1959年4月。（Sherwood Andersonの *The Triumph of the Egg* の後半に「はしがき」〔巻頭1頁分、ノンブルなし〕と註を付けたもの）。

●ジョージ・スタイナー「文学と人間の言語　―その新しい諸関係―」『三田評論』第739号（1974年7月）、18‐31頁。
●ジョン・アップダイク「「癩病」患者日記抄」『海』第9巻第10号（1977年10月特別号）、280‐293頁。

■解説

●『世界文学全集45　フォークナー』河出書房、1961年7月、449‐462頁。（フォークナー及び本書に訳出された『八月の光』の解説）。
●『現代アメリカ文学選集7　「ある青年の冒険」ジョン・ドス・パソス／「ワインズバーグ物語」シャーウッド・アンダスン／「短編集」F・スコット・フィッツジェラルド』（杉木喬・山屋三郎・佐藤亮一・徳永暢三訳）荒地出版社、1968年1月、596‐606頁。（「シャーウッド・アンダスンについて」を山屋三郎氏と共同執筆）。
●『現代アメリカ短編選集I』白水社、1970年6月、325‐329頁。（「あとがき」としてアメリカにおける「短編小説」の隆盛について解説したもの）。
●『河出世界文学大系80　フォークナー』河出書房新社、1980年11月、449‐462頁。（上記『世界文学全集45　フォークナー』の解説と同じもの）。

■月報

●「ラードナアとサーバアと」『現代アメリカ文学全集4　J・サーバー　苦しい思い出／サーバー・アルバム；R・ラードナー　チャンピオン他短編集；M・キャンター　勇者よ永遠に』荒地出版社、「月報第4号」（1957年9月）、1‐2頁（ノンブルなし）。
●「ジャック・ロンドンの魅力」『現代アメリカ文学全集14　白い沈黙他短編集；野生の呼び声』荒地出版社、「月報第13号」（1958年7月）、1‐2頁（ノンブルなし）。
●「ヘミングウェイとスペインと闘牛　―新作「危険な夏」をめぐって―」『世界文学全集39　ヘミングウェイ』河出書房新社、「月報」（1961年1月）、1‐4頁。
●「サーバー雑感」『異色作家短篇集』早川書房、「月報9「虹をつかむ男」」（1962年10月）、1‐3頁。
●「シェイクスピアのこと」『シェイクスピア全集月報11』新潮社、（1962年12月）、3‐6頁。
●「スタインベックのこと」『世界文学大系87　ドス＝パソス　スタインベック』筑摩書房、「月報66」（1963年2月）、1‐2頁。
●「黒人文学雑感」『黒人文学全集』早川書房、「月報13」（1963年9月）、3‐5頁。
●「スタインベックのこと」『新潮世界文学46　スタインベック』新潮社、「月報17」（1969年6月）、6‐8頁。
●「本国におけるメイラーの評価」『ノーマン・メイラー全集6　大統領のための白書』新潮社、「月報（7）」（1969年10月）、3‐4頁。
●「スタインベック私見」『ノーベル賞文学全集15　ジョン・スタインベック；シュムエル・ヨセフ・アグノン』主婦の友社、「月報12」（1971年9月）、6‐8頁。

■対談・鼎談

●『筑摩世界文学大系 71　ヘミングウェイ』（アーネスト・ヘミングウェイ著　大橋吉之輔・石 一郎・谷口陸男訳）、筑摩書房、1971 年 5 月。（『日はまた昇る』の全訳〔5-129 頁〕、及び「解説」〔462 - 468 頁〕。本書と同じものが「筑摩世界文学大系 74」としても出版されている）。
●『ノーベル賞文学全集 15　ジョン・スタインベック；シュムエル・ヨセフ・アグノン』主婦の友社、1971 年 9 月。（ジョン・スタインベック「トーティーヤ・フラット」〔15 - 122 頁〕の全訳）。
●『筑摩世界文学大系 73　フォークナー』（佐伯彰一・大橋健三郎・大橋吉之輔・西川正身訳）筑摩書房、1974 年 2 月。（『アブサロム、アブサロム!』〔95-301 頁〕の全訳）。
●『近代世界文学 33　ヘミングウェイ』（大橋吉之輔・石 一郎・谷口睦男訳）、筑摩書房、1976 年 12 月。（『日はまた昇る』の全訳〔5 - 129 頁〕、及び「解説」〔445 - 451 頁〕の執筆）。
●『キリスト教文学の世界 21　パール・バック　マッカラーズ　オコナー』主婦の友社、1977 年 10 月。（フラナリー・オコナー「高く昇って一点へ」「善良な田舎者」「啓示」の翻訳〔250 - 303 頁〕、及び「オコナー　人と作品」〔314 - 316 頁〕の執筆）。
●『ヘミングウェイ　―日はまた昇る　武器よさらば―』（大橋吉之輔・石 一郎訳）フランクリン・ライブラリー、1986 年 8 月。（『日はまた昇る』の全訳〔5-129 頁〕、及び「解説」〔289 - 295 頁〕の執筆）。
●『フォークナー　―死の床に横たわりて　アブサロム、アブサロム!　熊　デルタの秋』（佐伯彰一・大橋吉之輔・大橋健三郎訳）フランクリン・ライブラリー、1986 年 12 月。（『アブサロム、アブサロム!』の全訳〔95 - 301 頁〕）。

<雑誌掲載>
●ノーマン・メイラー「白い黒人」『三田文學』（第二期）第 50 巻第 2 号（1960 年 2 月）、9 - 27 頁。
●P・E・シュナイダー「陽はまた沈む　―パリのアメリカ人―」『三田文學』（第二期）第 50 巻第 6 号（1960 年 6 月）、23 - 34 頁。
●原筆者不詳「社会主義リアリズム論」『三田文學』（第二期）第 50 巻第 9 号（1960 年 9 月）、9 - 39 頁。（アメリカの社会主義評論季刊誌 *Dissent* の 1960 年冬季号に掲載された "On Socialist Realism" の翻訳）。
●Y・ベレズニツキー&チャールズ・ニイダー「マーク・トウェインをめぐる米ソ論争」『三田文學』（第二期）第 51 巻第 3 号（1961 年 3 月）、11-25 頁。（チャールズ・ニイダーの書いたマーク・トウェイン伝を批判したソヴィエト連邦の批評家ベレズニツキーと、ニイダーとの紙上論争を訳出したもの）。
●ジェイムズ・ボールドウィン「わが存在証明　スイスの寒村で」『文芸』第 5 巻第 2 号（1966 年 1 月）、212-223 頁。（ボールドウィンのエッセイ集 *Notes of a Native Son*（1955）の中の一篇、"Stranger in the Village" を邦訳したもの。末尾に短い解説がある）。
●ジェイムズ・ボールドウィン「荒野のそと」『文芸』第 5 巻第 4 号（1966 年 4 月）、166 -190 頁。（ボールドウィンの短篇集、*Going To Meet the Man*〔1965〕の中の一篇、"Come Out the Wilderness" を訳出したもの。最終頁に解説あり）。
●J・ボールドウィン「この夏をどうクールするか」『パイデイア』第 5 号（1969 年 5 月）、10 - 32 頁。
●ジェイムズ・パーディ「なまえ」『海』第 2 巻第 1 号（1970 年新年特大号）、158-165 頁。
●ジョージ・スタイナー「文学と人間の言語　―その新しい諸関係―」『展望』第 187 号（1974 年 7 月）、27 - 42 頁。

■翻訳提供

<単行本>

●ウィリアム・フォークナー著　高橋正雄・大橋吉之輔訳『エミリーへの薔薇・猟犬』（英米名作ライブラリー）英宝社、1956年10月。（本書に収録された六篇のうち、「ユーラ」を除く五篇、すなわち「エミリーへの薔薇」、「亀裂」、「猟犬」、「黒衣の道化」の翻訳、及び巻末の「ウィリアム・フォークナーについて」の執筆を担当）。

●『現代アメリカ文学全集1　ワインズバーグ物語、貧乏白人、サン・ルイス・レイの橋』（山屋三郎・大橋吉之輔・伊藤 整訳）荒地出版社、1957年8月。（『貧乏白人』の全訳〔181 - 425頁〕、及び「解説　シャーウッド・アンダスンについて」〔511 - 520頁〕の執筆。ただし「解説」は山屋三郎氏との共著）。

●『現代アメリカ文学全集8　アブサロム・アブサロム！／熊／エミリーの薔薇／あの夕日』（ウィリアム・フォークナー著　西脇順三郎・大橋吉之輔・大橋健三郎・龍口直太郎訳）荒地出版社、1958年6月。（本書に収録された『アブサロム、アブサロム！』を西脇順三郎氏と共訳〔3 - 310頁、ただし307 - 310頁はサトペン家やチャールズ・ボンにまつわる「年譜」と「系譜」〕。なお、この訳は1965年11月、単独の形で荒地出版社から刊行された）。

●佐伯彰一・橋川文三・橋口 稔・渡辺 淳著『新しい文学　その思想と社会的背景』社会思想研究会出版部、1961年3月。（ノーマン・メイラー「白い黒人」の翻訳、95 - 128頁）。

●大橋健三郎編『アメリカ短篇名作集』學生社、1961年9月。（アンダスン「卵」の翻訳〔188 - 203頁〕とアンダスンについての解説「シャーウッド・アンダソン」〔343頁〕の執筆）。

●『世界ノンフィクション全集43　南海の泡沫；ロスチャイルド家の興隆；カーネギー自伝』（中野好夫ほか編）筑摩書房、1963年6月。（Virginia Cowles, *The Great Swindle: The Story of the South Sea Bubble* の全訳〔3 - 190頁〕。なお、このうち189 - 190頁は「訳者あとがき」）。

●『アメリカ文学作家シリーズ』（第三巻）（ミネソタ大学編　日本アメリカ文学会監修）北星堂、1964年7月。（ダンフォース・ロス「アメリカの短篇小説」〔195 - 255頁〕の全訳）。

●『世界文学全集60　ヘミングウェイ』（大橋吉之輔・石 一郎訳）筑摩書房、1966年10月。（『日はまた昇る』の全訳〔5 - 200頁〕、及び「解説・年表」〔442 - 453頁までが「解説」、454 - 461頁までが「年表」〕の執筆。なお、本書目次には「解説・年表」が443頁から始まることになっているが、これは442頁の誤りである）。

●『世界文学全集 II-21　ヘミングウェイ　武器よさらば；われらの時代に／他』河出書房新社、1967年1月。（『武器よさらば』の全訳〔1 - 257頁〕、及び「年譜」〔401 - 405頁〕の作成）。

●『ポケット版世界の文学14　武器よさらば　キリマンジャロの雪　老人と海 他』（大橋吉之輔・福田恆存・大久保康雄訳）河出書房、1967年12月。（『武器よさらば』の全訳〔3 - 310頁〕）。

●『母と子の世界の文豪童話シリーズ／12　ドストエフスキー／ポー／ウェルズ』（監修／川端康成）研秀出版、1969年3月。（エドガー・アラン・ポーの「大渦巻きへの下降」〔91 - 102頁〕の全訳。リライトしたものではないが、子供向けということもあって「です・ます調」で翻訳されている。また本文上部にはポーとその作品についての解説と註がある）。

●『現代アメリカ短編選集I』白水社、1970年6月。（Howard Nemerov, "A Secret Society" の全訳〔301 - 323頁〕、及び「あとがき」〔325 - 329頁〕の執筆）。

●ストウ夫人著『アンクル・トムの小屋』（上・下）（旺文社文庫）、旺文社、1967年3月。（下巻巻末の「あとがき」〔479頁〕を読むと、本書翻訳時に渡米することが急遽決まり、そのため翻訳完成には玉川大学助教授の越智道雄氏と井上敏子氏の助力を仰いだとある。その助力がどの程度のものかは不明。なお、判型は同じながらハードカバーで箱入りの「旺文社文庫　特装版（上・下）」が1967年10月に追加されている）。
●ウィリアム・フォークナー著『アブサロム、アブサロム!』（フォークナー全集12）冨山房、1968年7月。（「訳者解説」356 - 360頁を含む。荒地出版社版と比べ、随所に改訂が見られる）。
●ウィリアム・スタイロン著『ナット・ターナーの告白』（今日の海外小説）河出書房新社、1970年11月。（「河出海外小説選27」として1979年8月に新装版が出ている）。
●ウラジミール・ナボコフ著『プニン』新潮社、1971年4月。（文遊社から2012年10月に新版が出ている）。
●アーウィン・ショー著『富めるもの貧しきもの』（上・下）早川書房、1973年11・12月。（1990年3月にハヤカワ文庫版〔上・中・下〕が出ている）。
●ウィリアム・フォークナー著『フォークナー』（筑摩世界文學大系73）筑摩書房、1974年2月。
●ナンシー・ミルフォード著『ゼルダ　愛と狂気の生涯』新潮社、1974年11月。
●アーネスト・ヘミングウェイ著『ヘミングウェイ』（近代世界文学33）筑摩書房、1976年12月。
●トシオ・モリ著『カリフォルニア州ヨコハマ町』毎日新聞社、1978年12月。（1992年4月に新装版が出ている）。

■共訳

●レイ・B・ウェストJr.著　龍口直太郎・大橋吉之輔共訳『アメリカの短篇小説　1900～1950』（二十世紀アメリカ文学研究叢書）評論社、1955年8月。（本の表紙には「共訳」となっているが、奥付には龍口直太郎の名前のみ記されている。おそらく大橋先生が下訳をし、龍口氏が監修したのであろう。ちなみに本書は1971年12月に改訂版が出され、この改訂版には「五十年代以降のアメリカ短篇小説」と題された大橋先生による解説文〔195 - 207頁〕が付されている）。
●ウィリアム・フォークナー著　西脇順三郎・大橋吉之輔訳　『アブサロム・アブサロム!』（『現代アメリカ文学全集8』荒地出版、1958年6月、3 - 306頁）。
●ジェイムズ・ボールドウィン著『ジョヴァンニの部屋』（新しい世界の文学15）白水社、1964年7月。（同書は1979年2月にハードカバーの新装版が出た他、1984年7月には新書版の「白水社Uブックス（57）」としても出版されている。名義上、大橋吉之輔単独訳ではあるが、限りなく須山静夫氏の単独訳に近い共訳である）。
●ソール・ベロウ著　大橋吉之輔・後藤昭次訳　『犠牲者』（新しい世界の文学41）白水社、1966年10月。（2001年9月に白水社から新装版が出ている）。
●ジョイス・キャロル・オーツ著　大橋吉之輔・真野明裕訳　『かれら』（上・下）（海外純文学シリーズ7・8）角川書店、1973年7月。
●ジェイムズ・ヘリオット著『頑張れ、ヘリオット』（上・下）文化放送開発センター出版部、1975年11月。（名義上、大橋吉之輔単独訳ではあるが、実際には越智道雄氏との共訳。1981年12月に『ヘリオット先生奮戦記（上・下）』として早川書房〔ハヤカワ文庫〕から再刊）。

C.D. Narasimhaiah), VIKAS PUBLICATIONS, 1972, pp.391-394.
●龍口直太郎教授古稀記念文集『とらんしじょん』評論社（非売品）、1973年12月。（英文論文 "William Styron: The Correlation between His Life and His Work"〔135 - 153頁〕、及び、随想「川釣りと山羊」〔333 - 334頁〕を執筆。後者では、大橋先生が龍口先生からヤマベ釣りを伝授された思い出が書かれているが、釣りをする大橋先生が想像できないだけに一層興味深い一文である）。
●尾上政次教授還暦記念論文集刊行委員会編『アメリカの文学と言語』南雲堂、1975年3月。（英文論文「*Ceremony in Lone Tree* and the Comic Vision of Wright Morris」〔59 - 70頁〕を執筆）。
●龍口直太郎編『現代アメリカ文学入門』（英米文学シリーズ1）評論社、1975年7月。（「現代アメリカ文学概観 —小説を中心に—」〔7 - 30頁〕の執筆）。
●高村勝治教授還暦記念論集刊行会『アメリカ小説の展開』松柏社、1976年10月。（「ストーリー・テラーとしてのアンダスン」〔181-190頁〕の執筆。なお本編は、『英語文学世界』〔1976年7月号、34 - 37頁〕に寄稿した「シャーウッド・アンダスンの文章」という文章を補足改題したものである）。
●池田弥三郎編『回想の厨川文夫』慶應義塾三田文学ライブラリー、1979年1月。（「厨川先生のこと」〔63 - 65頁〕の執筆）。
●『吉田弘重先生退官記念英米文学語学研究』篠崎書林、1980年3月。（「吉田先生のこと」〔11 - 13頁〕の執筆。中学の先輩であり、広島大学教授であった吉田弘重先生の退官に際し、思い出を記したもの）。
●大橋健三郎教授還暦記念論文集『文学とアメリカ（Ⅲ）』南雲堂、1980年12月、（「「アメリカン・スペクテイター」とシャーウッド・アンダソン」〔282 - 296頁〕の執筆）。
●安東伸介（編集代表）『回想の西脇順三郎』慶應義塾三田文学ライブラリー、1984年3月。（「思い出すこと」〔120-121頁〕の執筆。『英語青年』第128巻第7号〔1982年10月号〕417 - 418頁に掲載した記事の再録）。

■項目執筆

●上田 勤・大橋健三郎・増田義郎編『現代英米文学ハンドブック』南雲堂、1961年7月、328 - 350頁。（ウィラ・キャサー、エレン・グラスゴー、イーディス・ウォートンその他、シャーウッド・アンダソン〔附シンクレア・ルイス、ガートルード・スタイン〕の各項目の執筆）。
●『世界文学の名作と主人公　総解説』自由国民社、1986年9月、153、186、196、197頁。（それぞれストウ夫人作「アンクル・トムの小屋」、スタイロン作「闇の中に横たわりて」、オーツ作「かれら」、アレックス・ヘイリー作「ルーツ」の紹介）。

■翻訳

●パトリシア・モイーズ著『死の会議録』（世界ミステリシリーズ）早川書房、1964年6月。（1983年12月に「ハヤカワ・ミステリ842」として新装版が出ている）。
●ウィリアム・フォークナー著『アブサロム、アブサロム！』荒地出版社、1965年11月。
●ウィリアム・サローヤン著『人生の午後のある日』荒地出版社、1966年9月。
●エドガー・アラン・ポー著『黒猫・黄金虫』（角川文庫）、角川書店、1966年12月。

●岩元 巖・大橋吉之輔編『Postwar American Fiction, 1945-1965, 2nd Series』Rinsen Book Co.、1990年。

Vol. I: *Williwaw* / Gore Vidal

Vol. II: *The Member of the Wedding; The Ballad of the Sad Café* / Carson McCullers

Vol. III: *Lolita* / Vladimir Nabokov

Vol. IV: *The Deer Park* / Norman Mailer

Vol. V: *The Ginger Man* / J. P. Donleavy

Vol. VI: *A Different Drummer* / William Melvin Kelly

Vol. VII: *Henderson the Rain King* / Saul Bellow

Vol. VIII: *Set This House on Fire* / William Styron

Vol. IX: *The Moviegoer* / Walker Percy

Vol. X: *Another Country* / James Baldwin

Vol. XI: *The Centaur* / John Updike

Vol. XII: *V.* / Thomas Pynchon

Vol. XIII: *The Little Big Man* / Thomas Berger

Vol. XIV: *The Wapshot Scandal* / John Cheever

Vol. XV: *God Bless You, Mr. Rosewater* / Kurt Vonnegut, Jr.

■共著

●志賀 勝編『ヘミングウェイ研究』(現代英米作家研究叢書)英宝社、1954年10月。(「作品研究『日はまた昇る』」〔147 - 165頁〕の執筆)。

●慶應義塾大学文学部文学科編『英文学』(慶應義塾創立百年記念論文集『文学』)、1958年11月。(「Theodore Dreiserについての序論」〔125 - 141頁〕の執筆)。

●高村勝治編『二十世紀アメリカ小説の技巧』(南雲堂不死鳥選書別巻、英米文学シンポジアム)南雲堂、1959年6月。(1958年6月8日に東北大学で行われた日本英文学会第三十回大会でのシンポジアム「二十世紀小説の技巧」の各講師の発表原稿を編集した論集。大橋先生は「スタインベックの技巧」〔81 - 108頁〕を執筆。なお初版はソフトカバーだが、1982年6月に出た第三刷はハードカバーとなっている)。

●龍口直太郎・吉武好孝編『現代アメリカ文学』(現代世界文学研究叢書)有信堂、1960年2月。(「ジョン・スタインベック」〔132 - 138頁〕の執筆。なお本論は1957年5月発行の『不死鳥通信』第11号〔18 - 21頁〕に寄稿した「スタインベックの文学」という文章を骨子とした旨の追記が付されているが、両者の違いは大きく、既存の文章をそのまま使ったものではない)。

●慶應義塾大学藝文学会編『西脇順三郎先生記念論文集』慶應義塾大学藝文学会、1963年1月。(「二十世紀アメリカ小説の現代的性格について —Ernest Hemingwayのばあい—」〔306-296頁〕の執筆。内容は『藝文研究』第14・15号〔1963年1月〕とページ数も含めて全く同じ)。

●西川正身編『フォークナー』(20世紀英米文学案内16)研究社、1966年12月。(ウィリアム・フォークナー『アブサロム、アブサロム!』の解説〔114 - 138頁〕)。

●斎藤 真・嘉治元郎編『アメリカ研究入門』東京大学出版会、1969年3月。(XI章「文学」〔201 - 223頁〕を担当)。

● "Report on the Japanese Scene." In *Asian Response to American Literature* (Ed.

Norman Mailer の "The Greatest Thing in the World"、Truman Capote の "Breakfast at Tiffany's"、J. D. Salinger の "Franny"、"The Long Debut of Lois Taggett"、Peter Taylor の "Venus, Cupid, Folly and Time"、John Updike の "The Doctor's Wife" が原文で掲載され、巻末に "Chronology" と称する簡素な米文学史と、本書に取り上げた作家たちの簡潔な紹介がある)。

●大橋健三郎・斎藤 光・大橋吉之輔編『総説アメリカ文学史』研究社出版、1975年4月。(第5章「不条理の文学」を執筆)。

●大橋健三郎・斎藤 光・大橋吉之輔編『総説アメリカ文学史 —資料編—』研究社出版、1979年3月。

●Jack Salzman, David D. Anderson and Kichinosuke Ohashi (eds.). *Sherwood Anderson: The Writer at His Craft*. Paul P. Appel, 1979. (シャーウッド・アンダスンの未収録文集)。

●岩元 巌・大橋吉之輔編『Postwar American Fiction, 1945-1965』Rinsen Book Co.、1986 - 1987年。

Vol. I: *Mister Roberts* / Thomas Heggen
Vol. II: *All the King's Men* / Robert Penn Warren
Vol. III: *Delta Wedding* / Eudora Welty
Vol. IV: *Gentleman's Agreement* / Laura Z. Hobson
Vol. V: *The Naked & the Dead* / Norman Mailer
Vol. VI: *Other Voices, Other Rooms; A Tree of Night & Other Stories* / Truman Capote
Vol. VII: *The Man with the Golden Arm* / Nelson Algren
Vol. VIII: *The Cannibal; The Beetle Leg* / John Hawkes
Vol. IX: *The Delicate Prey & Other Stories* / Paul Bowles
Vol. X: *Lie Down in Darkness* / William Styron
Vol. XI: *From Here to Eternity* / James Jones
Vol. XII: *Player Piano* / Kurt Vonnegut, Jr.
Vol. XIII: *Wise Blood* / Flannery O'Connor
Vol. XIV: *Invisible Man* / Ralph Ellison
Vol. XV: *The Adventure of Augie March* / Saul Bellow
Vol. XVI: *The Field of Vision* / Wright Morris
Vol. XVII: *Giovanni's Room* / James Baldwin
Vol. XVIII: *The Assistant* / Bernard Malamud
Vol. XIX: *A Death in the Family* / James Agee
Vol. XX: *The Wapshot Chronicle* / John Cheever
Vol. XXI: *Color of Darkness: Eleven Stories and a Novella* / James Purdy
Vol. XXII: *On the Road* / Jack Kerouac
Vol. XXIII: *The End of the Road* / John Barth
Vol. XXIV: *Goodbye, Columbus, and Five Short Stories* / Philip Roth
Vol. XXV: *The Naked Lunch* / William Burroughs
Vol. XXVI: *Rabbit, Run* / John Updike
Vol. XXVII: *Catch-22* / Joseph Heller
Vol. XXVIII: *One Flew Over the Cuckoo's Nest* / Ken Kesey
Vol. XXIX: *Ship of Fools* / Katherine Anne Porter
Vol. XXX: *Last Exit to Brooklyn* / Hubert Selby, Jr.

Vol. XIX: *Sherwood Anderson's Memoirs*
Vol. XX: *The Sherwood Anderson Reader*
Vol. XXI: *Clyde as Winesburg (Photos), Uncollected Stories, Index*

●『New Historic Atlas of Sandusky County Ohio Illustrated』Rinsen Book Co.、1988 年。(Everts, Stewart & Co. が 1874 年に出版したオハイオ州サンダスキ郡の地誌を完全リプリントしたもの)。

●大橋吉之輔編『American Fiction between the Wars』(全 8 巻)
Rinsen Book Co.、1989 年。
Vol. I: *Banjo* / Claude McKay
Vol. II: *The Green Bay Tree* / Louis Bromfield
Vol. III: *Christ in Concrete* / Pietro di Donato
Vol. IV: *The Owl in the Attic & Other Perplexities* / James Thurber
Vol. V: *Three Soldiers* / John Dos Passos
Vol. VI: *The Grandmothers* / Glenway Wescott
Vol. VII: *The Litter Rose Leaves* / Stephen Vincent Benet: *Tabloid News* / Louis Bromfield: *Gehenna* / Conrad Aiken: *Feathers* / Carl Van Vechten: *The American County Fair* / Sherwood Anderson: *Fine Furniture* / Theodore Dreiser
Vol. VIII: *Plagued by the Nightingale* / Kay Boyle

●大橋吉之輔編『American Fiction between the Wars, 2nd series』(全 10 巻)
Rinsen Book Co., 1991 年。
Vol. I: *Miss Lonelyhearts* / Nathanael West
Vol. II: *The Daring Young Man on the Flying Trapeze* / William Saroyan
Vol. III: *Rootabaga Stories* / Carl Sandburg
Vol. IV: *Look Homeward, Angel* / Thomas Wolfe
Vol. V: *Jews Without Money* / Michael Gold
Vol. VI: *Young Lonigan* / James T. Farrell
Vol. VII: *Heaven's My Destination* / Thornton Wilder
Vol. VIII: *They Shoot Horses, Don't They* / Horace McCoy
Vol. IX: *The Ox-Bow Incident* / Walter Van Tilburg Clark
Vol. X: *Native Son* / Richard Wright

■共編

●大橋吉之輔・小山敏三郎編『20th Century American Authors: An Anthology』金星堂、1964 年 4 月。(編者の "Preface" に続き Theodore Dreiser の "Will You Walk into My Parlor?"、Sherwood Anderson の "A Story-Teller's Story (Book I)"、"A Meeting South"、"Death in the Woods"、Willa Cather の "My Ántonia"、F. Scott Fitzgerald の "Echoes of the Jazz Age"、"The Lost Decade"、William Faulkner の "Barn Burning"、"Ad Astra"、Ernest Hemingway の "Up in Michigan"、"Soldier's Home"、"Mr. and Mrs. Elliot"、"The Snows of Kilimanjaro"、John Dos Passos の "The Theme is Freedom"、John Steinbeck の "'Shark' Wicks"、"Molly Morgan"、Robert Penn Warren の "When the Light Gets Green"、Katherine Anne Porter の "Holiday"、Tennessee Williams の "Hard Candy"、"The Important Thing"、

大橋吉之輔 著作目録

（本書刊行時点で判明しているものに限る）

■単著

●『アメリカ文学』（慶應義塾大学通信教育教材 L-7625・非売品）慶應義塾大学通信教育部、1976 年 9 月。（1987 年に出版された『アメリカ文学史入門』（研究社出版）は、実質的には中 道子氏との共著であって、先生が単著として上梓したアメリカ文学史というものはない。その意味で本書は、通信教育部用の非売品の教科書であるとは言え、一応はアメリカ文学についての通史であり、先生の「アメリカ文学史観」が窺えるものとして興味深い）。

●『アンダスンと三人の日本人――昭和初年の「アメリカ文学」』研究社出版、1984 年 7 月。

●『アメリカ文学史入門』研究社出版、1987 年 3 月。（単著の体裁ではあるが、実質的には中 道子氏との共著）。

■編著

●大橋吉之輔編『アンダソン』（20 世紀英米文学案内 8）研究社、1968 年 8 月。（「人と生涯」（1-27 頁）、「年表・書誌（山本 晶氏との共著）」（巻末 246-242 頁）の執筆）。

●大橋吉之輔編『アメリカ文学読本　作家と作品のより深い理解のために』（有斐閣選書）有斐閣、1982 年 3 月。（「はじめに」〔i - viii 頁〕の執筆）。

●大橋吉之輔編『The Complete Works of Sherwood Anderson』（全 21 巻）Rinsen Book Co.、 1982 年。

Vol. I: *Windy McPherson's Son*
Vol. II: *Marching Men*
Vol. III: *Winesburg, Ohio*
Vol. IV: *Poor White*
Vol. V: *Many Marriages*
Vol. VI: *Dark Laughter*
Vol. VII: *Beyond Desire*
Vol. VIII: *Kit Brandon*
Vol. IX: *The Triumph of the Egg*
Vol. X: *Horses and Men*
Vol. XI: *Alice and the Lost Novel, Death in the Woods and Other Stories*
Vol. XII: *Story Teller's Story*
Vol. XIII: *Tar: A Midwest Childhood*
Vol. XIV: *The Modern Writer, Sherwood Anderson's Notebook*
Vol. XV: *Hello Towns!*
Vol. XVI: *Nearer the Grass Roots, The American County Fair, Perhaps Women, No Swank*
Vol. XVII: *Puzzled America, A Writer's Conception of Realism, Hello Town*
Vol. XVIII: *Mid-American Chants, A New Testament, Plays: Winesburg and Others*

エピソード
アメリカ文学者 大橋吉之輔 エッセイ集

二〇二一年一〇月一五日 初版第一刷発行

著者 大橋吉之輔
編者 尾崎俊介
発行者 工藤秀之
発行所 株式会社トランスビュー
〒一〇三-〇〇一三
東京都中央区日本橋人形町二-三〇-六
電話 〇三-三六六四-七三三四
URL http://www.transview.co.jp/

装丁 緒方修一
印刷・製本 中央精版印刷

ISBN 978-4-7987-0182-0 C0095